LE VENT
SE LÈVE

MIREILLE LESAGE

LE VENT
SE LÈVE

roman

Pygmalion
Gérard Watelet

Paris

Sur simple demande aux
Éditions Pygmalion/Gérard Watelet, 70, avenue de Breteuil, 75007 Paris
vous recevrez gratuitement notre catalogue
qui vous tiendra au courant de nos dernières publications.

© 1994 Éditions Pygmalion / Gérard Watelet, Paris
ISBN 2-85704-412-7

*Pour Charlotte C.
et Numa M.*

A la mort de Louis XIII, pendant la minorité de Louis XIV, le pouvoir est confié à sa mère, Anne d'Autriche. La reine est secondée par un Premier ministre, le cardinal Jules Mazarin, d'origine italienne, ancien protégé de Richelieu. Bien que les débuts de la « Bonne Régence » soient une période heureuse, Mazarin ne tarde pas à faire l'unanimité contre lui. Ami trop intime de la reine, il est accusé de piller l'État, de pervertir le jeune roi et son frère. Honni, haï, il est le « Destructeur », le « Bougre de Sicile », l'« Ennemi du Royaume ».

En 1648, éclatent les premiers troubles. Ces « Messieurs du Parlement » qui ambitionnent de jouer un rôle actif au Conseil du Roi et de pouvoir y légiférer, se sentant menacés dans leurs privilèges, se rebellent sous le prétexte de secourir le peuple accablé d'impôts. On compare alors les Messieurs aux garnements qui narguent le guet en chassant les corneilles dans les fossés de Paris à l'aide de petites frondes. Quelques grands seigneurs les soutiennent. Dans les rues, se dressent des barricades. Les troubles gagnent les provinces.

Fuyant les émeutes, la Cour se réfugie à Saint-Germain-en-Laye en janvier 1649. Le prince Louis de Condé, fidèle au roi, commande le siège de la capitale où se déchaînent les « mazarinades », pamphlets virulents, souvent orduriers, dirigés contre le Cardinal.

Pourtant le goût de l'ordre finit par l'emporter. Après des négociations difficiles avec les Frondeurs, la Cour, triomphante, rentre à Paris en août 1649.

PRINCIPAUX PERSONNAGES HISTORIQUES

Louis XIV
> Roi de France.
> Fils de Louis XIII et d'Anne d'Autriche, né en 1638.

Anne d'Autriche
> Régente jusqu'en 1651.

Philippe, duc d'Anjou
> Frère de Louis XIV, né en 1640. Le petit Monsieur.

Jules Mazarin
> Cardinal, Premier ministre.

Gaston d'Orléans
> Monsieur, fils d'Henri IV, frère de Louis XIII. Oncle du roi.

Anne Marie Louise de Montpensier
> Fille de Gaston, cousine du roi, née en 1627.

Marguerite d'Orléans
> Madame, seconde épouse de Gaston.

Louis de Bourbon Condé
> Monsieur le Prince, cousin du roi, né en 1621.

11

LE VENT SE LÈVE

Claire-Clémence
Madame la Princesse, sa femme.

Duc d'Enghien
Son fils.

Duchesse de Longueville
Anne-Geneviève de Bourbon Condé.
Sœur de Monsieur le Prince.

Armand, prince de Conti
Frère de Monsieur le Prince.

Charlotte de Montmorency
Madame la Princesse, leur mère.

Isabelle-Angélique de Montmorency-Bouteville
Duchesse de Châtillon, leur cousine.

Duc de Longueville
Époux d'Anne-Geneviève.

Marie de Longueville
Fille du duc.

Louis, duc de Mercœur
François, duc de Beaufort
Petits-fils bâtards d'Henri IV.
Fils du duc de Vendôme.

Charles-Amédée de Suvoio
Duc de Nemours.

Elisabeth de Vendôme
Duchesse de Nemours.

François, prince de Marsillac, duc de La Rochefoucauld

Henri de Turenne
Maréchal de France.

Frédéric-Maurice
Duc de Bouillon, son frère.

LE VENT SE LÈVE

Charles
Marquis d'Hocquincourt, maréchal de France.

Paul de Gondi
Coadjuteur de l'archevêque de Paris, cardinal de Retz.

Marie
Duchesse de Chevreuse.

Marie
Duchesse de Montbazon.

Anne de Gonzague
Princesse Palatine.

Charles, duc de Lorraine
Frère de Madame.

Henriette-Marie, reine d'Angleterre, veuve de Charles Ier.
Sœur de Louis XIII.

Charles II
Jacques, duc d'York ⎤ ses enfants
Henriette ⎦

Marguerite
Duchesse de Rohan.

Henri de Chabot
Son mari, duc de Rohan.

Antoine Agésilan
Marquis de Flamarens.

Marquis de Vilaine
Astrologue.

Amaury, marquis de La Moussaye
Ami de Condé.

« Le petit Guitaut »
Ami de Condé.

LE VENT SE LÈVE

Pierre Lenêt
Homme de confiance de Condé.

Gourville
Secrétaire du duc de La Rochefoucauld.

Les amis de Mademoiselle

Charles-Léon
Comte de Fiesque

Gilonne d'Harcourt
Comtesse de Fiesque.

Marie de Bréauté

Anne de Frontenac

Préfontaine
Écuyer.

Pradine
Lieutenant des Gardes de Monsieur.

François de Barradas
Ancien favori de Louis XIII.

Gabrielle de Coligny de Cressia
Son épouse.

Louise-Angélique de La Fayette
Visitandine.
Ancienne favorite de Louis XIII.

Capitaines des Gardes

César Phoebus
Comte de Miossens.

François de Guitaut

14

LE VENT SE LÈVE

François de Comminges
Neveu de Guitaut.

La Louvière
Gouverneur de la Bastille.

De Bar
Gouverneur du château de Vincennes.

Mathieu Molé
Président au Parlement.

Laure Mancini
Duchesse de Mercœur, nièce de Mazarin.

Paul Mancini
Neveu de Mazarin.

Jean Loret
Poète, gazetier.

Renard
Traiteur.

La Durier
Cabaretière à Saint-Cloud.

Dureteste
Boucher bordelais

*Les citations ou propos historiques
sont indiqués par des guillemets " ".*

PERSONNAGES ROMANESQUES

Charlotte d'Ivreville, née en 1633.

Jérôme de Venoy de Boisdanil

René de Barradas

Floriane d'Ivreville, née de Saint-Évy
    Mère de Charlotte.

Artus d'Ivreville
    Maréchal de France.
    Père de Charlotte.

Adrien d'Ivreville
    Frère de Charlotte, né en 1638.

Sœur Marie-Joseph
    Visitandine, tante de Charlotte.

Antoinette de Barradas
    Sœur de René.

Ermelinde Frumence
    Dame de compagnie.

LE VENT SE LÈVE

Cateau
> Servante.

Andrée
> Servante.

Jean La Musette
> Valet.

Duchot
> Intendant de Jérôme.

Martin
> Valet de Charlotte.

Colas

La Rataude

I

Le feu d'un regard

(Septembre 1649 - Janvier 1650)

> « *Je sentis dans mon cœur je ne sais quelle joie inquiète et je ne sais quel tumulte intérieur que je ne connaissais point du tout, ne l'ayant jamais senti jusques alors !* »

Artamène ou LE GRAND CYRUS
de Madeleine de Scudéry.

— CHARLOTTE ! Charlotte, où êtes-vous ?

La voix s'essoufflait au milieu de l'escalier, cherchant à atteindre l'étage de l'hôtel, une voix de vieille femme corpulente et inquiète.

— Charlotte, mon enfant, répondez !

La prière s'acheva sur un marmottement poussif. La peste soit de cette petite avec sa manie de disparaître sans avertir, de n'en faire qu'à sa tête ! Était-il possible d'être aussi indépendante, aussi opiniâtre ?...

Ermelinde Frumence s'arrêta un instant, une main sur la rampe de pierre pour reprendre haleine, accablée par ce fâcheux comportement, avant de poursuivre, avec lourdeur, son ascension.

— Cateau, sais-tu où est mademoiselle ? demanda-t-elle en croisant une servante à la mine encore fraîche quoique sans grande expression sous une « calle » blanche. Est-elle prête ?

— Oui, mademoiselle est au jardin depuis au moins une demi-heure.

Dame Frumence gémit ; un air malheureux chiffonna son visage rond et coloré : elle n'avait plus qu'à redescendre !

Charlotte n'était pas au jardin. Le soleil piquant de cet après-midi de septembre l'en avait vite chassée malgré l'épaisseur des charmilles. Elle se trouvait présentement dans un petit cabinet sombre et frais tout tendu de cuir andalou, bourré de livres et de registres, dans lequel son père, le maréchal d'Ivreville, recevait ses intendants, traitait ses affaires ; son père qui avait promis de venir la chercher pour la conduire au bal de l'Hôtel de Ville.

Charlotte avait parfaitement entendu les appels de sa vieille gouvernante mais, trop préoccupée, n'avait pas jugé bon d'y répondre. Assise sur un escabeau près d'une fenêtre, la jeune fille était penchée sur un livre recouvert de velours jaune.

« Les danses et les bals sont choses indifférentes de leur nature, mais selon l'ordinaire façon avec laquelle cet exercice se fait, il est fort incliné du côté du mal, et par conséquent plein de danger et de péril. »

C'étaient quelques pages de l'*Introduction à la vie dévote* de François de Sales. S'adressant naguère à une jeune personne de sa connaissance, affectueusement surnommée Philotée, le saint homme avait donné, dans son ouvrage, tous les conseils que pouvait désirer une âme exigeante. Il l'avait fait avec verve et vigueur :

« Je vous dis des danses, Philotée, comme les médecins disent des potirons et des champignons : les meilleurs ne valent rien. Et je vous dis que les meilleurs bals ne sont guère bons. »

Pas même celui que ces Messieurs de l'Hôtel de Ville allaient offrir à la Cour cet après-midi, à l'occasion du onzième anniversaire du roi !

« Si néanmoins il faut manger des potirons, prenez garde qu'ils soient bien apprêtés ; si par quelque occasion, de laquelle vous ne puissiez pas vous bien excuser, il faut aller au bal, prenez garde que votre danse soit bien apprêtée. » Et de quelle manière devait-elle l'être ? Sur ce point, la réponse de François de Sales était catégorique : « de modestie, de dignité et de bonne intention. »

De la modestie, de la dignité, Charlotte estimait en être amplement pourvue. Quant à sa bonne intention, elle était évidente. Son devoir lui commandait l'obéissance avant tout. Elle ne pouvait ni manquer de respect à la reine qui réclamait aujourd'hui sa présence ni se dérober à la volonté de ses parents. Après huit mois de séparation, ils n'auraient pas compris un refus de sa part, en auraient été chagrinés, et Charlotte était au fond si heureuse de leur retour !

Elle referma doucement le livre, en caressa le velours, contente d'elle-même car certaine d'être assez armée pour supporter les assauts du monde. Pourtant François de Sales n'en occultait pas la gravité. « Les bals, les danses et telles assemblées attirent ordinairement les vices et les péchés qui règnent en un lieu : les querelles, les envies, les moqueries, les folles amours. »

Sa mise en garde sans équivoque correspondait en tout point à l'opinion que Charlotte, malgré sa faible expérience, s'était déjà forgée. Non qu'elle fût excessivement pieuse ou qu'elle craignît de faillir. Elle se faisait de l'honneur une trop haute idée. Mais les conventions mondaines lui avaient toujours paru suspectes. Toute petite déjà, elle protestait lorsque sa mère, Floriane d'Ivreville, l'emmenait visiter ses amis. Charlotte avait très tôt détesté ces petits rites de société, ces exclamations, ces embrassades et révérences, ces phrases immanquablement les mêmes, compliments et plaisanteries creuses, suscités par leur entrée dans quelque salon.

— Charlotte, donne un baiser à la dame, l'exhortait Floriane, tout sourires et gracieusetés, qui chaque fois, partout, était accueillie avec le même mélange d'affection et de fascination.

— C'est une petite sauvageonne, disait-elle alors, sur un ton mi-indulgent, mi-préoccupé, afin d'excuser la mine renfrognée de sa fille.

— Comme elle vous ressemble peu, très chère !

— C'est une Ivreville, n'est-ce pas ?

— Certes, on retrouve son père trait pour trait.

23

Et lorsque enfin les adultes se désintéressaient d'elle, c'était au tour des demoiselles de la maison de l'entraîner dans un cauchemar. Anne-Geneviève de Bourbon Condé, par exemple, une blonde superbe et autoritaire, sa cousine Isabelle-Angélique de Montmorency, les sœurs du Vigean, et bien d'autres encore, toutes jacassantes créatures, se mettaient en effet à la mignoter, à s'amuser d'elle comme d'un jouet vivant.

— Les beaux cheveux ! Regardez cette teinte cuivrée, ces crans et ces bouclettes. Charlotte, veux-tu que nous te tressions ces rubans bleus ?

— Tiens, petite, lui proposait une autre, voici une jolie poupée, rien que pour toi.

Une poupée ! Alors qu'elle les avait toujours méprisées et préférait gambader avec Bélise, sa chèvre nourricière !

— Maman, partons d'ici, voulez-vous ? J'en ai assez d'être prise pour une enfant ! s'était-elle écriée un beau jour, en faisant irruption dans « la chambre bleue » de la marquise de Rambouillet.

Elle n'avait pas six ans. Son indignation avait beaucoup fait rire et le même soir, son père l'avait félicitée de sa sagesse, ce que sa mère n'avait que modérément apprécié.

Le pire fut lorsqu'elle eut grandi. On se mit alors à détailler ses attraits, à lui en faire louanges. « Charlotte, ce soleil naissant, ce bouton s'épanouissant... » s'extasiait Voiture, un vieux poète assez ridicule, mort récemment. Bien entendu, il s'empressait ensuite d'établir l'inévitable comparaison :

« Floriane, pleine de douceur,
Êtes-vous mère, êtes-vous sœur
De cette belle si gentille
Qu'on dit votre fille ? »

Il fallait voir, alors, cette mère rayonner sous les compliments, lancer une spirituelle repartie, à l'aise parmi tous ces gens qui l'admiraient, la désiraient. Et comment en eût-il été autrement d'ailleurs ? Elle était si lumineuse, d'un éclat sans pareil qui éclipsait toutes les femmes. Mais qui, en même temps, la plaçait si haut, si loin ! Charlotte savait bien qu'une telle perfection ne pouvait s'égaler.

Une sauvageonne. Oui, c'était vrai. Jamais Charlotte n'était aussi heureuse que dans sa campagne normande, galopant en toute liberté sur les verts chemins, poussant parfois jusqu'aux grandes falaises blanches dressées au-dessus de la mer pour se griser de vent et de vertige.

— Un jour, je partirai vers l'horizon ! s'écriait-elle.

Hélène d'Ivreville, son aïeule, qui l'avait élevée, ne s'en étonnait pas.

— Un ancêtre viking a dû te léguer cet esprit sauvage et aventureux. Tu apprendras à le dompter, à en tirer le meilleur.

— C'est vous qui me l'apprendrez, grand-maman.

Comme elle lui avait appris à goûter la solitude, à aimer les livres, à entendre les Écritures, à rechercher toujours, en toute action, l'honneur et la vertu. Pendant quinze ans, elles avaient vécu l'une et l'autre dans la plus étroite communion de cœur et d'intelligence, jusqu'à l'année dernière. Hélène d'Ivreville était morte brusquement, la laissant désemparée, perdue, orpheline. Sa mère l'avait aussitôt ramenée à Paris, s'était montrée fort attentionnée, renonçant, un certain temps, à se rendre à la Cour, à voir ses amis, l'entourant, la dorlotant comme jamais elle ne l'avait encore fait. Ce qui avait même quelque peu embarrassé Charlotte. La tendresse moins démonstrative de son père, revenu des armées pour l'occasion, lui avait été beaucoup plus précieuse ; Adrien, son petit frère, peu touché par la disparition d'Hélène, avait de son côté inventé mille pitreries pour la distraire. Charlotte avait su taire son chagrin ; pourtant la vieille dame lui manquait encore.

Son meilleur appui disparu, elle voyait maintenant, à près de seize ans, s'amorcer une vie nouvelle, préparée avec soin par ses parents : sans doute une charge prestigieuse, un brillant mariage qui rehausserait encore la gloire des Ivreville, tout ce dont pouvait rêver une jeune fille. Charlotte n'avait même pas à craindre d'être poussée contre son gré dans les bras du premier venu.

— Nous te faisons confiance, ma chérie. Tu seras libre de ton choix, lui avait souvent répété Floriane. Car, quoiqu'on prétende, l'amour est nécessaire entre époux.

Et pour dire cela, elle avait un sourire radieux de femme comblée.

Malgré son innocence, Charlotte devinait tout le foisonnement de mystères qu'il recelait et dont elle avait toujours été exclue. La passion qui unissait son père et sa mère, si rare au sein d'un couple marié, était devenue à la Cour, à la ville, sujet de légende. La jeune fille en était à la fois jalouse, fière, gênée, avec la conviction que pas un être sur cette terre ne saurait lui inspirer pareil sentiment.

Charlotte avait d'ailleurs décidé que le mariage ne l'intéressait pas. La perspective d'aliéner sa liberté, de risquer sa vie pour mettre des enfants au monde, la rebutait. Pas un des gentilshommes qui lui avaient été présentés — tous des muguets enrubannés et vaniteux ! — n'avait retenu son attention. Elle ne s'était même pas donné la peine d'être aimable.

A ce propos, quelques piques avaient été échangées entre elle et Floriane.

— Charlotte ! tu pourrais faire un effort, vraiment ! Si, comme il est prévu, la reine te donne une place parmi ses filles, il te faudra bien renoncer à tes airs revêches.

Les événements politiques obligeant la Cour à quitter Paris avaient remis le projet à plus tard. En janvier, tandis que Floriane et son fils suivaient la reine et le jeune roi à Saint-Germain, Charlotte avait préféré gagner le couvent Sainte-Marie de la Visitation, dont sa tante était prieure.

Elle y était restée tout le temps des troubles, trouvant parmi les religieuses chaleur et tranquillité, sans avoir à supporter leurs questions ou leurs conseils oiseux. L'une d'elles, sœur Angélique de La Fayette, l'avait tout particulièrement prise en amitié. Charlotte avait été fascinée par cette douce et pieuse femme qui, jadis, pour ne pas déchoir, avait renoncé à l'amour d'un roi, aux plaisirs, aux richesses du monde. C'était de sœur Angélique que lui venait le précieux petit guide dont elle continuait à caresser le velours jaune.

Deux semaines plus tôt, une lettre de sa mère avait annoncé à Charlotte le retour de la Cour à Paris, un retour qui avait été un triomphe comme la reine et le cardinal Mazarin n'avaient osé le souhaiter.

— " Vive le roi ! Vive le fils ! Vive la mère ! "

— " Il paraît enfin mon soleil, ce beau Louis qui me contente ! "

Le roi était revenu, cet enfant que les Parisiens adoraient. Il leur avait fallu cette séparation, ce siège éprouvant, pour s'en rendre compte. Versatile et léger, le peuple avait applaudi, chanté son allégresse, entouré le carrosse de Louis, faisant du faubourg Saint-Denis jusqu'au Palais-Royal une escorte bigarrée, bruyante, avant de courir, le soir, allumer des feux de joie par toute la ville. Dans leur délire, certains avaient même aussi applaudi Mazarin assis dans le carrosse de M. le Prince. Sans doute le rusé avait-il pris la précaution de glisser çà et là quelque argent, le meilleur moyen de s'assurer l'affection de la canaille, toujours prompte à s'enflammer. Néanmoins un accueil aussi enthousiaste laissait bien augurer de l'avenir. La reine en avait longtemps remercié Dieu, dans la paix de son oratoire.

Anne ne pouvait maintenant faire un pas hors de chez elle sans être entourée par les harengères, les plus vindicatives cependant, qui lui demandaient pardon, la pressaient, baisaient sa robe au risque de la mettre en lambeaux. Et toujours ces cris :

— Vive le roi !

Les Frondeurs allongeaient le nez : la victoire semblait avoir changé de camp. En ce 5 septembre 1649, la Cour et les bourgeois s'apprêtaient à la réconciliation générale, au bal de l'Hôtel de Ville.

27

— Montrez-vous enfin, insupportable enfant !

Pauvre Ermelinde ! Charlotte sourit et quitta son siège en abandonnant son livre sur le rebord de la fenêtre. D'un pas rapide, elle alla ouvrir la porte sur le corridor zébré de lumière.

— Que se passe-t-il donc ?

Un frou-frou pesant, un halètement court : dame Frumence surgit au seuil du jardin, écarlate en ses habits noirs.

— Vous auriez pu me répondre plus tôt, au lieu de me faire courir dans toute la maison, maugréa-t-elle.

— Pardon, Ermelinde, je ne vous avais pas entendue. Je suis navrée. Mais vous allez vite vous asseoir et vous remettre, avec peut-être un doigt de muscat bien frais ?

Allusion à un petit travers que personne dans la famille n'ignorait.

— Charlotte, vous n'êtes qu'un diable !

Celle-ci se mit à rire :

— Mais oui, un bon diable qui vous adore, mon Ermelinde, rit-elle en l'embrassant. Allons, prenez mon bras.

A petits pas, elles gagnèrent l'antichambre, s'assirent sur une banquette. De hautes croisées donnaient sur la cour de l'Hôtel d'Ivreville où se trouvait déjà un carrosse recouvert de cuir rouge. Les domestiques bavardaient autour de l'attelage. Par la porte cochère restée grande ouverte, on apercevait les quais de la Seine tout poudreux au soleil.

— Mon père ne saurait tarder maintenant. En l'attendant, Ermelinde, dites-moi ce qui vous presse.

— J'ai oublié de vous remettre ceci que m'a confié ce matin madame votre mère avant d'aller chez la reine. Elle voudrait que vous le portiez tantôt.

Ermelinde ouvrit un écrin dans lequel scintillait un collier de perles, agrémenté de topazes. Une petite merveille.

— Je n'en ai que faire ! commenta Charlotte avec désinvolture.

Et se dressant devant la vieille fille outrée :

— Ma robe se suffit à elle-même. Ce colifichet l'alourdirait.

28

— Un colifichet ! hoqueta Ermelinde, en se tamponnant le front de son mouchoir.

Son œil bleu larmoyant détaillait, avec une sorte d'impuissance désespérée, la silhouette campée à deux pas dans une attitude de défi ; une silhouette élancée, svelte, vêtue d'une simple robe de soie verte s'ouvrant sur une jupe de satin crème, le même satin bouillonnant au bas des manches, au décolleté arrondi, unique fantaisie d'une toilette pourtant irréprochable et portée avec infiniment d'allure ! Couronné d'épais cheveux châtain-roux, strictement retenus sur la nuque par des peignes de nacre, le visage de Charlotte étincelait. Sa beauté n'était point de celles ordinairement louées chez une jeune fille : le trait surprenait par sa hardiesse, de même que l'expression trop souvent lointaine ou ironique. Mais son teint était d'une rare pureté ; ses yeux avaient de chatoyants reflets d'or et sa bouche, lorsqu'elle voulait bien perdre de son arrogance, savait se faire tendre et rieuse. Ermelinde s'extasia un instant devant sa petite sans vouloir toutefois le montrer :

— A votre guise, Charlotte ! Vous vous en expliquerez avec votre mère.

A cet instant, deux cavaliers firent irruption dans la cour. L'un d'eux, un jeune garçon, sauta à bas de son cheval pour se précipiter vers la maison. Il se trouva nez à nez avec Charlotte qui s'était avancée à leur rencontre. Avec transport, il la prit par le cou. C'était un bel enfant, vif et brun, aux yeux très clairs.

— Adrien ! Tu vas gâter ma robe. Que fais-tu ici ? Tu n'es donc pas resté auprès du roi ?

— Le roi m'a permis de m'absenter une heure. C'est moi qui te ferai escorte, annonça-t-il fièrement. Je remplace père avec M. de...

— Comment ! l'interrompit Charlotte. Père n'a pas pu venir ?

— A la dernière minute, M. Mazarin l'a chargé d'une mission importante auprès du Parlement de Rouen.

29

Charlotte fronça les sourcils ; elle s'était trop réjouie d'effectuer ce trajet, pourtant court, avec son père qu'elle avait si peu l'occasion de voir seul à seule, pour ne pas être contrariée. Elle aurait également aimé monter à son bras le monumental escalier de l'Hôtel de Ville.

— Il est vrai qu'on ne discute pas les ordres de Son Éminence, fit-elle sur un ton grinçant. Il est le maître, n'est-ce pas ?

Un éclat de rire répondit à son propos. Le second cavalier, qu'elle n'avait pas encore remarqué, avait lui aussi mis pied à terre.

— M. d'Ivreville ne m'avait pas prévenu que j'aurais à conduire une redoutable Frondeuse ! lança-t-il en grimpant les quelques marches d'entrée.

Charlotte toisa le nouveau venu :

— Qui vous permet, monsieur ?

— Voyons, Charlotte, c'est un ami. Vous vous connaissez ! intervint son frère.

— Mademoiselle d'Ivreville n'a aucune raison de se souvenir de moi, dit le jeune homme avec une gaieté qui démentait l'humilité de ses paroles.

Il salua profondément avant de se présenter.

— René de Barradas, maître de camp dans le régiment de monsieur votre père, pour vous servir, mademoiselle.

Charlotte daigna le regarder. C'était un garçon d'une vingtaine d'années, aux cheveux tirant sur le blond, de taille moyenne, vigoureux, plein d'aisance dans un pourpoint sable moucheté de brun. Sa physionomie ouverte était de celles qui attirent irrésistiblement les sympathies. Son regard vert, empreint de franchise et de vivacité, son air de santé, de bonne humeur, ne parurent pas étrangers à Charlotte qui se fit soudain plus affable.

— M. de Barradas ! En vérité, je vous croyais depuis longtemps parti aux Iles d'Amérique !

— Mon départ n'est que remis, soyez-en sûre, dit-il en riant de nouveau.

René de Barradas était le fils de François de Barradas, ami intime d'Artus d'Ivreville, que ce dernier avait souvent reçu dans ses terres de Normandie. René y était venu lui aussi, une seule fois, il y avait environ quatre ou cinq ans. Charlotte n'était encore à l'époque qu'une petite fille téméraire, toute fière de montrer à ce garçon quelle cavalière émérite elle était, de surcroît maniant les armes avec toute la science que son père lui avait apprise. Charlotte avait sans doute trouvé René digne de la suivre, puisqu'elle l'avait entraîné sur ses lieux favoris, jusqu'aux falaises crayeuses. A ce moment-là, alors que tous deux contemplaient la sauvage beauté de la mer, René lui avait confié ses envies de voyage. Séduite par ses évocations imagées des îles caraïbes qu'il n'avait cependant jamais vues, Charlotte avait décrété qu'elle irait bien volontiers avec lui.

Adrien, qui observait sa sœur avec inquiétude, fut soulagé de constater son heureux changement d'humeur. Il se mit à sauter comme un chien fou.

— Lotte chérie, il y a une chose que tu ne m'as pas dite.

— Ne m'appelle pas Lotte, c'est ridicule. Approche !

D'une chiquenaude, elle rajusta sa petite épée, rectifia la position de son chapeau, renoua les rubans à ferrets de son court pourpoint noir et gris.

— A onze ans révolus, un gentilhomme se doit d'avoir une tenue parfaite ! Tous mes compliments, mon Adrien, lui chuchota-t-elle à l'oreille. Tu auras ton petit cadeau plus tard, c'est promis.

Adrien se pressa tendrement contre elle, ravi qu'elle se fût rappelée son anniversaire, lui qui éprouvait tant d'orgueil à être né le même jour que le roi !

Mais Charlotte se dégagea assez vite de ses bras et tendit une main à René.

— Monsieur, je crois qu'il serait temps de partir.

Barradas la conduisit à son carrosse où avaient déjà pris place cocher et laquais. Profitant de l'inattention d'Adrien qui gambadait devant Ermelinde pour mieux s'en faire admi-

31

rer, le jeune homme se pencha un peu à l'intérieur de la voiture lorsque Charlotte y fut assise.

— Moi non plus, je ne vous avais pas oubliée, souffla-t-il avec un sourire désarmant qu'elle préféra néanmoins ignorer.

— Nous allons être en retard. Faites donc presser mon frère, pria-t-elle en arrangeant ses jupes avec affectation.

Un bal en plein après-midi ? L'idée en avait surpris plus d'un. La reine, interrogée sur ce désir qu'elle avait imposé à la municipalité, s'en était tirée par une pirouette.

— Nos Frondeuses méritent tout de même châtiment et pour elles il ne peut en exister de pire que certaines épreuves infligées à leur vanité. Je connais de célèbres beautés qui regretteront amèrement la lueur flatteuse des bougies lorsque la lumière du jour révélera leurs rides, leur couperose ou leurs taches de rousseur.

On pensa bien sûr à la duchesse de Longueville, la fière Anne-Geneviève qui avait paradé tout l'hiver et même accouché à l'Hôtel de Ville.

C'était de bonne guerre et vengeance bien féminine. Néanmoins, les plus perspicaces ne furent pas dupes. Une réception donnée le jour permettrait de mieux contrôler les mouvements de rue, de s'entourer de braves gens qui d'ordinaire, la nuit, dormaient tranquillement chez eux. Les témoignages d'affection que Paris leur avait réservés et qui se prolongeaient depuis quinze jours, ne faisaient pas perdre toute prudence à Mazarin. C'était lui qui avait conseillé la reine et lui avait soufflé cette réponse badine. Malgré les apparences, le calme était en fait bien loin des esprits. Trop d'intérêts particuliers — les plus âpres — étaient en jeu.

Charlotte pénétra dans la grand-salle, ignorant avec superbe le bourdonnement, l'agitation, qui de haut en bas emplissaient le bel édifice. Avec tout le sérieux que requérait son rôle, Adrien la conduisit sous les lambris dorés, entre les portraits des anciens prévôts et échevins de Paris. Deux

32

tableaux de Pourbus étaient accrochés parmi eux, si vivants, que les défunts Louis XIII et Marie de Médicis, sa mère, semblaient vouloir en jaillir pour se mêler à la foule somptueuse des grands jours. A quelques pas derrière le frère et la sœur, marchait René de Barradas.

Toute la fleur de la bourgeoisie parisienne était présente, les femmes parées comme des princesses. Bien sûr, elles n'auraient pas le droit, tout à l'heure, de danser avec les gens de Cour, mais le fait de pouvoir frayer avec eux, de vivre ces heures d'importance — celles où Paris renouait si brillamment avec Leurs Majestés —, les comblait de vanité, de plaisir.

C'était un déploiement de soies et de joyaux, le contraste toujours flatteur des étoffes vives ou noires se côtoyant dans la blonde lumière des croisées largement ouvertes. De temps à autre, un air plus frais, monté de la Seine, courait sur l'assemblée comme un agréable frisson.

Non loin de l'endroit où étaient assis la reine et son fils, un groupe compact de curieux formait un barrage qu'Adrien franchit avec l'aisance d'un vieux courtisan. Charlotte lui coula un œil amusé. Nourri dès son plus jeune âge à la Cour, Adrien faisait partie des « enfants d'honneur », bande joyeuse et turbulente entourant Louis XIV dont il était, de loin, le compagnon de jeux préféré. De fait, lorsque le roi les vit surgir de la foule, un sourire illumina son visage grave.

A onze ans, Louis XIV possédait en effet un air de sérieux et de majesté qui ne manquait jamais de surprendre et d'impressionner ceux qui le voyaient pour la première fois. Il était aussi un magnifique cavalier, attiré par les jeux de la guerre, un beau garçon robuste aux longs cheveux blonds, bouclés, aux yeux bleus et réfléchis. Il adorait sa mère — adoration ô combien partagée ! —, éprouvait une grande affection pour le Cardinal, son parrain, et régnait déjà en maître sur tous ceux qui composaient sa maison.

Les événements de cette année écoulée l'avaient beaucoup mûri. Louis connaissait déjà le sens exact des mots trahison,

33

rébellion, cupidité. Il gardait en mémoire cette froide nuit d'hiver où il avait été contraint de fuir Paris, de se lancer sur les routes pour retrouver un château glacial et vide. Il n'oublierait jamais les responsables de son humiliation, ceux qui avaient fait pleurer sa mère, ces bourgeois arrogants, ces Parisiens écervelés, certains seigneurs félons. Sa rancune était profonde, bien que pour le moment soigneusement cachée. Car il avait aussi appris la dissimulation.

Il accueillit Adrien et Charlotte en manifestant beaucoup de courtoisie à l'égard de la jeune fille. Son intérêt pour les personnes du beau sexe était déjà notoire. De fait, dans le domaine de la galanterie, Louis promettait de devenir un « maître-sire », ce qui réjouissait ses sujets qu'un roi chaste, comme l'avait été son père, n'avait jamais enthousiasmés.

Bien que n'étant pas d'un naturel timide et connaissant le roi et la reine depuis l'enfance, ayant toujours eu de leur part des marques d'amitié, Charlotte en les saluant ne put se départir en secret de « ce respect et de cette crainte que la coutume et le devoir avaient si fort imprimés dans les âmes pour les personnes royales »*. Durant un instant elle sut oublier son orgueilleux détachement, et en humble sujette, s'incliner profondément devant Leurs Majestés.

La robe d'Anne d'Autriche était sombre, dépourvue d'ornements. Elle contrastait avec la plupart des toilettes qui l'entouraient. Par souci d'économie, la reine avait depuis longtemps opté pour la simplicité sans pour autant renoncer aux toiles fines, aux douces étoffes. De grosses perles ornaient ses oreilles et son cou ; un bracelet de cheveux du roi encerclait son poignet. A la mort de son époux, elle avait renoncé à se farder. Cependant, son embonpoint, ses mains parfaites, son air à la fois fier et bon, en faisaient encore une fort belle personne.

Les dames de son entourage, que Charlotte connaissait à peu près toutes, supportaient la comparaison avec plus ou moins de bonheur. La poudre, le rouge, ne suffisaient pas

---

* Madame de Motteville.

toujours à masquer les méfaits du temps. Certaines, à l'instar de leur souveraine, avaient d'ailleurs renoncé aux artifices. Chez la Princesse de Condé, plus rien n'évoquait la nymphe qui jadis avait bouleversé Henri IV. Sa fille, Anne-Geneviève, au port de déesse, aux prunelles turquoise, n'était plus elle-même, à trente ans, une jouvencelle. Elle n'avait consenti à venir rendre hommage à la reine qu'après bien des difficultés et son dépit lui donnait un air peu flatteur. Elle s'adoucit pourtant quelques secondes en reconnaissant Charlotte, sa petite « poupée » d'autrefois.

— Une poupée qui a joliment grandi, remarqua avec chaleur une dame à ses côtés.

Revenue depuis peu à la Cour après un long exil aux Pays-Bas, madame de Chevreuse avait renoué avec la reine. Même si la tendresse semblait avoir déserté leurs relations, il subsistait entre elles une sorte d'habitude amicale, des façons libres, un peu familières. L'ensorcelante Chevrette était maintenant une dame grisonnante, à la taille empâtée, aux traits marqués par des années de luttes. De sa légendaire séduction, elle n'avait conservé qu'un regard d'eau marine, alerte, pétillant ; une voix aux inflexions changeantes ; un esprit indomptable toujours épris d'intrigues. Un obscur cadet de province, le marquis de Laigue, de beaucoup plus jeune qu'elle, était sa toute dernière conquête. Elle aussi avait sa fille auprès d'elle, une jolie et assez sotte créature, gloussant à tout propos.

Étreinte, palpée, pressée, Charlotte ne cessait plus de saluer les personnes présentes, d'accueillir leurs louanges pour finir par embrasser sa mère qu'Adrien tenait par la main.

— Tu es parfaite, lui souffla Floriane d'Ivreville sans paraître noter l'absence des bijoux, mais avec un air de malice en devinant fort bien ce que devait ressentir sa singulière enfant qui n'aimait pas être complimentée.

— C'est vous qui l'êtes, madame, lui retourna Charlotte, de son timbre un peu tranchant.

35

Néanmoins elle était sincère. Par on ne savait quelle grâce céleste, Floriane semblait soustraite aux lois communes. Quelques griffes çà et là, une ombre légère sous les yeux, deux, trois cheveux blancs artistement dissimulés dans ses boucles noires, esquissaient — à peine ! — le souvenir des rires ou des épreuves passés. L'approche de la quarantaine ne flétrissait nullement son visage. Sous sa robe de satin mordoré sur laquelle étincelaient des émeraudes, se mouvait un corps toujours ferme, un corps que l'amour n'avait pas déserté. Le plus juste portrait que l'on pouvait trouver de Floriane était dans l'un des ouvrages de son amie Madeleine de Scudéry. La prolixe romancière venait de publier les aventures d'« *Artamène ou le Grand Cyrus* » dans lesquelles sous des noms empruntés à l'Antiquité, dans un Orient mythique, elle dépeignait les hommes, les femmes célèbres de son époque. Par exemple, chacun savait que Cyrus n'était autre que Louis de Condé ; en Doralise, tous avaient reconnu Floriane d'Ivreville.

« La nature n'a jamais donné à personne de plus beaux cheveux, ni un plus beau teint, de plus beaux yeux, ni une plus belle bouche. Sa physionomie agréable faisait si bien voir la douceur de son humeur aussi bien que la tendresse et la générosité de son âme, qu'on ne pouvait voir Doralise sans l'estimer beaucoup et sans avoir une forte disposition à l'aimer. »

Avisant René de Barradas resté tout ce temps derrière Charlotte, Floriane le remercia d'avoir accompagné la jeune fille. René en profita pour solliciter la faveur de danser avec elle, ce qui lui fut accordé sans même l'avis de la principale intéressée.

— En attendant, faites un tour. Charlotte, mon enfant, il serait bon que vous alliez saluer Mademoiselle. Je la vois là-bas qui nous observe. Elle ne vous pardonnerait pas une impolitesse.

Gaston d'Orléans — Monsieur —, qui venait de rejoindre toutes ces dames, pencha vers elles un visage amaigri mais qui savait retrouver son espièglerie d'antan.

— Ma fille aînée est redoutable, soupira l'oncle du roi, comme un martyr. Ah ! ces filles !...

Le Ciel — hélas ! — ne cessait de lui en envoyer. Outre Anne Marie Louise de Montpensier, Mademoiselle, née de son premier mariage, il en avait eu trois autres en six ans, depuis ses retrouvailles avec sa femme Marguerite*. Par conséquent, il n'était pas loin de se croire maudit. Ses mines amusèrent la reine et ses amies. Madame étant absente — languissant comme d'habitude dans son Palais du Luxembourg —, elles pouvaient se permettre de picoter gentiment Monsieur qui, d'ailleurs, adorait ça.

Les laissant s'esclaffer, Charlotte s'avança vers Mademoiselle.

— Vous voici enfin ! Je croyais que la reine et toute la compagnie allaient vous dévorer crue.

Celle qui s'exclamait ainsi d'une voix de stentor, était une jeune personne plus imposante que belle, au teint légèrement couperosé, vêtue d'une robe de satin bleu rebrodée d'or, la chevelure blonde piquée d'aigrettes de diamant.

Mademoiselle de Montpensier, que tout le monde appelait simplement Mademoiselle, avait vingt-deux ans. Elle possédait une fortune immense, l'orgueil de sa naissance qui ne l'était pas moins, un caractère fantasque et indépendant qui lui jouait souvent des tours. Son ambition de toujours était de s'unir à son jeune cousin, le roi de France. Son « petit mari », l'appelait-elle quand elle était fillette et lui, un poupon joufflu. Ce qui lui avait valu une forte réprimande de la part de Richelieu. Mais ce désir ne l'empêchait pas de chercher parmi toutes les Cours d'Europe un autre souverain digne de l'épouser. Elle s'était ainsi trouvée « fiancée » avec le comte de Soissons, le Cardinal-Infant, le roi d'Espagne, le Prince de Galles, le roi de Hongrie, l'archiduc Léopold, jeunes, veufs ou vieux, c'était sans importance, l'essentiel étant la couronne. Elle mettait dans sa quête une maladresse

---

* A la suite de leur mariage d'abord clandestin, ils avaient dû longtemps vivre séparés.

37

touchante et pas mal de naïveté, ce qui le plus souvent se retournait contre elle.

Par exemple, ses tractations secrètes avec l'empereur d'Allemagne, tractations qui, comme les autres, n'avaient abouti à rien, avaient en revanche beaucoup irrité la reine sa tante, Monsieur et le Cardinal lorsqu'ils les avaient découvertes. L'Empereur était à l'époque ennemi de la France, le traité de Westphalie* n'ayant pas encore mis fin aux guerres d'Allemagne. Dans son acharnement à vouloir se marier, Mademoiselle avait négligé ce détail. Une entrevue orageuse, au Palais-Royal, s'était terminée en forte semonce à laquelle elle avait répondu avec insolence, sans se démonter.

— " Si j'avais eu une fille qui m'eût traitée de la même manière que Mademoiselle a traité son père, je l'aurais bannie de la Cour pour jamais et l'aurais enfermée dans un couvent ", devait confier la reine après l'algarade.

Depuis, la paix avec Monsieur avait été faite mais les rapports entre la tante et la nièce restaient tendus. Quant à Mazarin, il s'était bien gardé d'intervenir ouvertement. Mais sa discrétion narquoise n'avait pas trompé l'impétueuse Mademoiselle qui lui gardait rancune.

Pour le moment, le teint animé, elle dardait un regard d'azur sur Charlotte d'Ivreville qui se redressait après sa révérence.

— Je n'ai pas l'intention de me laisser dévorer par qui que ce soit, lui répondit la jeune fille nullement troublée par ce ton impérieux.

Mademoiselle ne l'impressionnait pas le moins du monde, malgré tout le respect que Charlotte se devait d'éprouver pour si haute princesse. Pour avoir autrefois joué avec elle, pour l'avoir visitée souvent dans son château des Tuileries, elle savait quel cœur sensible et généreux, avide d'être aimé, se cachait sous ses grands airs. Mademoiselle lui avait toujours plu, précisément parce qu'elle refusait de se plier aux volontés d'autrui, n'écoutait que son impulsion ; irréfléchie

---

* Signé en août 1648.

38

peut-être, changeante et susceptible, mais foncièrement bonne et aussi éloignée du vice que possible.

Charlotte lui sourit légèrement puis son sourire s'accentua en voyant s'éclairer le visage anguleux de Mademoiselle.

— A la bonne heure ! s'écria Anne Marie Louise de Montpensier. Je constate que nous professons la même intention. Venez donc vous asseoir parmi nous, invita-t-elle d'un geste de la main.

Ce « nous » désignait un groupe joyeux de jeunes femmes, jouant de l'éventail tout en observant l'assemblée. De leurs sièges, elles pouvaient en suivre les moindres mouvements, étudier les faits et gestes de chacun sans se priver de commentaires.

Ainsi fut détaillé l'air fat du duc de Beaufort, un Frondeur adulé par le peuple, dont la récente soumission à la reine n'avait été que façade. Il parlait avec ardeur à la duchesse de Montbazon, sa maîtresse, une plantureuse Vénus réputée pour sa dépravation et son avarice. On se moqua de Gondi, le turbulent Coadjuteur de l'Archevêque de Paris qui, en habit de cavalier, papillonnait de femme en femme avec, de temps à autre, quelques mots adressés aux magistrats regroupés face aux gens de Cour. Le cardinal Mazarin, pour sa part, exécutait le même ballet mais d'une manière infiniment plus subtile. Dans un bruissement de soie rouge, il glissait de l'un à l'autre sans s'imposer, quémandant presque l'entretien que, par la suite, il conduisait pourtant avec maîtrise.

Charlotte se félicita de lui avoir échappé. Elle n'avait jamais aimé Mazarin et ce, malgré les remontrances de sa mère dont il était l'ami. Un ami que la jeune fille avait toujours trouvé insinuant, mielleux, un rien ridicule : son accent, en particulier, lui évoquait chaque fois les bouffons de la comédie italienne ! Pour ne pas croiser son regard, Charlotte tourna la tête dans une autre direction.

De tendres apartés se jouaient ici et là, en dépit de la multitude. Elle reconnut dans une brune piquante Isabelle-Angélique de Montmorency, duchesse de Châtillon, veuve de fraîche date, coquetant avec le duc de Nemours. De son côté, Anne-Geneviève avait déjà reconstitué autour d'elle un cercle d'adorateurs que dominait son amant en titre, le sombre François de Marsillac. Dans les jupes d'Anne-Geneviève, soupirait aussi son frère cadet, le bossu, malingre et fiévreux Prince de Conti.

— Ils sont tous là, murmura rêveusement la jeune comtesse de Fiesque, l'une des amies intimes de Mademoiselle.

Tous les premiers rôles de ces mois agités paradaient en effet, bien résolus à ne pas de sitôt quitter la scène.

Les jeunes femmes se turent un instant, comme si le poids des ambitions et des noirs desseins tramés dans les consciences les oppressait tout à coup.

— Tous ? Je n'ai pas encore aperçu M. le Prince, remarqua Charlotte, rompant la méditation de ses compagnes.

— Vous le verrez car il ne peut manquer le bal. Pour le moment il doit être dans une autre salle avec les petits-maîtres, à se moquer de tout selon leur habitude, lui répondit Mademoiselle d'un ton pincé.

Elle n'aimait pas Louis de Condé, ce cousin moqueur et arrogant. Elle avait toujours jalousé ses victoires, souffrant de ce sentiment peu chrétien sans qu'il lui soit possible de le combattre. A ses yeux, Condé avait volé à son père — qu'elle chérissait malgré leurs brouilleries — les succès mérités par Gaston. Quant aux petits-maîtres, Mademoiselle désignait ainsi, comme tout le monde, les compagnons préférés d'armes ou de débauche qui formaient derrière M. le Prince un cortège sulfureux.

Les premiers accords de musique s'élevèrent : dans la tribune, venaient de prendre place les vingt-quatre violons du roi. En petites bribes harmonieuses ou discordantes, les notes s'unissaient, couraient follement, s'interrompaient. Puis il y eut un silence. La salle entière se figea. Le roi s'approcha de Mademoiselle, lui tendit la main. Alors les violons entamèrent la première danse.

Dans le grand espace ménagé sur le parquet miroitant, les deux cousins s'élancèrent, portés par la musique. Mademoiselle dépassait Louis d'une bonne dizaine de pouces mais il était évident que cela n'ôtait rien à sa fierté, à son entrain. D'autres danseurs les rejoignirent. Et brusquement, tel un noir rapace au plumage ébouriffé, le cheveu abondant, le nez en bec d'aigle, le pourpoint défait, peu soigné mais néanmoins superbe, le Prince de Condé fondit sur mademoiselle de Chevreuse. Ils furent suivis par madame de Longueville et son partenaire, le duc de Rohan, tandis que le duc de Mercœur, le frère aîné de Beaufort, conduisait une toute jeune fille, presque une enfant.

— Qui est-ce ? demanda Charlotte à René de Barradas, ressurgi comme par hasard à ses côtés.

— Laure Mancini, l'une des nièces de M. le Cardinal. Vous savez bien...

Mon Dieu, oui ! Charlotte se rappelait maintenant avoir vu à leur arrivée à Paris, naguère, des fillettes effarouchées, ne parlant pas français : Laure, sa sœur Olympe mais aussi leur frère Paul et leur cousine Anne-Marie Martinozzi. Les enfants avaient été aussitôt confiés à la vieille marquise de Senecey, l'ancienne gouvernante du roi. Élevés comme des princes, dans l'intimité de la reine et de ses deux fils ! On disait que Mazarin bâtissait sur eux les plus grands espoirs. Les nièces ? « Des petites harengères de Rome, aux yeux de hibou, au teint de cheminée, à coup sûr bientôt pourvues de châteaux, de pierreries », ironisaient les mazarinades.

Laure Mancini levait avec timidité des yeux éblouis sur l'aimable Mercœur aussi blond qu'elle était brune. Mais le plus extraordinaire était le sourire et toute l'attitude du duc, visiblement subjugué par la gamine.

« Un petit-fils du roi Henri IV avec cette... avec une petite née de rien ? » s'effara Charlotte.

— Cela serait d'une outrecuidance ! ne put-elle s'empêcher de dire tout haut.

René de Barradas comprit sa remarque.

41

— Peut-être ! Mais en l'occurrence, si le cœur s'en mêle, l'audace sera moindre, rétorqua-t-il, nullement choqué par la perspective d'une mésalliance.

— Il s'agit bien du cœur ! Et l'honneur, monsieur ? s'indigna Charlotte.

— Bah ! Ces affaires-là nous dépassent. Occupons-nous plutôt des nôtres. Vous souvient-il que madame d'Ivreville m'a autorisé à vous faire danser ?

— Qui vous dit que j'en ai envie ? maugréa Charlotte.

L'initiative de sa mère l'irritait. Elle avait horreur des réjouissances communes, de partager sur commande un plaisir. Elle ne voulait surtout pas paraître semblable à toutes ces jeunes personnes trop vite étourdies par un peu de musique et de galants hommages.

— Pardonnez-moi, fit René. Sans doute devez-vous être lasse.

— Apprenez, monsieur, que je ne suis jamais fatiguée.

Il se pencha sur elle, l'œil taquin, exaspérant avec sa joie de vivre, son envie de profiter sans plus y réfléchir d'un moment d'agrément. Pourtant sa bonne humeur devait être communicative puisque Charlotte décida malgré tout de se laisser guider parmi les danseurs.

Le branle s'achevait mais presque aussitôt les violons enchaînèrent sur un tricotet au rythme vif et joyeux. Un, deux, trois...

— Laissez-vous aller, chuchota le jeune homme à l'oreille de Charlotte.

Il la devinait rétive, se bridant volontairement, sans qu'il sût pourquoi d'ailleurs, au lieu de goûter sans retenue, comme il le faisait lui-même, aux charmes de la danse.

— Je finirai par croire que je vous fais peur, susurra-t-il. A moins que vous n'ignoriez la mesure ?

Çà ! La prenait-il donc pour une oie ? Ou bien s'amusait-il encore à la provoquer ? Un, deux, trois. Piquée au vif, Charlotte riposta en lui assenant sur les chevilles quelques coups de pied parfaitement ajustés au rythme du tricotet. René se mit à rire :

42

— Vous êtes vraiment délicieuse.

Elle rit aussi en tournoyant devant lui avant de se rattraper à ses mains tendues. Au gré de ses mouvements, sa robe verte se gonflait puis se rabattait autour d'elle, dessinant ses longues jambes, dévoilant ses chevilles gainées de soie paille. Une mèche de ses cheveux serpentait en reflets cuivrés sur ses blanches épaules. Heureux, René la voyait s'animer, se détendre, s'assouplir. Il retrouvait sa petite cavalière, l'enfant passionnée aux joues rosies qui lui avait, un jour, fait partager ses jeux.

« Une flamme ! Vive, ardente, insaisissable », pensa-t-il avec ravissement.

Charlotte avait-elle conscience de sa transformation ? Devinait-elle qu'on la regardait, qu'on l'admirait, captivé par sa beauté insolite, ses grâces de souveraine ? Elle ne semblait voir personne, pas même son propre danseur, entraînée tout à coup par quelque guide secret, loin de la foule et de sa curiosité vulgaire.

Oubliés les pieux conseils de François de Sales ! Oubliées les froides résolutions ! Le bonheur de danser les supplantait.

« Mais c'est parce que je le veux bien », se dit Charlotte avec fierté, contrôlant parfaitement son plaisir, toute prête à se reprendre.

Soudain, elle eut une sensation étrange, le sentiment que quelque chose s'approchait d'elle, la frôlait, cherchait à la saisir, une chose irrésistible bien que dangereuse. C'était comme une chaleur subite, inexplicable, qui n'était pas due, elle l'eût juré, aux figures endiablées du tricotet. C'était un appel, couvrant tout, les violons et les rires...

Lorsque la musique s'acheva, Charlotte demeura un instant immobile, un peu tremblante, fixant sur René un regard absent. Cette fois-ci, l'inquiétude du jeune homme fut bien réelle :

— Charlotte, vous sentez-vous bien ?

Sa voix et surtout le fait qu'il employait son nom avec la familiarité d'un vieil ami, la rappelèrent à la réalité.

— Parfaitement bien. Il me faut simplement un peu d'air maintenant.

— Je vais vous conduire près d'une fenêtre, proposa-t-il.

Elle le coupa avec vivacité :

— Merci. J'irai seule.

Et, sans plus attendre, elle s'éloigna.

« Relâchons-nous un peu, soyons aimable avec les gens et les voilà qui se croient tout permis ! » René de Barradas ne manquait pas d'audace. Il avait une façon de s'imposer, de vous envahir ! Depuis l'Hôtel d'Ivreville, il ne l'avait pratiquement pas quittée une seconde. Et sa mère qui s'en était mêlée, poussant presque sa fille dans ses bras !

Charlotte eut alors une révélation : sotte qu'elle était ! De toute évidence, sa mère n'avait pas agi à la légère en la confiant à René, en encourageant celui-ci. Au contraire, tout avait été prémédité. René de Barradas ! Fils d'un fidèle ami de la famille, garçon de noble maison, lesté de biens et de rentes solides, ayant déjà fait ses preuves à la guerre, pourvu selon toute apparence de qualités morales indiscutables, de surcroît agréable de sa personne, bref, gentilhomme accompli, René devait à coup sûr représenter le gendre idéal aux yeux de ses parents. Elle était certaine de ne pas se tromper en les imaginant arranger l'affaire : son père, décidé à vite tout mener ouvertement après l'avoir, elle, Charlotte, informée de leur projet mais cédant, bien entendu, devant les arguments de sa femme qui, en revanche, devait préférer ne rien brusquer pour donner à leur fille l'illusion de choisir elle-même. Malheureusement pour eux, Floriane avait manqué de perspicacité en espérant que Charlotte se laisserait manœuvrer sans découvrir le pot aux roses. Devenait-on amoureuse sur commande, d'un coup, par enchantement ?

L'indignation, le courroux de la jeune fille devant cette découverte achevèrent de la rendre à elle-même. Tenant sa robe des deux mains, elle se faufila jusqu'au fond de la salle, franchit une porte, se trouva dans une autre pièce plus réduite. Une fenêtre ouverte y découpait dans la boiserie un

44

pan de ciel et les tours de Notre-Dame. De rares personnes occupaient discrètement les banquettes alignées le long des murs. De vieux magistrats, maigres et barbus, en longue robe rouge, discutaient devant la cheminée vide.

Charlotte s'appuya contre l'embrasure, remit de l'ordre dans ses cheveux, puis déploya l'éventail accroché à sa ceinture pour l'agiter devant elle avec humeur.

En bas, sur la Seine, glissaient les bateaux. L'air soulevait par instants l'odeur des foins ou des blés nouvellement déchargés sur les quais. A droite, se trouvait la place de Grève encombrée d'attelages, de valets et de badauds. Des cris, des hennissements affluaient de toutes parts. L'après-midi s'achevait dans une chaleur douce, sous un soleil atténué, lent à disparaître.

Charlotte finit par s'apaiser en s'amusant à suivre le fil de la rivière. Elle l'imagina loin de Paris, en bout de course, différente dans ses teintes, plus verte, plus argentée, retroussée par les vagues à l'approche de son estuaire. Combien de fois n'avait-elle pas applaudi, aux environs de Caudebec, en voyant lutter violemment les courants opposés de la Seine et de la mer ; en voyant gicler les grandes gerbes d'eau qui s'en allaient balayer les rives, sans crainte d'être emportée elle aussi ? Charlotte sourit à l'image de cette petite folle qui, n'ayant peur de rien, avait si souvent entrepris ces escapades à l'insu de sa famille.

Alors, sans savoir si ces réminiscences en étaient la cause, lui revint la curieuse impression ressentie tout à l'heure, tandis qu'elle dansait.

Entre ses doigts frémit le précieux éventail ; son cœur se mit à battre follement ; ses sens affinés l'avaient de nouveau avertie d'un danger et peu à peu elle en comprenait la source. Il émanait d'une présence, silencieuse, à quelques pas derrière elle, qu'elle percevait maintenant sans l'avoir entendue approcher pourtant, sans même tourner la tête. Elle sentait un regard, posé sur elle comme la caresse insistante d'une main, ce regard qui déjà l'avait atteinte une première fois, malgré la foule et les figures changeantes de la danse, puis avait dû la suivre dans cet endroit retiré ; celui d'un homme — elle en était sûre — que tôt, ou tard, elle affronterait... Une crainte inhabituelle se faufila dans ses pensées. Elle ne bougeait pas, domptant son impatience afin de prolonger un instant qu'elle devinait unique, fragile, suspendu dans le temps comme une bulle étincelant en pleine lumière. Enfin, lentement, elle se retourna.

Dans la seconde, leurs regards se rencontrèrent, s'unirent, si différents : l'un sombre, profond ; l'autre doré, limpide, et cependant si semblables, curieux, téméraires, vite noyés l'un dans l'autre par le même flot avide.

Grand, la chevelure noire tombant sur les épaules, l'inconnu devait être âgé de vingt-cinq à trente ans. Il était superbement habillé de velours gris de lin, surpiqué de jais. Tout en lui, d'ailleurs, dénonçait l'homme attaché aux raffinements du goût : son pourpoint court, ouvert à demi sur une chemise bouffante, lui donnait cette allure un peu négligée qu'exigeait alors la mode. Ses bottes aux revers rabattus étaient garnies de guipure ; le chapeau qu'il tenait à la main foisonnait de rubans verts que l'on retrouvait aussi noués au baudrier de son épée. Tant d'élégance recherchée, loin de fragiliser son apparence, en augmentait au contraire l'éclat viril, rehaussait la parfaite régularité de son visage hâlé, comme sculpté à l'antique. Fascinée par sa beauté, Charlotte l'était cependant plus encore par ce qu'elle lisait en lui, une violence sourde, une impétuosité se mêlant à une sorte de détresse, de désarroi presque enfantin. Car il y avait tout cela ; la très jeune fille qu'elle était le comprit instinctivement. Tout cela et bien autre chose encore, un émerveillement, une prière tendre à laquelle Charlotte se sentait toute prête à répondre.

Une douceur insoupçonnée, jamais éprouvée, la mena au bord des larmes, près du vertige. Conscient de son malaise, l'inconnu s'avança pour la soutenir. Ses doigts se refermèrent fortement autour de son bras et Charlotte crut défaillir pour de bon à ce simple contact. Avec effort, elle chercha à se res-

46

saisir mais, pour la première fois, sa fermeté la trahissait. Sa pensée était pareille à un oisillon voletant pitoyablement de branche en brindille, démunie, perdue, sans comprendre ce qui lui arrivait.

Qui était cet homme, pour la bouleverser ainsi, pour effacer autour d'elle tout le reste du monde ?

— Qui êtes-vous ? murmura-t-il sourdement en s'approchant plus près d'elle, l'enveloppant de son parfum, de sa chaleur pressante.

— Il est là ! Venez, mes amis !

Avant que Charlotte eût pu répondre, une voix rompit l'enchantement et bien vite, la petite salle se trouva envahie par l'intrusion de jeunes gens avec, à leur tête, M. le Prince.

— Mon cher Venoy, nous vous cherchons partout. Que faites-vous donc...

Louis de Condé s'interrompit. Son œil bleu, aigu, venait de découvrir Charlotte. Il partit aussitôt d'un éclat de rire qui révéla des dents ternies, plantées à la diable.

— Je comprends maintenant la raison de votre disparition, lança-t-il avec une inclinaison de tête à l'adresse de la jeune fille. Messieurs, ne soyons pas indiscrets. Il faut nous éloigner.

Mais, de toute évidence, pas un de ses compagnons n'en avait véritablement envie malgré un début de retraite en direction de la porte. La belle personne pour laquelle Jérôme de Venoy semblait manifester un si réel intérêt, excitait au plus haut point leur curiosité, leur esprit prompt à la raillerie.

Ainsi étaient les « petits-maîtres », têtes un peu folles nourries de romans héroïques. Courtois dans les salons, valeureux à la guerre, c'étaient aussi de dangereux bretteurs, des insolents, des insoumis, volontiers libertins, ne respectant rien ni personne hormis la dame de leur choix... Et M. le Prince. M. le Prince qui savait avec tant de panache les mener à la bataille, capitaine hors du commun, ami tendre, passionné ; oui, certains d'entre eux auraient pu le dire s'il n'était pas préférable de taire ces sortes d'ivresses

47

nées au hasard des campagnes, dans l'ardeur des combats. M. le Prince, orgueilleux jusqu'à la folie, le plus noble, le plus brave, le plus savant de tous, pour lequel ils étaient prêts à mourir avec joie.

Son rire avait désagréablement résonné à l'oreille de Charlotte mais, en même temps, lui avait rendu ses esprits en agissant sur elle comme un coup de fouet. Jérôme de Venoy, de son côté, s'était aussitôt écarté d'elle. Tous deux semblaient maintenant redevenus ce qu'ils étaient en fait, étrangers l'un à l'autre, même si, en dépit de leur propre volonté et de la présence goguenarde des gentilshommes, ce mystérieux, cet inexplicable échange continuait à palpiter entre eux.

Il fallait le neutraliser, en rompre les fils, décida Charlotte, et pour ce faire, quitter immédiatement les lieux, fuir cet homme, ses yeux brûlants ! Sans plus attendre, avec toute la dignité possible, elle rassembla ses jupes, salua le Prince puis regagna la grand-salle et sa cohue salvatrice dans laquelle, bien vite, elle se fondit.

Le déroulement de la fête à laquelle bon gré, mal gré, elle dut assister, lui fut un long supplice. Ayant rejoint Floriane, la reine et son entourage, elle s'y était dissimulée, redoutant à chaque instant de voir réapparaître celui qui venait de la troubler à ce point et en même temps, elle maudissait sa faiblesse, essayant d'en déterminer exactement les causes. Il y eut encore quelques danses qu'elle refusa obstinément, à René ainsi qu'à d'autres jeunes gens. Une collation fut servie, abondante, savoureuse, présentée avec art ; chacun se précipita sur les sorbets et les boissons fraîches versées dans des coupes en vermeil. Charlotte n'y goûta pas. Enfin, à la nuit tombée, un feu d'artifice éclata au-dessus de la place de Grève pour retomber en pluie multicolore sur la Seine métamorphosée en rivière d'orfèvrerie. Mais ces quelques gerbes lumineuses ne pouvaient égaler en beauté, en intensité, les minutes extraordinaires où, tout entière, cœur et âme, Charlotte s'était sentie embrasée.

Assez tôt, Anne d'Autriche ramena le jeune roi au Palais-

Royal ; chacun paraissait satisfait : tout s'était passé sans ani-
croche, dans une atmosphère somme toute détendue.

★

★ ★

Dans le carrosse qui les reconduisait, Floriane observait sa
fille d'un air pensif tandis qu'Adrien, blotti contre elle, som-
nolait déjà.

— Tu ne t'es pas ennuyée, j'espère. C'était une belle fête,
n'est-ce pas ?

— Superbe, en effet. Mais vous savez, maman, combien
j'apprécie peu ce genre de divertissement.

— Oui, je le sais. Pourtant tu danses à ravir quand tu t'en
donnes la peine, poursuivit Floriane d'un ton qu'elle voulait
enjoué. Quelle fougue ! M. de Barradas a eu du mérite à te
suivre.

Charlotte ne dit rien, apparemment très absorbée par le
spectacle des lumières accrochées maintenant aux façades des
maisons. La nuit avait fini de s'étendre tout à fait sur Paris.
Éclairés de grosses lanternes, les équipages allaient au pas, les
uns derrière les autres, avant de s'éparpiller dans toutes les
directions, avec un fracas de roues et de fers.

— Je le trouve charmant, enchaîna Floriane sans se décourager. Et toi, qu'en penses-tu ?

— Il me semble un peu trop sûr de lui.

Lorsque Charlotte prenait ses façons lointaines, mordait ses
joues d'un air offensé, tous ses familiers savaient qu'insister
était inutile. Cependant, Floriane n'était pas de celles qui
renoncent aisément à leurs idées.

— Tu es sévère comme toujours. Personne ne trouve grâce à
tes yeux.

— Les jeunes gens se ressemblent tous, murmura Charlotte.

Tous, sauf un. Beau, farouche, aussi ténébreux qu'un héros
de roman...

49

— Un jour, tu changeras d'avis. Tu voudras sans doute te marier.

La jeune fille ne put s'empêcher d'interrompre sa mère :

— Maman, je vous ai cent fois répété que je ne tenais pas à me marier.

— Dans ce cas, reprit Floriane sans se départir d'un calme méritoire, tu es libre d'accepter la proposition que la reine m'a réitérée aujourd'hui. Sa Majesté est prête à te recevoir parmi ses filles d'honneur.

Charlotte afficha derechef la mine insolente et torturée de l'enfant qui s'estime incomprise.

— Non ! S'il vous plaît, maman, vous remercierez la reine mais je laisse cette charge à une autre. Les prétendantes ne doivent pas manquer.

Bien que beaucoup plus patiente que par le passé, décidée d'autre part à se montrer une mère compréhensive, Floriane, cette fois-ci, s'emporta brusquement :

— Tu ne veux pas te marier ! La Cour, les bals t'ennuient ! Mais que veux-tu donc enfin ? Te faire religieuse ?

— Je ne crois pas être faite pour le couvent, rétorqua Charlotte. Mais, bien entendu, vous avez le droit de m'y enfermer.

— Tête de mule !

Décidément, cette petite était exaspérante. Floriane bouillait, impuissante à percer à jour celle qui, pour elle, était et serait toujours sa merveille, son nourrisson des années d'aventures qu'elle avait eu si rarement le loisir de choyer. Cette pensée suffit d'ailleurs à l'apaiser, la laissant songeuse, un peu triste. Puis, comme le carrosse s'arrêtait devant son Hôtel, l'optimisme lui revint. Charlotte était si jeune ! L'amour avait encore le temps de lui faire signe. Si René ne lui plaisait pas, tant pis ! Il s'en présenterait un autre. Elle en parlerait à Artus. Lui non plus ne chercherait pas à contrarier leur fille avec laquelle il partageait tant de points communs.

« Mes deux sauvages », se dit Floriane avec tendresse.

Tout différent, Adrien dormait dans ses bras avec un abandon qui acheva de lui rendre le sourire. Sur le visage du jeune garçon, elle retrouvait les traits de sa propre enfance, avec chaque fois la même émotion.

Ce que voulait Charlotte était simple, au fond. Elle aurait pu en quelques mots l'expliquer à sa mère au lieu de la défier comme à plaisir. Se sentir libre parmi les gens qu'elle aimait, voilà tout ce qu'elle avait jamais souhaité. Car sous ses abords plutôt cassants, ses manières de pouliche impossible à dompter, sous ses sarcasmes parfois durs, elle cachait une sensibilité réelle. S'il était vrai, comme on le lui reprochait souvent, que peu de personnes trouvaient grâce à ses yeux, en revanche, elle ne mesurait pas son affection pour celles qui avaient place en son cœur. Cependant, suivant un goût presque immodéré pour l'indépendance, elle refusait à sa famille, à ses rares amis, la plus petite ingérence sur ses choix et sa conduite, en même temps qu'elle prenait soin de brider ses sentiments, se gardant de toute forme de sensiblerie.

Froide, Charlotte ? Certes, ses rêves de jeune fille sage ne la tourmentaient point. Il lui suffisait pour exalter son imagination, pour satisfaire ses intimes désirs, de lire, de méditer, mais aussi de goûter le plus souvent possible l'air des champs, de se dépenser en jeux physiques, de rire avec Adrien. Du moins, cela lui avait-il suffi jusqu'à cette rencontre à l'Hôtel de Ville, rencontre dont les détails, loin de s'estomper, demeuraient si précis. Les yeux noirs de l'inconnu ne l'avaient pas seulement effleurée : ils avaient pénétré en elle, s'y étaient promenés comme une torche flamboyante sur un jardin endormi, découvrant tour à tour de nouvelles perspectives, éclairant les moindres replis d'ombre où se cachaient tant de rêves ignorés. Tout son être s'était éveillé au passage de la flamme.

Maintenant rendue à sa solitude, à l'abri des rideaux de son lit, Charlotte tentait de retrouver son équilibre et repoussait avec force les pensées importunes. Elle ne pouvait laisser quiconque la précipiter ainsi dans un chaos d'autant plus redoutable qu'elle en avait retiré un plaisir trouble. Si beau fût-il, ce souvenir devait être combattu ; pour cela il n'était que de faire appel à son bon sens, à son orgueil. Charlotte d'Ivreville ne pouvait se laisser subjuguer par le premier audacieux venu ! Elle crut entendre sa mère triompher :

« Tu vois, chérie, je te l'avais dit : l'amour vient toujours ! »

Charlotte grimaça dans l'ombre. Où, quand donc, s'était-il agi d'amour ?

— Sornettes..., grommela-t-elle.

Malgré tout, pour preuve de conciliation, elle décida de se montrer plus souple, de faire en général meilleur visage à ses proches.

Aussi, lorsque René se présenta deux jours plus tard, le reçut-elle avec toute l'amabilité dont elle était capable, acceptant même la promenade qu'il lui proposa.

Soucieuse des convenances, madame d'Ivreville donna l'ordre à la servante Cateau et au plus ancien domestique de la maison, Jean La Musette, d'accompagner sa fille. Mais n'ayant nulle envie de se retrouver en tête-à-tête avec Barradas, cette dernière invita son frère à se joindre à eux. Adrien, bien sûr, en mourait d'envie. Barradas eut le bon goût de ne pas se montrer déçu. Au reste, le garçon lui plaisait. Dès qu'ils furent tous installés en carrosse, — La Musette hissant son poids énorme auprès du cocher —, ils se mirent tous deux à bavarder sans répit.

L'équipage s'ébranla, tourna à gauche puis roula aussi vite que le lui permettaient les encombrements de la ville. Il faisait beau. Les coups de battoir des lavandières agenouillées sur le quai de la Grenouillère* rythmaient leurs cris et leurs chansons. Prenant de la vitesse, le carrosse traversa le grand Pré-aux-Clercs, dépassa les maisons plus clairsemées, puis fila en direction de la campagne sur l'ancienne route romaine qui reliait jadis Lutèce à Dreux.

_____

* Quai d'Orsay.

Par la portière, Charlotte voyait maintenant s'étendre le chaume blond des blés ou des seigles, les vignes lourdes de grappes qui donneraient bientôt le vin tant apprécié des cabarets de Vaugirard. Le village lui-même apparut avec ses jardins, si fournis qu'ils noyaient dans une verdure identique maisonnettes et demeures cossues.

La jeune fille n'avait toujours pas pris part à la conversation échangée entre le bavard Adrien et René de Barradas. Elle n'avait même pas demandé à celui-ci où il comptait les emmener. Fortuitement, elle avait découvert à l'arrière du carrosse un jeune laquais à cheval menant deux autres bêtes dont une jument alezane élégamment harnachée d'une selle d'amazone. Ayant deviné aussitôt le but de la promenade, sans rien dire elle s'en réjouissait à l'avance. René ne tarda pas, en effet, à faire arrêter le cocher en rase campagne, tout près d'une chapelle et de ses bâtiments en ruine hantés par les dernières hirondelles. Une plaine ondoyante s'offrait à perte de vue ; troupeaux, moulins, petits hameaux, tout était harmonieusement disséminé sous le ciel bleu.

— La chapelle Saint-Vincent, ou plutôt ce qu'il en reste, commenta René, affectant un ton d'érudit, tout en aidant Charlotte à sortir de voiture. Un lointain abbé de Saint-Germain-des-Prés, Gérard de Moret, seigneur des lieux, avait fait construire ici même une maison de repos pour ses moines. Le Val Gérard est devenu peu à peu Vaugirard ; le temps, les guerres ont fini par détruire le pieux asile ; mais, Dieu merci, nous restent le calme, l'air pur et tout l'espace désiré pour une course à cheval.

Il fit un signe à son valet qui s'approcha avec les trois montures et présenta à Charlotte la fine jument alezane.

— J'espère que celle-ci vous conviendra, mademoiselle.

Adrien sautillait de joie, impressionné par le savoir de René. Beaucoup plus modérée que son frère, Charlotte n'en montra pas moins son contentement par un éblouissant sourire que René reçut comme un précieux acompte sur tout ce qu'il espérait.

— Monsieur, vous m'offrez exactement ce dont j'avais besoin, déclara-t-elle, rompant enfin son mutisme. Je viens de passer des mois, sans en sortir, au couvent Sainte-Marie. Il me semble être toute rouillée.

— C'est un abus d'eau bénite, Lotte ! plaisanta Adrien.

Il esquiva dans un rire le coup de gant dont le menaça Charlotte.

— Vous n'êtes pas rouillée et vous allez le prouver, reprit Barradas.

— Certainement pas avec ceci, rétorqua la jeune fille en désignant la selle d'amazone.

Brusquement, sans explication, elle retourna vers le carrosse où elle se mit à secouer le gros La Musette qui poursuivait sur son siège un somme alourdi par le grand air.

— Jean ! Donne-moi ta ceinture. Et vite ! Toi, Cateau, suis-moi ! Allons !

— Mais, Charlotte, que veux-tu donc faire ? s'impatienta Adrien déjà à cheval.

Ayant péniblement entrouvert son œil bleu, le vieux La Musette dégrafa sa ceinture, nullement surpris quant à lui par cette étrange requête. On eût dit même qu'il en connaissait le but. Jubilant sous cape, il regarda sa jeune maîtresse disparaître dans les ruines de la chapelle en entraînant Cateau. Quelques minutes plus tard, elles réapparaissaient, Charlotte transformée à la stupeur générale en une sorte de janissaire du Grand Turc !

Elle était en effet vêtue d'un curieux pantalon bouffant qui n'était autre que sa jupe de soie rouge, habilement arrangée autour de ses jambes, ramenée à la taille et maintenue à double tour par le ceinturon de La Musette !

Les yeux écarquillés, Adrien contemplait sa sœur, ébahi au point qu'il ne songeait même pas à s'en moquer. A dire vrai, Charlotte avait une allure tellement digne, une expression si résolue sous le bord rabattu de son feutre à plumes, qu'elle suscitait plutôt l'admiration que le sarcasme. Barradas sentit son cœur se dilater de joie attendrie. Sur son ordre, le valet

54

avait débarrassé la jument de la selle jugée trop féminine par Charlotte, ne lui conservant que le mors et la bride qu'il tendit à la jeune fille. Le pied sur ses mains jointes, elle se souleva avec grâce et sans attendre prit le galop comme un garçon.

— La prochaine fois, vous me préviendrez avant de sortir ! dit-elle à René lorsqu'il l'eut rejointe avec Adrien. Que je puisse m'habiller en conséquence !

— Je vous trouve très bien ainsi. Voilà une mode à lancer qui ferait fureur.

Ils rirent tous trois et repartirent de plus belle.

Des fous ! — Adrien, René, Charlotte — ne sachant qu'inventer pour s'amuser, s'étourdir, s'étonner. Des fous, rivalisant d'agilité, d'audace, égaillés dans les chemins, franchissant les haies et les barrières, effarouchant les vaches et les oiseaux, sautant à terre en pleine course pour remonter sur leurs chevaux, gardant l'équilibre debout sur les croupes brillantes et tournant autour d'une prairie devenue manège improvisé.

— Lotte ! Lotte ! Je parie que tu ne fais pas ça ! criait Adrien perché d'un pied sur son genet d'Espagne.

Et Charlotte riait encore avant de relever le défi avec succès, heureuse de se voir admirée, applaudie. Elle rayonnait d'une vitalité extraordinaire que son séjour à la Visitation avait trop longtemps muselée et semblait retenir, dans ses yeux d'or, ses grands cheveux acajou, sur la soie rouge de ses vêtements, toute la lumière de cette fin d'été.

La plénitude, pensait-elle, humant voluptueusement la brise, c'était bien cette saine griserie puisée dans l'effort et le risque, le corps soumis à la fantaisie du moment, les muscles endoloris parfois, mais triomphants toujours.

La plénitude était aussi une entente parfaite avec sa propre monture, intelligente et docile. Quant au bonheur, il s'offrait tout simplement et se cueillait sur les visages rieurs de ses deux compagnons ; c'était la complicité l'unissant à Adrien, à René. Oui, également à René. L'amitié confiante, fraternelle

55

qu'il lui avait inspirée quand elle était petite fille, renaissait aujourd'hui. Avec lui, elle pouvait faire mille excentricités, certaine d'être comprise. Il devinait d'emblée ses goûts, son besoin de liberté. Dépourvu d'égoïsme, il ne demandait rien pour lui-même, cherchait toujours à l'amuser, heureux de lui faire plaisir. Auprès de lui, elle oubliait d'autres émois infiniment plus confus, plus dérangeants et surtout, elle oubliait celui qui les avait suscités. Elle n'eut aucune peine à se persuader que tout ceci d'ailleurs n'avait été qu'une illusion des sens, à la manière d'un songe, vite chassé par le petit jour.

Ils ne se décidèrent à rentrer que lorsque les ombres eurent gagné la campagne parcourue soudain par un vent plus frais. A l'ouest, des nuages recouvrirent les ors du couchant. Quelques gouttes de pluie se mirent à tomber au moment où le carrosse atteignit Paris. Ils étaient las, comblés, mais en même temps rendus à eux-mêmes. Adrien rompit le silence qui s'était installé entre eux depuis leur départ de Vaugirard :

— René, nous recommencerons, n'est-ce pas ? Charlotte, dis-nous que tu le veux bien, implora-t-il, redoutant toujours un brusque revirement de son humeur.

— Mais oui, je le veux.

Elle tendit la main pour caresser d'un geste familier les boucles noires de son jeune frère. Avec envie, René regarda cette main, rêva de s'en saisir, d'y poser les lèvres mais se contint, pourtant. La présence d'Adrien, celle de Cateau, l'obligeaient à la retenue. Il craignait aussi d'effaroucher l'étrange jeune fille, si délicate et si féminine malgré ses penchants de garçon manqué. Par chance, il avait l'aval de ses parents, mais il voulait plus : apprivoiser tout à fait Charlotte, s'en faire aimer, entreprise longue et difficile, peut-être impossible, pensait-il à la fois empli d'espoirs et de frustrations.

René, qui avait grandi dans une famille harmonieuse, aîné d'une kyrielle de frères et de sœurs dont il avait toujours été proche, croyait aux vertus de la patience, de la compréhension et de l'amour. Aussi son brusque accès de découra-

56

gement s'envola-t-il assez vite. N'avait-il pas réussi, aujourd'hui, à faire rire Charlotte, à la dépouiller de ces manières guindées de pimbêche qu'elle affectait si bien, Dieu seul savait pourquoi d'ailleurs ? Il fallait savoir attendre. René se sentait prêt, pour conquérir sa belle, à tout tenter, tout supporter.

— Nous n'avons pas eu le temps de reparler de vos projets de voyage, dit alors Charlotte, sans se douter des sentiments, du désir qu'elle soulevait en lui.

De sa voix joviale, avec une insouciance à peine simulée, René expliqua que les événements de la Fronde avaient mis ses projets en suspens mais qu'il n'y renonçait pas. La Compagnie des Iles d'Amérique, créée naguère par Richelieu, s'effritait ; de grands domaines s'apprêtaient à être concédés en Guadeloupe, en Martinique, à Sainte-Lucie, dans les Grenadines. Barradas ne cachait pas qu'il brûlait de posséder des terres synonymes pour lui d'aventures et de richesses.

— M. le Cardinal m'a promis son appui.

— Vous iriez vous en occuper vous-même ?

— Peut-être un certain temps.

Il n'osa lui rappeler ce qu'elle lui avait dit autrefois, à Ivreville : « Si vous partez un jour, emmenez-moi avec vous. » Caprice d'enfant sans doute... Mais l'idée de découvrir sans elle, loin d'elle, ces chaudes contrées, lui ôta de nouveau brutalement tout son enthousiasme.

Cependant, lorsqu'ils se séparèrent un peu plus tard avec cordialité, déjà Barradas sentait renaître ses certitudes : un jour Charlotte serait sa femme, puisqu'il s'en était fait le serment !

*
*   *

Que Paris était séduisant par une claire journée d'automne, quand l'or et le roux commençaient à gagner les feuillages, quand le soleil, moins virulent mais toujours maître, lézardait sur les pignons de lauze, s'accrochait aux clochers, se faufilait dans la disparité des rues ou scintillait sur la rivière. Et dans cette ville admirable, louée de par le monde, quel endroit ensorcelant était le Cours-la-Reine !

Le Cours — le Corso —, l'ancienne promenade de Marie de Médicis, formait une suite enchanteresse aux beaux jardins des Tuileries. C'était une flèche verte pointée vers Chaillot, un chemin long de près d'une demi-lieue, avec ses allées, ses contre-allées, son rond-point que séparaient des rangées d'ormes maintenant hauts et fournis, mille six cents arbres exactement, entre lesquels chatoyait l'élégant chassé-croisé des cavaliers et des carrosses. Tracé entre un bois profond et la Seine aux fraîches senteurs d'eau, le Cours s'était transformé au fil des ans en un lieu mythique. Véritable " salon de verdure, palais des Amours, théâtre du monde ", il était un peu tout cela, offrant à tous — mais aux femmes essentiellement — une gamme infinie de plaisirs.

Beaucoup de mères, flanquées de leurs filles à marier, y venaient repérer pour elles les « mariolets » les plus avantageux. De jeunes coquettes, des vieilles grimaçant sous le fard, y traquaient l'aventure et le frisson. Mais la plupart s'y rendaient uniquement pour rencontrer des amis hors de chez elles, doucement bercées par " le pas coulant des chevaux, portière contre portière ", assurées de connaître de nouveaux visages, d'apercevoir celui de l'élu, de se délecter des potins du jour : intrigues, scandales, banqueroutes, la matière étant inépuisable.

Les hommes se prêtaient au jeu avec la meilleure volonté qui fût. Panache au vent, les cavaliers lorgnaient le défilé gracieux et multicolore. Certains passaient d'un équipage à un autre. On voyait un extravagant disparaître dans son carrosse, tous rideaux tirés, pour ressurgir avec un pourpoint différent et ce, plusieurs fois durant sa promenade. L'un apportait une cassette pleine de gants de Vendôme qu'il distribuait à ses préférées. Un autre se déplaçait toujours suivi d'une voiture emplie de musiciens jouant les airs en vogue. Des jeunes gens faisaient porter des messages par les petites vendeuses de confitures ; ainsi se nouaient bien vite amitiés, amours, amourettes, liaisons éphémères parfois conclues sur-le-champ par les plus audacieux, à l'abri des regards, derrière les portières closes.

Il était cinq heures, l'heure idéale pour une promenade lorsque le monde déjà affluait. Le carrosse de Mademoiselle, qui venait de quitter les Tuileries et de franchir la porte de la Conférence, s'engagea sous l'arche de pierre jouxtée d'une maisonnette de gardien, délimitant l'entrée du Cours. Doré, marqué au chiffre de la princesse, festonné de crépines traînant à terre, il était en partie découvert, selon une mode récente, ce qui permettait à ses occupants de prendre l'air sans pour autant souffrir du soleil, et surtout de mieux voir et d'être mieux vus.

Outre ses amies les plus intimes, Marie de Bréauté, Gilonne de Fiesque et Anne de Frontenac, Mademoiselle était accompagnée de Marie de Longueville, belle-fille d'Anne-Geneviève, et de Charlotte d'Ivreville.

La veille, Charlotte avait reçu un étonnant billet, si mal écrit, si ponctué de fautes, qu'elle avait eu beaucoup de peine à le déchiffrer. De toute évidence, Mademoiselle n'entendait rien à l'orthographe, lacune que la grande fille avouait d'ailleurs bien volontiers. Ses gouvernantes, madame de Saint-Georges d'abord, puis madame de Fiesque — la belle-mère de Gilonne, la mère de Marie de Bréauté —, n'avaient pas jugé utile une réelle instruction. Mademoiselle écrivait donc presque phonétiquement, selon sa nature, c'est-à-dire avec autorité, spontanéité, fantaisie. Charlotte avait pourtant fini par comprendre qu'on s'étonnait de ne jamais la voir au château des Tuileries, qu'on serait ravie de l'emmener au Cours, invitation chaleureuse qui était, en fait, un ordre, fort bien venu du reste puisqu'il lui permettait de s'échapper quelques heures de l'Hôtel d'Ivreville.

Le piège s'était resserré autour de Charlotte ; tout ce qu'elle redoutait avait pris corps ces derniers jours, en petites touches à la fois si rapides, si délicates que sa vigilance s'en était relâchée.

Tout d'abord, encouragé par ses aimables dispositions, René de Barradas était revenu la voir, sympathique, toujours plein d'entrain, de gaieté, habile chaque fois à faire éclater dans la bonne humeur les barrières dont elle s'entourait avec tant de soin. Floriane n'avait guère tardé à s'en apercevoir.

Certainement mise au courant de ce qui s'était passé à Vaugirard, soit par La Musette, soit par Adrien, ce gamin dont la détestable manie était de tout rapporter à sa mère, celle-ci avait dû, de son côté, en informer son mari. Car dès son retour de Rouen, le maréchal d'Ivreville, qui restait en relation constante avec les parents de René, les avait conviés à souper, requérant bien sûr la présence de Charlotte parmi eux. M. et Mme de Barradas avaient donc été reçus avec empressement, dans une atmosphère intime, sans façons, comme on avait coutume d'en user avec la famille. Eux-mêmes étaient venus accompagnés non seulement de René mais encore de leur fille cadette, Antoinette, sensiblement du même âge que Charlotte.

François de Barradas, ancien favori de Louis XIII, était un gentilhomme de forte stature, un peu rude mais simple et loyal. Depuis sa lointaine disgrâce voulue par Richelieu et suivie d'un bref exil à Bruxelles, il s'était pour l'essentiel consacré à ses terres de Champagne situées près d'Épernay. Sa femme Gabrielle — celle que jadis on appelait à la Cour la belle Cressia — était restée, en dépit de ses maternités nombreuses, une attirante personne. Charlotte les avait jugés agréables, remarquant également combien Antoinette et René paraissaient leur porter tendresse et respect. Mais elle avait mesuré toute l'étendue du complot si affectueusement manigancé par chacun. Sur la défensive, elle avait bien cru ce soir-là que l'on parlerait ouvertement mariage et s'était préparée avec fermeté à leur dire non à tous.

A sa grande surprise, le projet n'avait pas été abordé. Ainsi lui avait-on accordé un sursis ! Sans illusions, Charlotte avait bien senti qu'il ne pouvait être que de courte durée.

« Je devrais peut-être parler à père la première, pensat-elle, tandis que le carrosse de Mademoiselle s'avançait lentement sur le Cours. Et aussi expliquer à René que toute cette comédie est inutile autant que ridicule. Il le comprendrait ; il n'est pas sot. Nous pourrions même rester bons amis. »

Les ormes filtraient le soleil, éparpillaient sa lumière en petites taches d'or frémissantes. Le sol se couvrait de feuilles sèches, crissant au passage des chevaux et des grandes roues patinées. Un parfum de sous-bois, l'odeur plus piquante des bêtes, des effluves de poudre et d'eaux de toilette s'envolant de certains sillages, le chant des oiseaux, un rire, une voix, lancés de-ci, de-là, s'unissaient, flottaient au creux des allées pour agir sur les promeneurs à la manière d'un vin au bouquet subtil.

Comme les autres, Charlotte en ressentait le charme. Songeuse, elle n'écoutait que d'une oreille les propos de ses voisines dont les robes soyeuses aux tons vifs s'étalaient près de la sienne sur les coussins de velours bleu.

« Le reverrai-je ? »

Depuis qu'elle avait pénétré sur le Cours, elle ne pouvait s'empêcher de détailler chaque silhouette de cavalier, chaque visage d'homme penché aux portières. Elle n'avait pas seulement fui René. Elle s'était surtout élancée, avec lucidité, audevant d'une possible rencontre, si ardemment désirée malgré une appréhension qui lui serrait le cœur. Tant d'émoi, de pensées folles n'avaient peut-être été finalement que fruits de son imagination, égarements accidentels qui aujourd'hui, dans un second face à face, ne se reproduiraient sans doute pas.

« Le reverrai-je ? »

Tout le monde venait au Cours...

La marquise de Bréauté, dont le joli minois de souriceau guettait chaque équipage, s'écria soudain que celui de M. le Prince était devant elle, qu'elle reconnaissait la livrée de ses laquais.

61

— Dépassons-le ! Nous n'avons pas à respirer sa poussière ! décida aussitôt Mademoiselle qui ne daignait céder le pas qu'à Leurs Majestés et au duc d'Orléans.

La poussière, inexistante, était un bon prétexte pour satisfaire une curiosité partagée par ses cinq jolies compagnes. Avec qui Louis de Condé goûtait-il donc cette promenade ?

Obéissant aux ordres transmis par le valet de pied, Innocent, le cocher, fit presser les chevaux afin de parvenir à hauteur du Prince.

— Touchant tableau de famille ! marmotta Marie de Longueville.

Il était en effet exceptionnel de voir Madame la Princesse douairière entourée de ses trois enfants : Anne-Geneviève et sa nonchalante blondeur, Louis de Condé au profil d'oiseau de proie, Armand de Conti, le sournois bossu. Leur cousine Isabelle-Angélique de Châtillon les accompagnait. Naguère, elle avait eu des bontés pour Louis. Mais plus rare était la présence de la jeune Madame la Princesse, Claire-Clémence, plutôt négligée par son époux.

Ils avaient été tous deux mariés par intérêt politique : elle, timide, ignorante, était la nièce de Richelieu. Pour le cardinal, cette alliance, unissant la race des Bourbons à la sienne, avait été une immense satisfaction d'orgueil. Pour Louis de Condé, victime de la vénalité de son propre père, amoureux d'une autre jeune fille, Marthe du Vigean, ce mariage avait failli devenir fatal. Pendant des années, rongé de honte et de désespoir, il en avait refusé la consommation. Jusqu'au jour où il avait enfin accepté de se soumettre. Depuis, Marthe s'était retirée chez les Carmélites ; Claire-Clémence lui avait donné un fils, le petit duc d'Enghien ; elle-même avait mûri, cherchant à se cultiver, à s'affiner, afin de lui plaire, car elle aimait cet homme excessif, séduisant malgré tout. Elle l'aimait depuis le premier jour.

— Cette Claire-Clémence a beau faire, elle garde son air de chien battu, constata Mademoiselle, peu charitable. Je la revois apeurée le jour de ses noces, trébuchant sur des talons trop hauts. Elle a d'ailleurs fini par s'étaler en dansant devant toute la Cour. Ce que nous avons ri ! Pauvre petite !

— Visiblement, M. le Prince l'ignore toujours, remarqua la comtesse de Fiesque.

— Quand il est auprès de sa sœur, M. le Prince ne voit plus personne, glissa avec perfidie Marie de Longueville qui détestait sa belle-mère.

C'était exact. Un amour jaloux, exacerbé, des disputes, des réconciliations, tissaient entre Anne-Geneviève et son frère une relation particulière que beaucoup nommaient inceste. Les deux intéressés n'en avaient cure, méprisant le qu'en-dira-t-on, rebelles aux lois ordinaires.

— Notre Frondeuse parviendra-t-elle à attirer M. le Prince dans ses filets ? fit Mademoiselle, résumant la question que se posait tout le royaume.

La duchesse de Longueville ne manquait jamais l'occasion d'afficher en public son pouvoir sur son frère. Effectivement, elle gardait l'espoir de le rallier à la Fronde, lui qui s'obstinait à rester le champion de la couronne, malgré son mépris de moins en moins dissimulé pour le Mazarin.

Les voitures étaient maintenant côte à côte. Des saluts, des signes de la main, des sourires même, s'échangèrent avec courtoisie mais assez rapidement : Mademoiselle n'aimait guère perdre son temps en simagrées. Avec la majesté d'une caravelle oscillant sur l'onde, son carrosse dépassa bientôt celui des Condé. Mais, cette fois-ci, il n'allait plus seul. Du cortège de M. le Prince, s'étaient détachés quelques cavaliers. Nu-tête, ils caracolaient auprès des jeunes femmes.

Étaient venus complimenter Mademoiselle, François-Henri de Bouteville et le duc de Nemours. Le comte de Matha, un séduisant libertin, plaisantait avec Anne de Frontenac. Le gentil La Moussaye, l'un des petits-maîtres préférés de Condé, débitait ses douceurs à chacune. Marie de Longueville s'entretenait avec le duc d'York, second fils de l'infortuné roi d'Angleterre récemment décapité. Mademoiselle était ravie d'avoir amoindri l'escorte de Condé, d'entendre autour d'elle fuser tant de malicieux propos, de voir les gens s'arrêter sur son passage ou chercher à prendre part à la gaieté de son élégante, de sa piaffante petite troupe.

Qu'ils s'écartent, qu'ils disparaissent tous, ces gêneurs, ces importuns qui empêchaient Charlotte de mieux l'apercevoir ! Lui ! Car il était là, chevauchant un peu en retrait, ses yeux cherchant désespérément à croiser les siens, sombre, superbe !

La jeune fille imagina le Cours brusquement désert, vidé de ses promeneurs, dispersés par le souffle complice d'une magicienne. Jérôme de Venoy se serait approché d'elle, se serait penché, l'aurait soulevée sans mot dire, pour l'emporter pressée contre lui, bien plus loin que ces allées ombreuses, vers un horizon mirifique.

Que se passait-il ? Que lui arrivait-il ? De nouveau en pleine confusion, Charlotte s'égarait, luttait contre elle-même. Elle s'était préparée pourtant à cette éventualité ! Une tristesse soudaine vint alors balayer ses rêveries, comme une vague sur la grève. Elle détourna la tête et fit semblant de s'intéresser ailleurs. Lorsqu'elle osa de nouveau regarder le jeune homme, celui-ci avait disparu.

— Quelle mouche a piqué le comte de Venoy ? Je ne crois pas qu'il m'ait saluée, remarqua Mademoiselle.

— Nous savons bien qu'il est lunatique, lui fit observer Anne de Frontenac.

Le carrosse venait d'effectuer son demi-cercle autour du rond-point et poursuivait son doux cheminement en sens opposé. Mais la lumière s'était ternie ; de brusques poussées de vent agitaient les ramures ; l'enchantement s'était évanoui en quelques instants. Mademoiselle décida qu'il était temps de rentrer.

Ce fut au moment où l'équipage s'apprêtait à sortir du Cours... Un petit vendeur de macarons s'avança, un gros panier suspendu à ses épaules par deux attaches de cuir. Avec une mine réjouie, il offrit à chacune des six jeunes femmes un cornet de friandises « de la part d'un grand seigneur », fut-il seulement en mesure d'expliquer. Autant que l'attention galante, le mystère les charma toutes. Mais Charlotte se sentit trembler : dans son cornet, au milieu des macarons, un message avait été glissé dont elle ne devinait que trop bien l'auteur.

★
★ ★

Le sable crissa sous les pas de Charlotte ; devant elle un moineau s'envola vers le bassin où roucoulaient des tourterelles. Le jardin n'était que roulades et pépiements fusant des arbres fruitiers, des bordures de buis, des pans de feuillages. Partie intégrante de l'Hôtel Thévenin, au cœur même de Paris, le jardin étendait jusqu'aux fossés de la ville des massifs ingénieux, des jets d'eau et cascades, des allées pâles. Rien ne venait y heurter le goût. Bien plus loin, en face, se découpaient la colline de Montmartre, son abbaye, ses moulins.

François Thévenin, chirurgien-oculiste du roi, propriétaire de cet enclos harmonieux, en laissait généreusement l'accès à la bonne société par une porte discrète ouverte au fond d'une impasse. Le soir, gens du monde et gens de lettres, filtrés par un vieux Suisse, s'y retrouvaient, devisant, admirant les fleurs et les fruits aussi variés, aussi beaux que devaient l'être ceux de l'Éden. Mais au plus tendre de la matinée, les oiseaux étaient seuls maîtres des lieux, à peine dérangés par le jardinier et ses aides.

« Je vous y attendrai demain, dès neuf heures, et tous les jours s'il le faut... »

Pas un instant Charlotte n'avait envisagé de refuser le rendez-vous du comte de Venoy. Enfin, elle allait savoir ! Ou peut-être dissiper un mirage ? Cette fois-ci elle sentait que tout serait décisif, qu'un geste, un mot, le son d'une voix — Charlotte y était si sensible ! —, un petit rien risqueraient de rompre le sortilège, car son cœur était trop noble pour ne pas être exigeant.

Était venu, alors, le premier mensonge. Elle avait dû, en effet, trouver une raison pour emprunter le carrosse, sortir de bonne heure. En l'occurrence, Charlotte avait prétexté une visite à sa tante, au couvent de Sainte-Marie, visite que la jeune fille s'était promis d'effectuer après son entrevue avec le comte. Mais cette entaille à la vérité sous les yeux confiants de sa mère lui avait été pénible, malaise qui accroissait davantage sa tension nerveuse.

Le carrosse l'avait déposée au bout de l'impasse. Elle y avait laissé la placide Cateau. Le Suisse n'avait pas même paru la voir lorsqu'elle était passée devant sa petite loge. Le jardin était maintenant aussi paisible que Charlotte pouvait le souhaiter, tour à tour sombre ou lumineux au gré des nuages. Une saute de vent souleva son léger manteau bleu de nuit, effleura les arbustes taillés avec soin. Charlotte avançait au hasard. Sa fierté, son assurance n'étaient que l'enveloppe d'une angoisse éperdue.

Et puis, il fut là, au détour d'une allée ; son sourire emplit ses yeux ; sa main prit la sienne ; son pas s'accorda au sien. Brusquement, comme un vol de freux, noir et lourd, tout se dispersa de ses peurs, de ses scrupules, de son orgueilleuse intransigeance ; rien n'exista plus que lui.

Ils marchèrent ainsi en silence, à l'écoute des sources secrètes, vivaces, qui sourdaient en chacun d'eux. Enfin Jérôme de Venoy s'arrêta, écarta un pan de vigne, découvrant un petit cabinet de verdure arrondi sous une treille, aussi mystérieux qu'un antre sylvestre. Ils s'assirent sur un banc de marbre soutenu par deux sphinges. Autour d'eux, ce n'étaient que murs touffus, troués de rayons dansants, froissés de bruits d'ailes.

— Charlotte !

— Jérôme !

En même temps, ils s'étaient murmuré leurs noms et cet élan simultané amena sur leurs lèvres un sourire de vainqueurs.

— Tout ceci est à la fois si extraordinaire et si simple, fit Charlotte en posant sa tête sur l'épaule du gentilhomme.

Extraordinaire qu'elle fût ainsi, confiante, prête à donner ce qu'elle possédait, à partager les aspirations les plus élevées de son âme, sûre de recevoir les mêmes offrandes en retour.

Chaviré, Jérôme l'entoura de son bras et posa sa joue sur ses cheveux pointillés de lumière.

— C'est vrai, dit-il de sa belle voix grave. Cet incroyable bonheur nous semble néanmoins aller de soi. Il est doux à recevoir même s'il laisse incrédule.

Tout en lui criait son désir d'étreindre la jeune fille, de la faire sienne, d'oublier avec elle ses chagrins, d'éteindre en elle une fureur toujours latente dont rien, ni la guerre, ni les honneurs, ni les extravagances et les débauches, n'avait pu venir à bout. Elle, elle seule, saurait peut-être... Lorsqu'il l'avait vue parmi les danseurs, différente, pareille à un lys piqué dans un bouquet de fleurs des champs, il était resté cloué sur place, retenant un cri de surprise, de joie et de détresse. Ce visage aux tons rares de coquillage, ce port lointain de vestale alors que chacun de ses mouvements, au contraire, s'imprégnait de sensualité : il les avait reconnus dans la seconde. L'amante, tant de fois implorée, dont le portrait le suivait depuis toujours, c'était elle !

Vite renseigné sur Charlotte, Venoy avait espéré la revoir, curieusement sans impatience car certain que la jeune fille, de son côté, le souhaitait avec la même ardeur, que rien ne s'opposerait à une entrevue lorsque le moment s'en présenterait. Aisément il avait soudoyé le Suisse afin que le jardin fût à eux seuls et avait attendu, sans douter de sa venue. Nulle présomption dans son assurance : l'émotion éveillée en lui lors de leurs deux courtes rencontres avait été trop profonde pour ne pas être partagée.

La satisfaction tranquille d'avoir atteint le havre tant cherché s'était prolongée jusqu'au moment où Charlotte avait eu ce geste d'abandon. Son corps contre le sien agitait maintenant les démons assoupis. Sûr d'être aimé, Venoy voulait plus. Il voulait tout. Pourtant, inexplicablement, il se maîtrisait. Avec effort, crispé, tremblant....

Charlotte dut percevoir son changement d'attitude. Elle se redressa, le dévisagea, lui offrant ainsi ses grands yeux fauves, ses lèvres à demi entrouvertes sur un reflet de perle ; des lèvres irrésistibles. Perdant la tête, Venoy fondit sur ce fruit tendre, l'écarta d'une langue dure afin de mieux en goûter la saveur, de s'en gorger jusqu'à l'oubli, ses bras resserrés autour de Charlotte.

Que faire ? Se débattre ? S'enfuir ? Ou bien, au contraire, subir la tempête, en suivre les phases tumultueuses, figée par la surprise et la curiosité ? Ignorante, malhabile, Charlotte reçut le baiser de Jérôme sans trop savoir s'il n'allait pas effacer les merveilleuses promesses des premiers instants.

Mais bientôt, de sa bouche éclatée, le plaisir descendit en elle comme une vrille, lui causant une souffrance plus chargée de délices que la plus douce des caresses. Le noir des yeux de Jérôme, le noir de son pourpoint de drap au parfum de civette, tout le vert doré odorant de la treille, se fondirent pour envelopper Charlotte dans une nuée irréelle. Elle ferma les paupières, laissant les lèvres la torturer, la ravir. A son tour, elle leur répondit.

Et soudain l'effroi l'arracha à ses découvertes. D'un bond, elle fut debout, gagna le seuil de leur retraite. Au-delà du rideau de verdure, le soleil inondait les allées.

Un murmure, celui de la sage Charlotte, toujours si déterminée, s'était fait entendre. Insensée qu'elle était ! A quel asservissement avait-elle failli consentir ? Le mépris, la colère qui la secouaient ne s'adressaient qu'à elle-même. Sa conduite avait été celle d'une sotte, d'une écervelée, d'une gamine à la fois naïve et perverse. Que devait en penser Jérôme de Venoy ? Elle lui en voulait, bien sûr. Mais quant à lui reprocher son indélicatesse, elle n'aurait pu le faire sans grossir un incident somme toute ridicule, et sans se diminuer elle-même. Mâchoires serrées pour ne pas pleurer de honte et de chagrin, Charlotte décida sur-le-champ de prendre congé de lui, définitivement, avec le maximum de dignité.

« Ma splendeur, ma farouche..., se dit Venoy. Je t'ai meurtrie, je t'ai offensée. Une jeune fille ; tu es une jeune fille, l'un de ces êtres purs et complexes dont je n'ai pas l'habitude, un songe sublime que ma hâte stupide a fait s'évanouir. »

A cette pensée, une lame de désespoir faillit l'entraîner dans des profondeurs qu'il n'explorait que trop souvent. Lui demander pardon, à genoux, cela peut-être le sauverait, les sauverait. Se jeter à ses pieds, la supplier d'oublier sa folie : sans doute, il allait le faire...

S'approchant de Charlotte, Jérôme découvrit dans le clair-obscur son visage fermé, dédaigneux. Leurs regards se croisèrent, lourds de rancune, de déception et de défi. Ils étaient tous deux incapables de reconnaître leurs fautes, leurs maladresses, incapables de courber l'échine, malgré cet amour qui, en eux, ne cessait de croître. En revanche, le charme reprenait sa trame délicate, effaçait les ravages de ce premier malentendu. De nouveau captive, Charlotte sourit à la seconde où Jérôme lui demandait :

— Reviendrez-vous dans ce jardin ? Disons demain à la même heure ?

Le ton n'était ni suppliant ni incertain. Vivre désormais sans revoir Charlotte n'était pas envisageable.

— Il me sera difficile de m'échapper encore comme je l'ai fait aujourd'hui, objecta-t-elle doucement.

— Alors venez au Palais-Royal. Je ne vous y vois jamais. Vous savez que j'accompagne le plus souvent M. le Prince.

— C'est un endroit que je n'aime guère. Cependant, oui, il m'est aisé de m'y rendre.

Pour lui, elle surmonterait ses réticences. Que ne ferait-elle pas ?

— Beaucoup de choses sont à remédier à la Cour, en effet, renchérit Venoy en reprenant la main de Charlotte.

Cette fois-ci, il se contenta de baiser ses doigts et la relâcha tout de suite.

— A bientôt donc. A demain.

Toujours cette affirmation péremptoire. Sur son visage un peu osseux, si parfait sous le hâle, se lisaient exigence et tendresse, dureté, sentiments éblouis, tous les mouvements contraires d'une impétueuse passion à laquelle Charlotte ne pouvait, ne voulait pas se soustraire mais qu'elle allait s'efforcer de domestiquer, de détourner de ce cours abrupt, effrayant, approché tout à l'heure.

— A très bientôt, répondit-elle avant de se faufiler au travers des branches souples.

Elle s'éloigna sans se retourner, courant presque entre les parterres bigarrés. En repassant devant le vieux Suisse morose, elle eut envie de lui crier son allégresse. Elle n'était restée qu'un court moment avec Jérôme ; ils n'avaient échangé que quelques phrases, des banalités quand elle y songeait. Pourtant, en seize années d'existence, elle n'avait jamais connu une telle intensité. Engagée sur un chemin tout neuf, elle voyait s'inscrire en traits de feu, sur un horizon infini, le nom de Jérôme comme un soleil à son aurore.

★
★ ★

En octobre 1643, quittant le Louvre incommode et vétuste, constamment en travaux, Anne d'Autriche et ses deux enfants s'étaient installés juste en face, dans le Palais Cardinal, construit par Richelieu et à sa mort légué au roi. La demeure aux ailes nombreuses, reliées les unes aux autres par des galeries, des arcades, formait un ensemble aussi élégant que grandiose. Ici, point de pont-levis d'un autre âge, de hauts murs affligeants, de fossés aux relents détestables ; point de salles interminables, glaciales, assombries de souvenirs, grouillantes de fantômes. La nouvelle résidence royale n'était que fraîcheur et clarté, ouverte sur une infinité de cours, dotée d'un vaste jardin dont le « rond d'eau » et le petit bois faisaient tout le charme.

Anne appréciait particulièrement les commodités de ses

appartements réaménagés selon son goût, vite célèbres dans l'Europe entière. Le Grand Cabinet était considéré comme la « merveille de Paris », rassemblant les toiles de Vinci, de Raphaël, du Guide, de Véronèse, tandis que partout ailleurs, dans les chambres, la salle de bains, l'oratoire, avaient couru les pinceaux modernes de Stella, de Vouet, ou de Champaigne.

De son balcon forgé de lys et de feuillages, la reine pouvait regarder ses deux fils s'ébattre dans le jardin avec des amis de leur âge, s'initier à la guerre en prenant d'assaut un fort miniature, courir avec leurs chiens, avant de se précipiter chez elle, avides de recevoir ses caresses, pour souvent partager ses repas. Si Louis restait son préféré, son blond seigneur sur lequel se portaient ses espoirs, Anne ne ménageait pas sa tendresse envers le petit Monsieur. Né deux ans après son frère, Philippe d'Anjou ne lui ressemblait pas. C'était un ravissant enfant aux cheveux noirs, affectueux, spontané, un rien capricieux, aux manières exquises, presque féminines, préférant les robes aux pourpoints.

Des petites filles, il s'en trouvait aussi. Les trois nièces du Cardinal, élevées à la Cour, se voyaient conviées aux jeux de Louis et de Philippe auxquels se mêlaient parfois les filles d'honneur de la reine.

Le Palais longtemps solennel, symbole de la grandeur, de la puissance de Richelieu, avait donc emprunté les couleurs fantaisistes de l'enfance et de la prime jeunesse. Ce monde turbulent côtoyait, pénétrait parfois l'autre monde, à sa manière tout aussi agité : celui des adultes, hauts personnages de l'État, princes, ministres, officiers de la Cour, figures de moindre importance mais néanmoins tapageuses, comparses, clients, gardes et serviteurs. Il n'était pas rare que le Conseil, réuni dans l'une des belles galeries dorées, fût troublé par des rires de bambins, des jappements ou les cris aigus des petits singes de Mazarin, nouvellement débarqués d'un vaisseau hollandais.

Car, depuis l'automne 1644, le Cardinal occupait un appartement au sein même du Palais-Royal.

71

Au début, il avait habité, dans le voisinage, l'Hôtel Chevry-Tubeuf* dont il s'était vite rendu acquéreur, le transformant en une maison somptueuse, regorgeant d'œuvres d'art, de livres précieux. Mais ses allées et venues quotidiennes entre les deux résidences, à la moindre affaire à traiter, s'étaient révélées épuisantes et dangereuses pour un homme haï comme il l'était. D'une porte, d'un bosquet, pouvait en effet aisément surgir un spadassin et son arme fatale. Par prudence, Mazarin était donc venu loger non loin de la reine ; seule une galerie emplie de gardes nuit et jour les séparait.

Cette promiscuité avait bien sûr entraîné des réactions fort vives : cris indignés, ricanements, propos désapprobateurs ou franchement obscènes, les uns et les autres glissant sur l'indifférence gracieuse de l'habile Italien.

Les années n'avaient pas réussi à entamer la cuirasse. On eût dit, même, qu'il se délectait des injures, des coups bas, toujours extrêmement soigné, le cheveu noir et bouclé, le front large, un peu dégarni, l'œil velouté sachant se faire humble, la voix chantante et flatteuse. Certaines dames, confondant intérêt et secrète attirance, lui auraient cédé volontiers mais pas une toutefois ne s'était jusqu'ici targuée d'être sa maîtresse. Bien sûr, cette insensibilité accréditait l'hypothèse que le beau Giulio était homosexuel. Il laissait dire, comme tout le reste, pour mieux continuer la lutte sournoise engagée aussi bien avec les parlementaires qu'avec les gens de Cour, et plus précisément avec Louis de Condé.

Tout ne pouvait que séparer ces deux personnages. D'un côté, un ministre de petite extraction, bien qu'honorable, un étranger hissé au sommet de l'État grâce à une intelligence extrême, de rares talents de diplomate, certes, mais servi également par un physique avantageux, un génie de l'intrigue, un art du compliment et de la feinte ; un ministre dont la parole se donnait, se reprenait au gré des circonstances, maintenu dans ses pouvoirs par l'amitié pour le moins équi-

---

* Bibliothèque nationale.

voque d'une femme mûrissante. De l'autre, un prince, un Bourbon, descendant du roi saint Louis, un homme d'épée dont le sang drainait les particularités si françaises d'indiscipline et de courage ; un chef de guerre comme le monde n'en avait connu depuis l'Antiquité — un Alexandre, un César ! —, remarquablement instruit, impulsif, orgueilleux, cependant « recevant la flatterie avec dégoût », ne pouvant, de par sa naissance, s'incliner que devant le roi.

Le duel entre les deux hommes s'était engagé dès le lendemain de la première victoire du prince, à Rocroi*. Mazarin avait aussitôt flairé le danger représenté par ce guerrier admiré partout, apprécié de la reine. Dans l'ombre, il s'était employé à le tenir le plus possible éloigné des Affaires, ne l'avait pas toujours soutenu dans ses campagnes militaires, escomptant voir ainsi se ternir son image de héros ; faisant attendre longtemps les récompenses promises par Condé à ses compagnons d'armes — Condé qui ne réclamait rien pour lui-même. La Fronde n'avait fait qu'aggraver leurs dissensions.

On ne voyait, on n'entendait plus que M. le Prince. Bruyamment, son équipage sillonnait Paris. Son Hôtel était aussi fréquenté que l'appartement de la reine. Ayant amplement prouvé qu'il était le seul capable de garder son trône au jeune roi, décidé du reste à bien le servir, il prétendait en retour dicter ses volontés à la régente, tout comme il entendait dominer les bourgeois du Parlement. M. le Prince ne supportait plus du tout Mazarin, qu'il traitait d'« illustrissimo facchino », allant même un beau jour lui tirer la barbiche en public ! Pas une charge, pas un gouvernement ne pouvaient être octroyés sans l'avis de M. le Prince. Pas un mariage ne pouvait se faire sans son assentiment. Unir la petite Mancini, cette bâtarde noiraude, à Mercœur ? Donner l'amirauté à celui-ci ? Il s'y opposait, bien entendu. Son orgueil exacerbé, le sentiment de sa propre valeur, son mépris de la roture, des finasseries politiques, l'aveuglaient.

_____

* Mai 1643.

Anne-Geneviève de Longueville attisait sa fureur. Pour son mari, elle voulait le gouvernement du Pont-de-l'Arche. Pour son amant, François de Marsillac, ou plutôt pour la femme de ce dernier, elle exigeait le tabouret. Faiblesse d'Anne d'Autriche ? Arrière-pensée de Mazarin ? Ils accordèrent au frère et à la sœur cette dernière faveur, déclenchant aussitôt une petite révolution.

Le tabouret était en effet réservé aux duchesses. Ce privilège les autorisait à s'asseoir en présence de Leurs Majestés. Or le vieux duc de la Rochefoucauld étant toujours en vie, sa belle-fille, madame de Marsillac, ne pouvait donc encore prétendre au titre de duchesse, ni à ses droits. Scandalisé par cette dérogation aux usages, le clan des Rohan protesta, les duchesses de Chevreuse et de Montbazon en tête, suivies par nombre de dames dont le séant ne pouvait se poser sur le siège tant convoité. « La grande plainte des culs de la Cour » faillit provoquer une crise d'État. Devant le tollé, la reine et Mazarin firent machine arrière : Madame de Marsillac n'eut pas le tabouret. Mais une grande partie de la noblesse garda rancune à M. le Prince.

Cependant celui-ci parut s'en accommoder ; un semblant de calme revint même au Palais. Consciente que Condé était son unique recours en cas de soulèvement, sûre de sa loyauté, la reine lui gardait bon visage, supportant sa morgue et sa tyrannie. Mazarin continuait pour sa part de digérer les affronts avec une sorte de jubilation soumise que chacun méprisait. Seuls, ceux qui le connaissaient bien, pressentaient pour bientôt de fracassants résultats.

★
★ ★

Charlotte ne pouvait ni admettre, ni comprendre l'attitude du ministre.

— On chercherait en vain le moindre sentiment d'hon-

74

neur chez M. le Cardinal, remarqua-t-elle d'un ton acerbe, lors d'un échange au cours duquel sa mère lui reprochait son manque d'amabilité envers Mazarin.

Elles rentraient du Palais-Royal où la reine avait tenu cercle, appréciant toujours autant les soirées tardives à l'espagnole.

— Tu juges trop vite, ma mie, dit Floriane en étouffant un bâillement.

— Aucun gentilhomme n'accepterait d'être traité comme un laquais ! Je finirai par penser que M. le Prince a raison d'en user ainsi avec lui.

— Charlotte ! Tu oublies que M. le Cardinal est de mes amis ! protesta Floriane. C'est un être réellement généreux. Nous lui devons tout, ton père et moi.

Sa fille la regarda avec la commisération d'un esprit supérieur devant un malade mental.

— Maman ! N'exagérez-vous pas un peu ? Père ne me semble pas vraiment partager votre enthousiasme.

Là, elle marquait un point, reconnut Floriane, ne sachant que trop bien l'opinion d'Artus à l'égard de celui qui, pourtant, les avait secourus, jadis, celui qui, pour elle, serait toujours Giulio.

— Ton père ne fera rien contre son service, fit-elle sèchement.

Préférant se taire, elle monta l'escalier derrière La Musette qui les éclairait. Avec une enfant comme Charlotte, mieux valait ne pas poursuivre un sujet litigieux sous peine de la voir vous faire la tête pendant des jours. Floriane estima qu'il eût été maladroit de la contrarier alors qu'elle faisait preuve, ces derniers temps, de bonne volonté en sortant dans le monde, en allant à la Cour, en l'accompagnant même dans ses visites aux pauvres et aux malades — ce qui avait pourtant toujours rebuté la jeune fille !

A ce revirement soudain, sans raison flagrante, Floriane espérait que René de Barradas n'était pas étranger. Elle avait constaté que l'attitude de sa fille s'était modifiée depuis le bal de l'Hôtel de Ville, occasion où, précisément, les deux jeunes gens avaient fait connaissance. Ils se plaisaient, c'était évident. René semblait même avoir une influence bénéfique sur la chère petite entêtée. Charlotte s'amadouait. Artus l'avait remarqué, lui aussi, mais contrairement à son mari, Floriane préférait attendre encore un peu avant de parler fiançailles. Charlotte ne pardonnerait une maladresse à personne, pas même à ses parents et un je-ne-sais-quoi en elle intriguait Floriane. Entre autres, Mazarin lui avait révélé de bien curieuses choses à son sujet dont elle ne savait que conclure.

Floriane reconnaissait à part soi avoir toujours fait preuve d'une coupable faiblesse vis-à-vis de ses enfants. Mais ayant vécu une enfance solitaire, une jeunesse mouvementée, ayant dû conquérir au prix fort son bonheur actuel, son plus cher désir était maintenant d'épargner à sa fille comme à son fils les difficultés qu'elle-même avait connues, de les aider à voir clair en eux.

Elles arrivèrent en haut de l'escalier, face au couloir cloisonné qui desservait les chambres. Un flambeau fiché dans le mur lançait sa flamme tremblante. La Musette salua et rejoignit sa paillasse. Floriane hésitait.

— Charlotte..., commença-t-elle.

— Oui, mère.

Ah ! Comment amener des confidences qu'on s'obstinait à refuser ? Il était tard. Elle était lasse. Artus, qui avait dû rentrer le soir même d'un court voyage, devait l'attendre, peut-être dormir déjà. Floriane, cette fois encore, préféra se taire.

— Rien, va te reposer, mon petit.

— Bonsoir, maman.

Charlotte lui tendit son front pur, énigmatique. Floriane y posa les lèvres. Le cœur lourd sans savoir au juste pourquoi, elle regarda la jeune fille se retirer dans sa chambre.

« Pauvre maman ! »

Charlotte sourit en refermant la porte. Ces deux mots lui venaient souvent lorsque ses pensées s'arrêtaient sur sa mère.

76

Pauvre maman ! Affectueuse, désireuse de bien faire, mais par là envahissante, toute de sensiblerie, si naïve en ce qui concernait l'opinion qu'elle se faisait des gens ! Ainsi la jugeait sévèrement Charlotte.

Aidée de Cateau, elle se prépara en silence pour la nuit, revêtit une longue chemise, glissa ses cheveux sous une petite cornette blanche. Elle congédia sa servante dès qu'elle fut couchée.

Non, le moment n'était pas venu de révéler son secret, même à sa propre mère. Elle voulait le savourer encore, craignant en vérité que, sortie de l'ombre, sa joie ne fût offensée par le jugement des autres, leurs questions, leur hostilité peut-être. Elle aimait Jérôme et s'en savait aimée. Depuis plus d'un mois — date de leur rencontre dans le jardin de Thévenin — elle s'était appliquée à parfaire leurs relations. Trouvant préférable provisoirement de lui refuser un second tête-à-tête, elle se rendait en revanche chaque jour, soit au Palais-Royal, soit chez Mademoiselle, soit au Cours, certaine d'y voir le comte de Venoy. Charlotte avait la conviction que les contraintes imposées par le monde fortifiaient, ennoblissaient ce qu'ils éprouvaient l'un pour l'autre. Plus les obstacles étaient grands, plus une passion devait s'en trouver rehaussée, estimait-elle, bien décidée à ne pas retomber dans le piège grossier des sens, à enseigner à Jérôme l'autre langage de l'amour, celui que savaient si bien parler l'âme et la raison. Elle ne doutait pas d'y être parvenue. Jérôme semblait l'avoir comprise, ne s'impatientait pas, n'exigeait rien de plus. Leurs conversations étaient un enchantement tant il se révélait fin, cultivé, sensible. Charlotte ne regrettait pas du tout d'avoir, pour lui, rompu avec ses habitudes.

Floriane d'Ivreville était de ceux qui avaient échappé aux disgrâces de la Cour. Elle ne s'était jamais permise de juger la reine, avait accepté d'autant plus volontiers l'ascension de Mazarin qu'il était l'un de ses plus anciens amis. Même si Charlotte réprouvait cette familiarité et l'absence d'esprit critique de sa mère, elle n'en bénéficiait pas moins de sa faveur elle aussi. Très vite elle fut conviée aux fêtes, dansa à plusieurs reprises aux ballets du roi et du petit Monsieur. Sa beauté rencontra un franc succès parmi les jeunes gens qui néanmoins gardaient toujours avec elle une sorte de distance, comme impressionnés par sa hauteur. Ce n'était pas le cas de René, plus bavard et assidu que jamais, qui lui proposait chaque fois, mais en vain, une nouvelle escapade hors de Paris : Charlotte n'avait plus ces enfantillages en tête.

Lorsqu'on annonçait M. le Prince, les bois et les dorures, la marqueterie, les flambeaux d'argent rutilaient pour elle d'un éclat plus vif ; les arbres et les allées du Cours resplendissaient comme saupoudrés de gemmes tandis qu'au contraire, toutes les personnes présentes s'estompaient, devenaient une grisaille floue où bientôt se détachait, parmi la suite de Condé, la silhouette magnétique de Jérôme de Venoy.

S'ensuivaient alors des instants radieux que Charlotte aurait voulu suspendre dans leur marche éphémère, instants de plaisir teinté d'orgueil : celui de pouvoir nouer, à l'insu de tous, des liens aussi puissants avec l'homme le plus beau, le plus accompli qui fût.

L'attitude qu'ils adoptaient n'en laissait pas soupçonner l'existence. Il leur arriva même de danser ensemble une fois ou deux, tout en conservant une apparence indifférente et courtoise malgré l'émotion qui leur brûlait les doigts. Le mystère ne donnait que plus de prix à leurs paroles, leurs gestes, leurs regards. Personne ne les avait encore devinés. Excepté peut-être M. le Prince.

Ses façons envers Charlotte étaient étranges. Poli, louangeur, il lui lançait brusquement son rire discordant. Son œil d'aigle au bleu si perçant se faisait sur elle tour à tour pensif, moqueur, hostile. M. le Prince n'hésitait pas à interrompre leurs apartés :

— Pardonnez-moi, mademoiselle d'Ivreville. Je vous enlève notre ami. Venoy, mon cher, nous partons.

Jérôme n'hésitait jamais. Il s'inclinait devant Charlotte qui n'avait plus, alors, qu'à ravaler sa fureur en regardant les deux hommes s'éloigner, rejoindre les petits-maîtres ; leur groupe disparaissait en un joyeux désordre, vers tout un pan d'existence dont les gazetiers se faisaient ensuite l'écho mais qu'elle préférait ignorer. Son irritation du reste ne durait guère. Jérôme ne pouvait pas se dérober aux fonctions qu'il occupait auprès d'un prince pour lequel — il l'avait dit à Charlotte — le liaient aussi la reconnaissance et l'amitié. En prendre ombrage eût été excessif, dégradant.

L'image sublimée de l'amour détachée de la réalité, de l'imbrication des divers sentiments portés à autrui, des tâches et des devoirs, une image à l'abri de toute corruption, envahit les pensées de la jeune fille.

Peu à peu, les choses s'ordonnaient ainsi qu'elle en avait décidé. Charlotte avait même été jusqu'à s'occuper de René de Barradas dont le sort l'intéressait, mais qui ne pouvait avoir place dans l'univers qu'elle était en train de bâtir.

A l'insu du jeune homme, surmontant son antipathie, elle avait sollicité un entretien auprès du Cardinal. Rien de solennel, une simple conversation un après-midi, au Palais-Royal, dans le Grand Cabinet. Avec empressement, Mazarin l'avait entraînée près d'une fenêtre, à l'écart des courtisans toujours à l'affût. En bas, le jardin scintillait sous un soleil safrané, largement déversé à l'intérieur par d'immenses embrasures encadrées d'or fin. Rayonnant lui aussi, avec son accent effroyable, Mazarin avait accablé Charlotte de compliments, de protestations émues sur l'honneur trop rare qu'elle lui faisait, une surabondance de paroles telle, qu'elle avait failli tourner les talons, excédée.

— La fille si jolie de ma chère amie madame d'Ivreville peut tout me demander, avait-il juré, la main sur le cœur.

Si la requête que la jeune fille lui avait faite alors, en étouffant son exaspération, avait surpris le ministre, il n'en avait rien laissé voir. Charlotte lui avait exposé les faits d'une façon claire et concise : M. de Barradas désirait acquérir des terres

79

dans les Iles d'Amérique. Un poste auprès de M. du Parquet, gouverneur de la Martinique, de la Grenade et de Sainte-Lucie, pouvait parfaitement convenir aux qualités du gentil-homme. Mais, pour ce faire, l'appui de Son Éminence s'avé-rait indispensable. Bien entendu, Charlotte comptait sur sa bienveillance et sur sa discrétion. Il était inutile que Son Éminence révélât à M. de Barradas la démarche qu'elle-même venait d'entreprendre en sa faveur.

Plus reconnaissant que jamais de cette marque de confiance, Mazarin avait promis d'agir au mieux des intérêts du jeune homme et de ne pas parler du rôle de Charlotte, pro-messe dont il avait été gratifié par un sourire ensorcelant sans soupçonner l'effort qui en avait coûté à sa solliciteuse. Char-lotte s'était ensuite éloignée satisfaite de son initiative : René réaliserait ses rêves ; il partirait, oublierait ses velléités de l'épouser et serait finalement heureux grâce à elle et sans elle !

Elle n'avait pas vu le regard amusé qui avait suivi son départ. Quelques minutes après, Floriane avait à son tour abordé Mazarin. Un Mazarin à la fois hilare et pensif.

— Que pouvait bien vous vouloir ma fille, M. le Cardi-nal ? avait-elle demandé d'un ton cérémonieux démenti par son visage enjoué, voire complice.

Au lieu de lui répondre tout de suite, Mazarin lui avait murmuré :

— Cara mia, vous répétez toujours que Charlotte ne vous ressemble pas. Je trouve qu'elle a au moins hérité de votre détermination, de votre audace. De votre charme aussi, dont elle use peu mais fort bien. Singulière jeune personne ! Cer-taines envoient leurs soupirants indésirables au diable Vau-vert. Votre fille choisit les Iles du Vent. Cela doit lui sembler plus poétique.

Et ravi de constater l'étonnement de son amie, il s'était mis à lui conter tout bas son entrevue avec Charlotte.

★
★ ★

— Va prendre l'air, souffla Floriane devant la pâleur de sa fille. Tu m'attendras dans le carrosse.

Charlotte ne se le fit pas répéter. Elle se leva, salua l'assemblée des dames et sortit de la pièce en s'efforçant de ne pas trahir sa hâte. Mais sitôt dans le couloir, elle pressa le pas, répondant distraitement au bonjour des « sœurs grises » qui conduisaient un groupe d'enfants au réfectoire. Ceux-ci marchaient en rang et en silence mais des cris, des pleurs de nourrissons s'échappaient de l'aile des tout-petits. Charlotte ne pouvait plus les supporter, de même que l'odeur douceâtre de lait et de savon flottant partout entre les murs de l'hospice. Ses vêtements, toute sa personne devaient en être imprégnés.

Discrètement, elle sortit son mouchoir imbibé d'eau de fleurs, le respira, s'en frotta les mains avant de renfiler ses gants parfumés à la frangipane.

Interminable, le couloir peint de frais semblait ne la mener nulle part. Sortirait-elle enfin de ce labyrinthe ? Charlotte s'impatienta, tenaillée par un besoin d'espace et d'air pur, l'envie de se retrouver seule, surtout, loin de toutes ces pieuses créatures, ces dames, ces filles admirables, loin de ces petits êtres, ces orphelins dont Paris regorgeait et qui avaient eu la chance de trouver cet asile.

Suivre sa mère dans ses occupations charitables lui avait toujours été pénible. Non que Charlotte fût dépourvue de générosité chrétienne. Elle pratiquait régulièrement l'aumône, n'oubliait jamais les miséreux dans ses prières. Ce qui lui était une épreuve, c'était le contact direct avec eux et la dépendance qui en résultait. Leurs souffrances, leur attente douloureuse, leur gratitude soulevaient immanquablement en elle un sentiment ambigu fait de pitié, d'impuissance et de rejet.

Toute autre était l'action de Floriane d'Ivreville, touchée comme beaucoup de bourgeoises et de dames de haut rang par la détresse d'une grande partie de la population parisienne. Elles avaient répondu nombreuses à l'appel de

81

Vincent de Paul, l'un de ces hommes de foi qui, de temps à autre, au fil des siècles, apportent au monde une flamme d'éternité.

Après une première expérience à Châtillon, lointaine bourgade de la Dombes, M. Vincent avait fondé à Paris la confrérie des Dames de la Charité, aidé en cela par une femme d'exception, Louise de Marillac. En vingt ans, les Charités s'étaient multipliées, à l'Hôtel-Dieu comme en plusieurs paroisses, afin de soulager les malades et les plus démunis, sans oublier de les préparer à la confession. Les âmes devaient bien sûr recevoir les mêmes soins diligents que les corps. Mais parce qu'il n'était pas toujours facile à ces grandes dames, malgré leur ferveur, leur bonne volonté, de s'adonner aux tâches lourdes et ingrates qu'exigeaient certains malheureux, M. Vincent avait dû confier à Louise de Marillac le soin de former des filles du peuple, plus robustes, plus expertes. Vêtues de gris, la taille ceinte d'un long tablier blanc, la tête recouverte d'une coiffe blanche à bavolet, toujours chargées d'une hotte et d'un grand seau de soupe, les « sœurs grises », les « sœurs au pot » sillonnaient la ville, inlassablement.

Leur Maison se trouvait rue du Faubourg-Saint-Denis, voisine de l'église et du cimetière Saint-Laurent, juste en face du séminaire et de la léproserie de M. Vincent, la célèbre congrégation de Saint-Lazare. De récentes constructions avaient agrandi l'établissement de la Charité afin d'accueillir spécialement les enfants trouvés, « parce que c'était faire œuvre de Jésus-Christ que de prendre soin de ces petites créatures quoique maudites de Dieu ». On les découvrait en général au matin, déposés sous le porche des églises, épaves mystérieuses et fragiles d'un flot incessant de misère. Charlotte n'ignorait pas à quel sort ignoble échappaient ces enfants grâce à la Charité. S'ils ne succombaient pas dès leurs premiers mois, ils étaient vendus — « huit sols la pièce » —, exploités, les membres rompus par des gueux pour mieux apitoyer le monde, mal nourris, bourrés de laudanum pour les faire dormir, et le pire, condamnés à mourir sans avoir reçu le baptême ! Combien M. Vincent, ce vieil homme au petit visage espiègle et bon, avait-il déjà sauvé de ces innocents ?

Les dames, quant à elles, offraient un peu de leur temps, leur argent. Il fallait sans cesse collecter des fonds, trouver des nourrices, placer ensuite les orphelins, ayant grandi, en apprentissage. Cependant, peu d'entre elles imitaient madame d'Ivreville qui ne craignait pas de bousculer les usages pour laver, emmailloter elle-même les bébés. Rien ne la rebutait. Ce matin encore, lors de leur passage à l'Hôtel-Dieu, Charlotte, horrifiée, l'avait vue changer les draps et la chemise ensanglantée d'une femme mal remise d'un accouchement, dans une salle puante et surpeuplée.

— Je ne crains ni la maladie ni la mort, mais je ne peux supporter de voir la douleur sans agir, disait sa mère d'un air serein lorsqu'on lui rappelait l'inconvenance et le risque d'un zèle aussi excessif.

Toutefois, elle comprenait sans le lui reprocher le dégoût de sa fille.

Finalement, Charlotte retirait toujours de ces bonnes œuvres un sentiment de culpabilité et de contrainte. Malgré ses efforts et son souci de plaire à Dieu, elle se sentait piètre chrétienne, le cœur tout encombré de pitié importune.

C'est dans cet état d'esprit, précisément, qu'elle traversa la cour et franchit enfin le portail de l'Hospice.

Hors les murs de Paris, le quartier conservait un aspect de gros bourg. Autour de la maison de Saint-Lazare, la plus importante congrégation de la capitale, subsistaient encore quelques enclos, des arbres dont les feuilles volaient au vent humide et froid de novembre. Charlotte aspira l'air à pleins poumons et s'engagea d'un pas prudent sur la chaussée boueuse. Plusieurs carrosses à côté du sien attendaient devant la vieille fontaine où, depuis le Moyen Âge, coulait l'eau apportée par l'aqueduc du Pré-Saint-Gervais. Des « sœurs grises » y remplissaient des seaux tout en se gardant de répondre aux propos des cochers et des valets, selon les directives de M. Vincent : « Ne s'arrêter point pour parler à personne, particulièrement de divers sexes s'il n'y a grande nécessité. »

Aucun de ses domestiques n'avait encore fait attention à Charlotte lorsqu'elle aperçut un homme à l'entrée d'un petit jardin entouré de murs. Surprise, contente, elle sentit son cœur s'agiter comme un oiseau fou en reconnaissant Jérôme. En quelques pas elle l'eut rejoint.

— Bonjour ! Je ne m'attendais pas à vous voir ici, lui dit-elle sans dévoiler son trouble.

D'un mouvement brusque, il l'attira dans le jardin, à l'abri des regards et se mit à l'embrasser passionnément.

— Mais que faites-vous, Jérôme ! réussit-elle à dire lorsqu'il laissa ses lèvres pour baiser son visage, humer ses cheveux avec emportement.

— Chérie, il y a des jours et des jours que je rêve de cet instant.

Une fois encore, il reprit sa bouche. Et voici que l'indicible faiblesse, si redoutée, gagnait Charlotte. Sans le mur contre lequel Jérôme la tenait appuyée, sans ses bras, elle aurait été incapable de se tenir debout. Un moment, elle obéit à ce vertige. Les images de souffrance et de pauvreté rencontrées ce matin, son malaise, ses réticences, tout s'envolait au contact de cet homme qui était pour elle beauté, élégance, force et liberté. Du sol herbu, trempé d'une récente averse, montait une fraîche, une saine odeur de terre.

Des chevaux hennirent. Par-dessus l'épaule de Jérôme, Charlotte les vit broutant près d'une cabane. Un valet du comte resserra leurs brides puis vint se poster à l'entrée du jardin afin de mieux surveiller la rue. Cela suffit à la jeune fille pour reprendre conscience. Elle put se dégager légèrement et demander :

— Comment se fait-il que vous soyez ici ?

— Je vous suis depuis l'aube. Comme chaque jour, je vous épie, oui, Charlotte ! Car je ne peux me détacher de vous. J'essaye de vous voler des bribes de votre vie dont vous me tenez écarté avec tant d'obstination. Je vous suis à l'église, dans vos visites, espérant toujours pouvoir vous aborder mais on vous garde bien, ajouta-t-il avec un sourire amer qu'elle jugea méprisant.

— Je ne suis pas « gardée », comme vous dites, protesta-t-elle d'un ton irrité. Pas plus que vous n'êtes écarté de ma vie. J'estime, au contraire, que vous y occupez une place importante. Que faites-vous de nos rencontres presque quotidiennes, de nos conversations ?

— Vous pensez donc que je peux m'en satisfaire ? s'écriat-t-il avec rancœur. Qu'il me suffit pour être heureux de picorer les quelques minutes que vous daignez me consentir, avec des centaines de paires d'yeux pour partager mon chétif festin ? Mais vous rêvez, Charlotte, ou alors...

Il s'interrompit pour la scruter avec une angoisse farouche :

— Ou alors vous ne m'aimez pas !

Elle pâlit comme s'il l'avait insultée :

— Je vous interdis de me parler de cette manière !

— Non, non... Chérie, essayez de comprendre !

Il l'étreignit, toujours rageur mais en même temps conscient de l'avoir heurtée.

— Moi aussi, au début, j'ai cru pouvoir ne rien demander. Savoir que vous existiez m'apparaissait déjà si miraculeux ! J'avais décidé de bien me comporter, du moins me comporter selon vos désirs, de me mettre à votre diapason.

— Mon diapason ? murmura-t-elle attristée.

Elle voyait s'écrouler des semaines de certitudes, d'élaboration patiente d'une liaison hors du commun. Elle s'était donc trompée dès la première seconde !

— Oui, cette sorte d'amitié amoureuse, de sentiment éthéré que vous me proposez, expliquait Jérôme. Mais l'amour est bien autre chose ! Aimer c'est aussi se posséder, se confondre. Je vous veux, Charlotte !

Il sentit chez elle un mouvement de fuite. Avec force, il la retint par les bras.

85

— Savez-vous bien ce que cela signifie ? gronda-t-il en la secouant.

Elle le savait. Cela signifiait exactement tout ce qu'elle avait toujours craint, l'aliénation de sa liberté, la découverte d'un abîme dont elle devinait les troublantes extases, les pièges fatals. Que faire alors qu'elle ne voulait ni céder à Jérôme, ni renoncer à lui ?

— Je parlerai à votre père. Notre mariage doit se faire le plus tôt possible. Je ne l'avais pas envisagé d'abord mais je vois bien qu'il n'y a pas d'autre solution.

— Vous voulez m'épouser ?

Aussi invraisemblable que cela pût paraître, elle n'y avait encore jamais songé elle-même. Le mariage ne changerait rien. Ce n'était que l'une des formes multiples de servitude. N'y avait-il donc pas d'autre choix que celui qui la livrait à cette passion ? Pourquoi, oh, pourquoi Jérôme refusait-il de la suivre sur les pentes élevées auxquelles elle aspirait ? Devait-elle sans résistance s'incliner devant son vainqueur ?

Ses hésitations ne manquèrent pas d'étonner Venoy :

— Sans doute ! Qu'y voyez-vous d'extraordinaire ? Le mariage doit plaire à une personne comme vous, si fort attachée aux convenances.

Quel tableau étriqué il faisait d'elle ! L'amertume submergea la jeune fille.

— En somme, conclut-il avec ironie, vous deviendrez ma femme pour mieux être ma maîtresse !

Ce ton trivial déplut à Charlotte. Elle regimba, comprenant que lui aussi devait peut-être se sentir pris au piège.

— La perspective d'épousailles ne semble guère vous réjouir, railla-t-elle.

— En effet ! rétorqua-t-il sèchement.

Puis il reprit avec beaucoup plus de tendresse :

— Mais nous nous aimons. Cela seul compte. Vous n'êtes pas insensible, Charlotte. Je vous sens vibrer ; votre corps me répond. Bientôt, je l'éveillerai tout à fait ; vous serez reine entre mes bras, ma reine. Chérie... Vous ne pouvez encore imaginer nos jouissances.

Il l'embrassait, la caressait au travers de ses vêtements. Sa voix grave aux folles promesses, ses mains expertes avaient peu à peu raison des réticences de Charlotte. Ils s'aimaient ; cela seul comptait : les mots ondoyaient sur un frémissement de plaisir. Sous la pluie qui se mit soudain à tomber, le temps s'interrompit, aussi radieux qu'une aube printanière.

Lorsqu'ils parvinrent à se séparer quelques instants plus tard, Charlotte soudain dégrisée s'aperçut alors qu'elle était trempée, qu'une joie profonde et une tristesse non moins grande, contre lesquelles ses forces ne pouvaient rien, se disputaient maintenant son cœur.

*
* *

Dissimulée dans le petit corridor obscur, Charlotte prêtait l'oreille. En vain. Aucune parole distincte ne franchissait les murs du cabinet où, depuis dix minutes, son père et sa mère recevaient Jérôme de Venoy. Prévenue par Cateau, Charlotte n'avait fait qu'apercevoir, de loin, le jeune homme à son arrivée à l'Hôtel d'Ivreville. Une sorte de petite boule roulait nerveusement dans sa gorge. Elle n'aurait su dire ce qu'elle redoutait le plus de l'accord ou du refus de ses parents. Elle souffrait de voir s'échapper à leur profit les clefs de son futur. Son amour n'était déjà plus le beau domaine réservé où seul régnait son bon vouloir.

Tout à coup, le murmure des voix s'amplifia.

— Monsieur, c'est impossible ! Il me faut mademoiselle votre fille pour femme ! s'écriait Jérôme avec feu.

— Encore une fois, je vous ai beaucoup d'obligations, monsieur, mais je ne peux accepter !

Il était bien rare qu'Artus d'Ivreville élevât le ton de cette manière. De sa cachette, Charlotte percevait son irritation.

87

— Vous n'avez aucune raison valable à m'opposer ! lui repartit Venoy.

— Je ne suis pas tenu de vous les donner. Brisons là, monsieur, voulez-vous ?

Ivreville s'était rapproché de la porte qui ne tarda pas à s'ouvrir brutalement. Charlotte n'eut que le temps de se rencogner dans l'ombre.

— Je me vois contraint d'en référer à M. le Prince. Il saura certainement fléchir un entêtement incompréhensible et outrageant.

Sur le seuil, les deux hommes venaient d'apparaître en pleine lumière et se jaugeaient sans aménité, comme deux fauves, pareillement sveltes et fougueux malgré l'écart de leurs âges, tout prêts à engager le combat.

— Loin de moi l'idée de vous outrager, monsieur, dit le maréchal d'Ivreville froidement. Quant à M. le Prince, il n'a pas, que je sache, à s'immiscer dans la conduite de mes affaires. Serviteur !

— Serviteur, monsieur ! mâchonna Venoy, voyant qu'il eût été aussi vain qu'humiliant d'insister.

Il était blême. Charlotte préféra ne pas se montrer à lui. Désolée, elle écouta son pas marteler le corridor, décroître dans l'entrée. Puis son attention se reporta sur ce qui se disait dans le cabinet dont la porte était restée ouverte. Elle se pencha un peu, regarda.

— Artus, qu'est-ce qui t'a pris ? s'étonnait Floriane, intervenant enfin. Je t'ai vu te dresser contre M. de Venoy dès sa première phrase.

— Je connais bien le comte. Nous avons eu déjà quelques litiges lors de la campagne de Catalogne et cette année encore, pendant le blocus de Paris. Un homme indiscipliné, difficile...

— Voyons ! Ce ne sont là que démêlés de guerre qui ne peuvent justifier ta sévérité. Tu as à peine écouté ce garçon. Il a l'air d'aimer sincèrement Charlotte et nous affirme que c'est réciproque. Il me semble qu'avant de lui donner ta réponse tu aurais pu consulter notre fille. C'était d'ailleurs entendu...

— Inutile ! Venoy prend ses désirs pour des réalités. Charlotte a trop de bon sens pour s'être amourachée d'un petit-maître.

— Que sais-tu du cœur des filles, Artus ? demanda Floriane en souriant.

Charlotte vit son père enlacer amoureusement la taille de sa femme pour mieux l'embrasser d'une manière qui lui avait toujours déplu. Ainsi, en ce moment crucial où il était question de l'avenir de leur propre enfant, ils n'étaient préoccupés que d'eux-mêmes ! Comme Charlotte avait raison de mépriser les ravages égoïstes de la passion !

— Je prétends connaître ma fille, dit Artus après un baiser interminable. Elle me ressemble.

— Ça oui ! Inflexible, intolérante...

Floriane ne plaisantait qu'à moitié, malgré une voix vibrante d'affection.

— Parfaitement ! Je ne tolérerai donc pas de la donner à un coureur de ruelles. Mesdames de Longueville, de Châtillon, de Montbazon, sans compter Ninon de Lenclos et bien d'autres : Venoy change de maîtresse comme de chemise ! Et je ne parle pas du reste. Mordieu, Floriane ! explosa Ivreville. Tu connais comme moi l'entourage de M. le Prince, leurs mœurs déplorables ! Rien ne peut venir de bon de ces gens-là. Ce sont des rebelles qui ne pensent qu'à semer la pagaille partout ! C'est tout juste s'ils respectent Leurs Majestés. Tu ne vas tout de même pas, toi, si fine, te faire le chantre d'un homme de cet acabit.

— J'évite de juger trop vite et d'écouter les ragots. M. de Venoy est jeune, séduisant, il plaît. Mais il est aussi de bonne lignée. Son père, le duc de Boisdanil...

— Je ne vendrai pas ma fille pour un titre de duchesse ! tonna Ivreville en s'écartant de Floriane. Séduisant ! Pftt !... Un bellâtre qui fera souffrir mille morts à une innocente !

— De toute façon, Charlotte doit être consultée.

— Une mise au point s'impose en effet, admit-il. Nous n'avons que trop tardé. Mon ami Barradas attend une réponse.

— Nous ne lui avons rien promis. Il était convenu que Charlotte déciderait elle-même.

— Eh bien, qu'elle se décide ! Elle semble agréer René, n'est-ce pas ?

— Détrompez-vous, monsieur.

N'y tenant plus, la jeune fille avait quitté sa cachette. Bien que très pâle, elle conservait tout son sang-froid pour affronter son père.

C'était la première fois. Artus d'Ivreville avait raison lorsqu'il affirmait qu'ils étaient tous deux de la même trempe. Charlotte adorait, admirait son père, cet homme couvert d'honneurs, d'une exemplaire intégrité. Fait maréchal de France en 1640, après la prise d'Arras, il était aussi aimé, estimé de la régente et du jeune roi qu'il l'avait été de Louis XIII. Un père étonnamment alerte et attrayant malgré son demi-siècle, sans cesse en mouvement, en voyage, en missions délicates qui lui permettaient de fuir la Cour et ses contraintes.

L'apparition de sa fille le surprit :

— Vous étiez là ?

— Depuis le début.

— Joli procédé mais qui simplifiera les choses. Qu'avez-vous à ajouter ?

Charlotte soutint sans broncher son regard identique au sien, où le même courroux assombrissait les luisances brunes et dorées.

— M. de Venoy est un honnête, un galant homme dont je suis éprise. Absolument. Je n'épouserai personne d'autre, pas même René de Barradas pour lequel je n'éprouve que de la sympathie, déclara-t-elle avec brièveté.

— C'est regrettable car pour ma part je ne reviendrai pas sur ma décision, martela Ivreville.

— Je ne reviendrai pas non plus sur la mienne !

Charlotte vit se contracter la mâchoire de son père.

90

— Bravo ! Je constate que l'éducation que tu as reçue n'a fait de toi qu'une pécore insolente. Mais j'y mettrai bon ordre. En attendant, je te prie de ne plus revoir le comte et de rester jusqu'à nouvel ordre à la maison !

— Artus ! protesta Floriane, tandis que furieux, il quittait la pièce.

Elle se tourna vers Charlotte :

— Je suis navrée. Ton père exagère sûrement. Ne prends pas à la lettre tout ce qu'il a pu dire.

— Ne vous inquiétez pas, maman. Ce ne sont que ragots, vous l'avez souligné vous-même. Du reste, je suis étrangère à toute forme de jalousie. M. de Venoy m'aime, en effet. Et il vaut beaucoup plus que ce que mon père semble en penser.

— Je n'en doute pas, fit simplement Floriane.

Elle n'ajouta pas qu'il lui serait aisé, à la longue, de fléchir son mari. Elle se sentait soudain incertaine, aurait voulu bercer sa fille contre elle... sa fille, dans laquelle, c'était indéniable, vibraient tout ensemble un amour profondément enraciné, un touchant désarroi sous la fière écorce. Mais Charlotte, qui redoutait par-dessus tout voir sa mère s'apitoyer sur son sort, choisit de s'éloigner elle aussi, en ignorant sa main tendue.

Le comte de Venoy rentra chez lui rue de Tournon dans un état de fureur et de désespoir tel que son intendant, le vieux Duchot, jugeant qu'une saignée s'imposait pour calmer son maître, appela un médecin. Mais lorsque ce dernier, accouru en hâte avec tout son nécessaire, voulut pénétrer dans la chambre, il trouva porte close. Duchot eut beau implorer, Venoy refusa de leur ouvrir. Longtemps, l'intendant resta l'oreille collée à l'huis : on n'entendait que jurons et bris de faïence. Puis le silence se fit. Sans doute son maître avait-il fini par s'endormir ? Duchot congédia le médecin.

Apaisé maintenant, Venoy était étendu sur un lit de repos recouvert d'un satin gris à fleurs écarlates. Des rideaux d'un même satin masquaient les fenêtres. Une seule bougie éclairait la chambre luxueuse où s'éparpillaient des escabeaux de velours incarnadin, cloutés de bronze, des coffres de maroquin rouge. Livres et vases avaient été jetés à terre. Devant la cheminée, deux grands lévriers roux et blanc, encore tout tremblants de la récente tempête, s'apprêtaient à somnoler, la truffe posée entre leurs pattes.

Jérôme ne dormait pas. Dans la pénombre, ses yeux fixaient un cadre suspendu au mur en face de son lit. Point n'était besoin de vive lumière pour en connaître les détails gravés dans ses yeux, dans sa mémoire : la couleur d'une joue, le reflet d'une prunelle, le drapé d'une étoffe et jusqu'aux traces de brûlure que bien entendu le peintre n'avait pas voulues, survenues bien plus tard, lorsque la toile avait failli devenir la proie des flammes.

Elle était signée de Giovanni Bellini, l'un des artistes les plus illustres de Venise. Exécutée à la fin du XVᵉ siècle, elle avait été rapportée d'Italie par un lointain aïeul de Venoy. Trois femmes y étaient représentées, penchées sur l'enfant Jésus : Anne, Marie et Madeleine. Une lumière, paraissant sourdre de l'humble couche, éclairait leurs visages, leur donnait vie. Jérôme voyait le sang rosir les peaux fines, les veines battre délicatement aux tempes nacrées, les lèvres prêtes à s'entrouvrir, lui sourire, lui parler ; trois chers visages, liés à son destin, réunis sur cette toile grâce à l'intuition prodigieuse, inexplicable, de Bellini. Anne avait en effet toute l'austère bonté de Léone de Boisdanil, la propre mère de Jérôme ; la douceur virginale de Marie était celle qu'avait jadis à quinze ans sa sœur Sybille. A leurs côtés, splendide, orgueilleuse et néanmoins humblement inclinée au-dessus de l'Enfant, ses cheveux d'acajou roulant sur ses épaules d'albâtre, Madeleine était l'exact portrait d'une jeune fille dont Jérôme était fou.

— Charlotte, murmura-t-il.

Sybille et Léone n'étaient plus ; leur disparition tragique ne cessait de le hanter. Mais, par bonheur, Charlotte était venue, bien réelle, bien vivante, annoncée il y avait longtemps, avant qu'ils fussent tous deux de ce monde, preuve qu'elle lui était prédestinée depuis toujours ; Charlotte à laquelle jamais il ne pourrait renoncer.

— C'est à cause d'elle, n'est-ce pas ? demanda Louis de Condé en désignant le tableau d'un mouvement du menton.

Au retour du Parlement, il s'était arrêté à l'Hôtel de Bois-danil. Cette visite montrait en quelle affection il tenait Jérôme qu'il n'avait pas vu depuis vingt-quatre heures et dont le vague billet, le disant souffrant, l'avait inquiété autant qu'il l'avait contrarié. M. le Prince n'aimait pas qu'on lui fît faux bond. Néanmoins il n'avait pas voulu que Jérôme se levât à son arrivée. Lui-même s'était assis près de lui sans manières, à califourchon sur une chaise, allongeant ses jambes minces, bottées jusqu'aux genoux.

Lorsqu'ils étaient seuls, les deux hommes retrouvaient leurs habitudes de collégiens partageant tout, les heures d'étude, les jeux, les rêves, les secrets. Du moins jusqu'à ce jour. Car jamais encore il n'avait été entre eux question de Charlotte, un silence qui jetait une ombre perceptible sur leurs relations. Connaissant l'existence du portrait, Condé avait bien sûr noté l'étonnante ressemblance avec la jeune fille. La discrétion inhabituelle de Jérôme l'irritait.

— Que s'est-il donc passé ? Elle ne veut pas de toi ?

— C'est son père qui ne veut pas de moi. Le maréchal d'Ivreville m'a presque mis à la porte de chez lui, répondit Venoy qui trouvait la supposition du Prince très mal venue.

Condé ricana, découvrant ses dents proéminentes. Ainsi, il avait un air féroce, extrêmement méprisant.

— Le vieil entêté ! Mais qu'importe ! On se passera de son consentement.

Il se pencha vers son ami. Ses cheveux châtains très épais, jamais peignés avec soin, retombèrent de chaque côté de son visage aux traits accusés. Ses grands yeux brillaient comme des saphirs. Il y avait en lui tant de vivacité, d'intelligence, d'autorité, qu'on oubliait vite son physique dérangeant. Tel qu'il était, il plaisait. Mais bizarrement, ce soir, Jérôme n'éprouvait qu'hostilité à son égard.

— Nous enlèverons mademoiselle d'Ivreville. Une fois votre mariage célébré en bonne et due forme, en ma présence, le maréchal n'aura plus qu'à se taire. Eh bien, qu'en penses-tu ? ajouta-t-il impatiemment, voyant que Venoy s'était levé d'un bond et se mettait à arpenter sa chambre, les mains dans les poches, tête baissée, sans lui répondre.

— Il n'y a pas d'autre solution, reprit-il. Si tu as choisi de te marier, il est inutile d'attendre. Bien entendu, je t'aiderai à tout mettre au point.

Jérôme arrêta son va-et-vient. Ses deux lévriers s'approchèrent de lui, quêtèrent ses caresses.

— Un enlèvement..., fit-il, ironique, tout en flattant leurs têtes dociles.

— Ce ne sera pas le premier que nous organiserons, lui rappela Louis de Condé. Pense à Bussy-Rabutin, à Châtillon. Sans compter dernièrement le mariage du duc de Richelieu.

Jérôme eut un rire sarcastique :

— Quels exemples réussis, vraiment !

Madame de Miramion, la riche veuve qu'avait convoitée leur ami Bussy, s'était révélée une irréductible bigote. Son enlèvement avait été une erreur, un fiasco. Couvert de ridicule, le pauvre Bussy se retrouvait poursuivi en justice par toute une famille d'enragés bourgeois. Châtillon, disparu depuis au combat de Charenton lors du blocus de Paris, n'avait peut-être pas connu les mêmes ennuis en épousant Isabelle de Montmorency-Bouteville. Les parents, d'abord furieux, avaient fini par accepter le fait accompli. Mais le lendemain même de ses noces, Châtillon avait été pris d'un chagrin étrange. Vite désuni, le couple n'avait pas été heureux. Pas plus que ne promettait de l'être celui que venait de former Richelieu — le neveu du cardinal — et madame de Pons. M. le Prince et Anne-Geneviève avaient manigancé ce mariage autant par amitié pour la fiancée qui se voyait ainsi promue duchesse, que par intérêt politique : le duc de Richelieu était gouverneur de l'importante place du Havre. Maintenant, sa tante la duchesse d'Aiguillon hurlait à la mésalliance, la reine et Mazarin fulminaient, mais Condé pavoisait ! Il prenait ainsi une revanche sur son propre mariage forcé, sur sa propre adolescence piétinée pour des intérêts sordides. Par ailleurs, l'enlèvement était à la mode ; les jeunes filles répugnaient rarement à une aventure aussi romanesque.

« Mais Charlotte n'est pas comme les autres, pensait Jérôme. Elle n'acceptera jamais ce procédé. »

Cependant sa réflexion avait déplu au Prince.

— Il t'appartiendra ainsi qu'à mademoiselle d'Ivreville de réussir là où d'autres ont échoué. Alors ? insista Condé, agacé par son flegme moqueur.

— Alors, c'est non.

— Tu refuses mon aide ! Tu crois que son père finira par céder, que tout s'aplanira ? Pauvre fol ! Ivreville me déteste. Il n'a jamais pu supporter de servir sous mes ordres. Il désapprouve ma façon d'en user avec Mazarin. Te refuser sa fille, c'est en quelque sorte m'atteindre moi-même, il le sait. Avec le crédit qu'il a auprès de la reine, il se sent fort, évidemment. Mon cher, tu n'obtiendras rien de lui !

— Permettez-moi au moins d'essayer, fit Venoy sobrement sans plus trace de rire dans les yeux.

Louis de Condé s'en aperçut ; il alla vers lui, le prit aux épaules.

— Es-tu sûr d'aimer ?

— C'est vous qui me demandez cela ? Vous ! s'écria Jérôme.

Un instant, ils se dévisagèrent, sachant très bien ce que l'autre évoquait. Entre eux glissèrent les images de leur première rencontre.

1636... En ce temps-là, les Impériaux avaient envahi la France, au nord, à l'est. On se battait en Franche-Comté, en Bourgogne dont le père de Louis, Henri de Condé, était gouverneur. Le duc de Boisdanil, qui commandait dans l'armée

95

de M. le Prince, avait laissé son fils Jérôme auprès de sa mère, de ses frères et de sa sœur dans leur château de l'Auxerrois. A treize ans, Jérôme voulait se battre lui aussi. Mais en attendant que vînt son tour, Boisdanil lui avait confié la duchesse, les enfants et le domaine.

Vaincues, les troupes du duc de Lorraine et du général Gallas s'étaient retirées en novembre, non sans dommages pour les régions traversées. C'est ainsi qu'un matin, au château de Boisdanil, avait surgi un petit détachement de reîtres allemands, des brutes transies, affamées, encore sous le coup de leur défaite, des bêtes dangereuses contre lesquelles des femmes, des enfants, une poignée de serviteurs, un petit garçon de treize ans n'avaient pu lutter. Du château en flammes, Duchot avait sauvé Jérôme grièvement blessé, tenant encore son épée vainement tirée contre les pillards criminels. Égorgés, ses petits frères ! Violées, égorgées, sous ses yeux, sa mère et sa tendre, sa bien-aimée Sybille, dont les cris l'accablaient encore après tant d'années. Conduit à Dijon auprès de son père, Jérôme y avait été soigné puis pris en charge par M. le Prince qui l'avait donné à son fils Louis, alors duc d'Enghien. Désormais les deux garçons ne s'étaient plus quittés.

Ensemble, ils avaient fréquenté à Paris l'académie de Benjamin où la meilleure noblesse était initiée au maniement des armes, aux arts équestres, aux règles subtiles du monde. Escrimeurs, cavaliers, danseurs accomplis, lestés d'une solide instruction générale, maniant les vers et le latin, Louis et Jérôme avaient ensuite découvert, toujours ensemble, la société brillante où régnaient les femmes : Anne-Geneviève, Isabelle-Angélique, Marthe et toutes les jeunes filles en fleur. Un peu plus tard, il y avait eu les campagnes militaires, les premiers succès sur un champ de bataille, d'autres découvertes, d'autres plaisirs. Si Jérôme avait pu surmonter le drame de son enfance, cela avait été grâce à Louis, devenu à son tour M. le Prince. Lorsque son père, le duc de Boisdanil, malade, frappé d'une forme violente de mélancolie, avait décidé de vivre reclus sur ses terres, Louis de Condé l'avait encore aidé dans cette nouvelle épreuve. Ils connaissaient tout l'un de l'autre. C'était à lui seul que Jérôme avait raconté en détail la tragédie de son enfance, qu'il avait montré l'œuvre de Bellini en lui révélant les étranges similitudes ; à lui qu'il avait confié l'espoir de rencontrer un jour une femme semblable à la Madeleine, une femme qui, enfin, saurait abolir l'épouvantable cauchemar. C'est pourquoi sa question le blessait si profondément.

Condé haussa les épaules :

— Il y a tant de manières d'aimer. Je voulais dire : es-tu sûr que cette jeune fille soit digne d'un amour que tu as forgé de larmes, de songes, de chimères ? Es-tu sûr que la réalité comblera tes aspirations ?

— Certain ! affirma Jérôme avec froideur, en s'écartant du Prince.

— Ne te pique pas. Je me demande simplement si mademoiselle d'Ivreville saura répondre à tout ce que tu attends.

— Tout autre que vous verrait ces mots-là rentrés dans sa gorge par la pointe de mon épée !

Selon son irritante habitude, Condé se remit à rire :

— Quel aimable compagnon ai-je là ! Je constate que cet amour te rend fâcheusement rogue et morose.

— L'amour m'a peut-être changé, c'est vrai. Vous-même, souvenez-vous, lorsque vous aimiez mademoiselle du Vigean, combien vous étiez différent d'aujourd'hui.

— Tais-toi ! L'homme que j'étais alors n'est plus. Disparu avec ses illusions ! cria Condé.

On avait bien cru le perdre en effet. C'était avant la victoire de Nördlingen*. Prêt à rejoindre ses troupes, il avait fait ses adieux à Marthe du Vigean. On l'avait relevé évanoui aux pieds de la jeune fille. La fièvre, la déraison l'avaient longtemps habité. A peine rétabli, il s'était lancé à la tête de ses escadrons pour chercher la mort. C'est un nouveau triomphe

---

* 1645.

qu'il avait cueilli, mais par une volonté hors du commun, le glorieux héros avait en même temps réussi à extirper de lui-même le pur amour, à oublier son objet. La tendresse, les souvenirs, tout s'était consumé au feu de la bataille. Depuis, on ne lui connaissait que des passades, sa sœur restant son unique passion. Il ne tolérait même pas que fût prononcé le nom de la douce Marthe.

— En tout cas, je constate que vous allez mieux, reprit-il, changeant de ton. Je donne une fête demain, pour Guitaut, avec violons et danseurs. Viendrez-vous ?

Le petit Guitaut ! C'était sa dernière toquade : un jeune ambitieux dont le père n'était même pas gentilhomme, un vague neveu bâtard du vieux et noble Guitaut, bref, un pâle jeune homme que personne ne supportait. Jérôme moins que tout autre qui avait dû lui céder une charge de lieutenant de chevau-légers, obtenue non sans mal par lui-même pour l'un de ses cousins. La perspective d'une soirée en l'honneur de Guitaut ne lui souriait pas le moins du monde.

— Peut-être, marmotta-t-il.

— J'y compte bien, insista Condé. Quant à ce projet d'enlèvement, pensez-y encore !

Sur ces mots, il ramassa son feutre, son manteau, et s'en alla.

★
★ ★

Comme Venoy s'y attendait, Charlotte refusa formellement d'avoir recours au moyen proposé par M. le Prince.

— Vous avez bien fait de décliner ce service. Fuir ensemble ? Imaginez une seconde le tintamarre qui se ferait sur nos deux noms ! Et l'épreuve du retour, Jérôme ? Car fuir serait peut-être très beau, mais tôt ou tard il faudrait bien revenir, affronter les miens, leur fournir des explications, voir peut-être ma mère pleurer, mon père me lancer son

98

mépris. Et ça, je ne le supporterais pas. Il existe sûrement une méthode plus raisonnable.

Venoy, qui tenait les mains de Charlotte dans les siennes, les serra à les briser.

— Raisonnable ! souffla-t-il, étouffant sa voix avec peine. Je trouve que vous l'êtes un peu trop. Car si vous m'aimiez comme je vous aime, vous ne réfléchiriez pas à tout ça. Vous me suivriez sur-le-champ ! Sans l'aide de personne, nous serions ensemble !

— Je vous en prie, Jérôme, pas de scène ici !

Autour d'eux, c'était l'ombre et le silence bruissant de prières isolées ; des silhouettes lentes, un peu furtives, tout le mystère dont se feutraient les églises en dehors des heures de messes ou de sermons. Sous la surveillance d'Ermelinde et de Cateau, Charlotte avait pu obtenir de son père la permission de venir se recueillir à Saint-Germain-l'Auxerrois. Elle y avait retrouvé Jérôme dont Adrien, la veille au soir, lui avait discrètement remis le message. Déjouer la surveillance de ses suivantes à l'intérieur de la grande nef n'avait pas été bien difficile mais tôt ou tard, elles ne tarderaient pas à apparaître, à les surprendre tous deux, cachés derrière un pilier près du chœur voûté d'or et d'azur. Immanquablement, le soir même, la bavarde Ermelinde rapporterait au maréchal d'Ivreville le conciliabule secret de sa fille. Le temps pressait. Comment faire entendre à Jérôme qu'elle, Charlotte, désirait pour leur amour toute l'harmonie, la dignité possibles, qu'elle ne voulait pas de tricherie ? Ses mots rapides, chuchotés, tentèrent de le convaincre, de calmer son impétuosité, ses doutes.

— J'ai cru comprendre que pour des raisons à la fois politiques et ... disons morales, mon père n'appréciait pas M. le Prince. Cette défiance, ces critiques rejaillissent sur vous. A tort, bien sûr. Pour mieux le disposer à votre égard, il vous suffirait donc de lui démontrer votre dévouement à Leurs Majestés tout comme votre indépendance d'esprit.

— Charlotte, me jugez-vous excessivement soumis à M. le Prince ? demanda gravement Jérôme.

— Je conçois votre loyauté car je l'estime beaucoup moi-même. Mais j'ose croire qu'entre lui et nos chances de bonheur, vous n'hésiteriez pas ! fit-elle avec une certaine dureté.

Jérôme étouffa un soupir.

— Tout vous paraît facile, n'est-ce pas ? Selon vous, il nous suffit d'être patients.

— C'est la sagesse même, en effet. Notre victoire n'en sera que plus complète.

— La sagesse ! Encore ! Ah ! Charlotte, que ne mettez-vous un grain de folie dans votre conduite ! Vous me torturez.

Des pas précipités s'approchèrent alors qu'elle s'apprêtait à lui répondre. Dans la pénombre, ils reconnurent les formes généreuses d'Ermelinde, son manteau gonflé autour d'elle comme une voile menaçante. Elle venait dans leur direction. Ils se séparèrent aussitôt tandis que Charlotte soufflait, en guise d'au revoir, un « gardez confiance » qui se perdit entre les vieilles colonnes de pierre.

★
★ ★

Il neigea aux abords de décembre. Au-dessus des toits, le vent rabattait de longs filets de fumée qui se fondaient dans l'épaisseur du jour. La brume s'insinuait dans les artères de la ville, désolait les jardins jaunis.

Optimiste, sûre de parvenir à son but, Charlotte affichait un air olympien. Elle ne souffrait que d'une chose : ne plus pouvoir sortir. Son père s'obstinait à ne lui autoriser que la messe du matin, dûment chaperonnée. Il refusait également de lui parler. Elle l'avait heurté, déçu. Il lui en gardait rancune. Cela affectait beaucoup Charlotte quoi qu'elle en eût, mais toutefois n'ébranlait pas sa certitude de le voir fléchir. Près d'une semaine s'était écoulée depuis qu'elle avait rencontré Jérôme, sans qu'un autre signe lui parvînt.

Communiquer était extrêmement hasardeux. Elle n'était donc pas inquiète. Déjà elle savait par sa mère qu'on parlait beaucoup à la Cour d'une brouille survenue entre Venoy et Louis de Condé. Tout se passait donc comme Charlotte l'escomptait. Bientôt, Jérôme aurait définitivement rompu tout commerce avec M. le Prince, sans doute en quittant son service pour acheter une nouvelle charge dans la Maison du roi, par exemple. Ainsi le maréchal d'Ivreville n'aurait plus rien à redire. Elle-même ne serait pas mécontente de voir Jérôme s'affranchir de l'emprise de Condé. Le temps travaillait pour eux.

Il n'empêche que sa chambre, la maison tout entière, avaient vite semblé une geôle à Charlotte qui haïssait tant les sujétions. Les journées étaient longues, malgré ses livres, les encouragements de sa mère, ou parfois le babil d'Adrien.

Un visiteur survint un après-midi, qu'elle reçut avec un sentiment mitigé, contente de la diversion mais ne sachant trop ce que lui voulait René de Barradas. Il avait été introduit dans l'antichambre. Avant de se montrer, Charlotte l'observa qui contemplait dans leurs cadres les ancêtres d'Ivreville et de Saint-Évy sagement alignés sur le mur. Sifflotant, nu-tête, l'allure dégagée dans un beau pourpoint de velours gris-vert, il donnait l'impression de porter avec lui tout ce qui lui manquait en ce moment : autonomie, insouciance, fantaisie.

René se retourna, son visage jovial rosi par le vent et la neige :

— Comment se porte notre malheureuse prisonnière ? fit-il avec une révérence affectée.

Charlotte se cabra et rengaina ses amabilités sur-le-champ :

— Qui vous dit, monsieur, que je le sois ?

— Oh ! répondit René, désinvolte. Les nouvelles vont vite. Votre père a raconté au mien, qui s'est empressé de me les répéter, les circonstances détaillées de votre dispute. Mais soyez rassurée : personne d'autre n'est au courant.

— Cela ne vous regardait pas ! protesta Charlotte, outrée de l'indiscrétion de son père.

101

— Pardon ! Il était aussi question de ma modeste personne avec ce projet que nos deux familles avaient tramé.

Charlotte se laissa tomber sur une banquette et se mit à triturer nerveusement la frange jaune qui la festonnait.

— Soit ! finit-elle par dire en redressant la tête, sa colère un peu atténuée. Autant que les choses deviennent claires entre nous. Ces petits complots me pesaient. A vous aussi, je présume. Nous aurions dû nous expliquer plus tôt. Je ne veux pas vous épouser, mais je n'en désire pas moins conserver votre estime et, si possible, votre amitié.

René s'assit auprès d'elle et lui prit la main. Quelques vers du poète Patris lui trottaient dans l'esprit, qu'il jugeait tout à fait de circonstance :

> *« Reprenez dès ce jour*
> *Votre amitié sans amour !*
> *Fussiez-vous cent fois plus belle,*
> *Sans lui je ne veux pas d'elle. »*

Voilà ce qu'il avait à dire, ce qu'il aurait dû dire s'il en avait eu le courage. Le courage de tout perdre pour n'avoir pas su tout gagner ! Mais, lâchement, il préféra s'accrocher à des simulacres :

— Mon amitié comme mon estime vous sont acquises, n'en doutez pas. C'est pour vous le dire que je suis venu aujourd'hui. Oubliez toute cette fâcheuse affaire. Vous ne devez penser qu'à vous, finit-il par répondre gaiement.

Charlotte lui lança un regard soupçonneux. Il semblait prendre les choses avec une légèreté qui était presque offensante. Bah ! Elle n'allait pas se mettre à jouer les coquettes. Ce n'était pas son genre. Il n'y avait rien à blâmer au fond, dans cette attitude. René avait le bon goût de lui épargner ses états d'âme et s'il l'aimait — ce qui n'était même pas sûr —, une déclaration gênante. Il ne soufflait mot, non plus, de Jérôme. Tout était parfait. Rassérénée, elle lui laissa sa main et décida de répondre sans réserve à son sourire :

— Pour moi, vous serez toujours le meilleur des amis.

— Vous me comblez, assura René.

« Tu me désespères et tu ne t'en rends pas compte ! » pensait-il, saturé de jalousie, de rage, de tristesse.

Cela faisait des jours qu'il assistait, impuissant, à la métamorphose de Charlotte, qu'il en avait deviné la raison. Ah ! s'il avait pu transpercer Venoy, l'envoyer en Enfer ! Mais qu'eût-il gagné alors ? La haine de sa déesse ? C'eût été bien pis que sa terrible amitié. Au moins, pouvait-il toujours la voir, lui parler, et comme en ce moment, garder dans la sienne sa main si blanche, si charmante, une main que cette fois-ci, qu'elle le voulût ou non, il baiserait...

Barradas mit son idée en pratique avec une fougue qui surprit Charlotte.

— Je scelle notre nouvelle alliance, expliqua-t-il, ses lèvres frôlant encore ses doigts.

Jugeant urgent de changer de sujet, Charlotte les retira et demanda à René des nouvelles de la Cour. Elle le taquina aussi sur ses futurs voyages.

— Vous vous embarquerez bientôt, j'en ai l'intuition, lui prédit-elle.

— Cela m'a l'air en bonne voie, en effet.

« Adoptons ce ton-là, puisqu'elle le veut, songeait René tout en débitant mille bêtises pour la faire rire. Avec un peu de chance, ma cruelle se lassera de cet homme, se tournera vers moi, me suivra dans les Iles. Charlotte, ma lumineuse amazone, sauras-tu un jour combien je t'aime ? »

★
★ ★

Tout le monde s'accordait à dire maintenant que la morgue, l'impertinence de M. le Prince dépassaient les bornes. Repris dans les filets troubles et charmeurs de la duchesse de Longueville, il semblait assouvir avec tapage on ne savait quelle douleur spasmodique, difficilement guérissable. En quelques semaines, cet homme pourtant exceptionnel avait réussi à faire l'unanimité contre lui. Le peuple, le Parlement, tous les Frondeurs, Beaufort et Gondi les premiers, ne le souffraient plus.

Une nuit, sur le Pont-Neuf, son équipage fut victime d'un curieux attentat. Prévenu à temps par Mazarin, Condé n'était pas dans son carrosse mais l'un de ses laquais trouva la mort au cours de l'embuscade. Qui accuser ? Furieux, M. le Prince n'hésita pas. Pour lui, les coupables ne pouvaient être que parmi les Frondeurs, l'un de ces magistrats bouffis de vulgaire présomption. Ou mieux, le Coadjuteur, ce Gondi débauché, cet ambitieux ? Sur la demande de Gaston d'Orléans, une enquête fut ouverte mais le mystère demeura. Cependant, le Cardinal parut si satisfait que beaucoup se demandèrent s'il n'avait pas machiavéliquement tout combiné afin de semer la zizanie chez l'adversaire.

A la Cour, les amis de Condé se clairsemaient — la querelle des tabourets avait laissé des traces cuisantes —, lorsqu'un nouvel esclandre acheva de le discréditer.

L'un des petits-maîtres, François de Jarzay, capitaine des Gardes du petit Monsieur, s'était mis dans la tête de séduire la reine. Jarzay n'était qu'un beau garçon sans cervelle, turbulent mais sympathique, bien accueilli dans le cercle de la régente. Sûr de lui, il affirmait, encouragé par Condé, « qu'une femme espagnole quoique dévote et sage, se pouvait toujours attaquer avec quelque espérance ». Bientôt, il laissa supposer qu'il ne tarderait plus à se glisser en vainqueur dans la couche royale. Ses soupirs, ses airs énamourés finirent par alerter Mazarin qui chapitra la reine, inconsciente du danger. C'est ainsi qu'un beau soir, Anne apostropha l'audacieux en ces termes :

— "Vraiment, M. de Jarzay, vous êtes bien ridicule. On m'a dit que vous faisiez l'amoureux. Voyez un peu le joli galant. Vous me faites pitié, il faudrait vous envoyer aux Petites-Maisons* ! "

Venant de la reine, prononcé devant tous les courtisans, l'arrêt était sans réplique. Pâle, défait, bredouillant, à demi mort de honte, Jarzay n'avait plus qu'à se retirer.

Tout aurait pu et dû en rester là, si M. le Prince n'avait jugé bon de soutenir publiquement le jeune prétentieux, d'obliger la reine à le recevoir à nouveau, comme si de rien n'était. Écoutant encore les prudents conseils de Mazarin, Anne accepta l'humiliation. Chez Anne-Geneviève on s'en moqua longuement, tandis que l'affaire Jarzay retentissait jusqu'aux fonds des provinces.

Mais, cette fois, la coupe était pleine, la perte de M. le Prince consommée ! Par la même occasion, la reine et le Cardinal décidèrent aussi de frapper son jeune frère Conti et son beau-frère Longueville, très occupés à réunir troupes et officiers dans des buts inavouables. Il n'y avait plus qu'à s'assurer du soutien des factions en présence.

Du côté du Parlement, Mazarin ne craignait rien : personne n'y lèverait un doigt pour défendre Condé. L'irrésolu Gaston, bien chapitré, pencherait du côté du plus fort. On s'arrangerait en dernier lieu pour convaincre Beaufort sans lui donner loisir de bavarder à droite et à gauche, selon sa stupide habitude. Restait Gondi, le populaire Coadjuteur, Gondi le trublion, qui ne rêvait que de supplanter Mazarin. Accepterait-il de le soutenir en l'occasion, de servir la reine ?

Quelqu'un s'employa à l'en persuader, une personne depuis longtemps coutumière de l'intrigue, madame de Chevreuse, décidée dorénavant à servir la couronne, selon sa manière ; madame de Chevreuse qui haïssait tout le clan Condé, en particulier l'arrogante Anne-Geneviève ; madame de Chevreuse sans doute vieillie, fanée, mais détentrice d'un nouveau trésor de beauté en la personne de sa propre fille, maîtresse de Gondi !

Sollicité, ce dernier jura dans un billet à la reine : « Il n'y a

---

* Asile d'aliénés.

jamais eu de moment dans ma vie dans lequel je n'aie été également à Votre Majesté. Je serais trop heureux de mourir pour son service pour songer à ma sûreté. Je me rendrai où elle me commandera. »

Rendez-vous fut donc pris, toujours grâce à l'entremise de madame de Chevreuse. Une nuit sans lune, vêtu en cavalier, le Coadjuteur se laissa conduire par un escalier dérobé jusqu'à l'oratoire d'Anne d'Autriche où Mazarin les rejoignit. On se plaignit de M. le Prince et bien qu'en hypocrite Gondi répétât que servir la reine suffisait à son bonheur, on lui promit le cardinalat en échange de son soutien.

D'autres promesses furent faites : pour Laigue, son amant, madame de Chevreuse demandait la charge de capitaine des Gardes de Monsieur ; le duc de Vendôme, père de Beaufort, devait recevoir l'Amirauté, à titre héréditaire... Il y eut encore bien des réunions nocturnes, des conciliabules clandestins. Début janvier 1650, tout était en place pour l'arrestation des Princes.

De remarques en éclats, de silences en désaveux, le désaccord entre Venoy et Condé, de jour en jour plus profond, avait fini en querelle violente, pulvérisant quinze années d'affection complice.

Condé n'avait pas aimé qu'on repoussât son aide. Jaloux de Charlotte, il aurait admis à la rigueur l'amour que Jérôme portait à la jeune fille à condition de pouvoir rester maître du jeu, celui qui dirige et réconforte, ordonne, oriente, apaise. Or, précisément, Jérôme ne voulait plus de cette tutelle. Tyrannique, égoïste et blessant, tel lui apparaissait désormais Louis de Condé. Son insolence vis-à-vis d'Anne d'Autriche, les audaces de Jarzay l'avaient indigné lui aussi, sincèrement.

— Jusqu'où irez-vous ? On n'abaisse pas impunément une reine aussi fière, une femme !

Le rire familier s'épandit, méprisant, sans le moindre accent de joie :

— Bientôt j'aurai débarrassé cette même femme de son

106

mauvais génie. Je n'ai rien à craindre, monsieur le donneur de leçons !

Piqué au vif, Venoy riposta, entraînant une autre réponse plus acerbe encore. L'affrontement fut bref mais décisif. Le même jour, après avoir réussi à soudoyer Cateau, Jérôme put faire parvenir une lettre à Charlotte dans laquelle il lui apprenait sa rupture avec M. le Prince.

Aussitôt celle-ci montra triomphalement à sa mère une partie du message. Floriane s'abstint de lui demander qui le lui avait remis.

— Vous voyez ! Papa n'a plus rien à reprocher à M. de Venoy. Rien ! Vous avez assez répété que vous vouliez mon bonheur. C'est l'occasion de le prouver. En premier lieu, je dois recouvrer ma liberté sinon, je le jure, je me sauve par la fenêtre !

Floriane sourit en pensant que jadis, à la place de sa fille, elle n'aurait pas attendu pour le faire.

— Tu t'es montrée patiente, c'est vrai. Je sais que tout ceci désole ton père mais il ne fera pas le premier geste.

— Je ne le ferai pas non plus ! s'écria Charlotte.

— Quels caractères impossibles, soupira Floriane. Eh bien, je jouerai donc les conciliatrices. Je persuaderai ton père de revoir le comte. J'ai maintenant de bons arguments.

Charlotte remercia sans élan excessif sa mère qui la taquina affectueusement :

— Et toi, chérie, qui avais juré de ne jamais te marier !

— Puisque M. de Venoy le désire, il me faudra bien m'y résoudre tôt ou tard, répondit Charlotte pensivement.

« Étrange petite, se dit Floriane, l'instinct maternel en alerte. Saura-t-elle être heureuse ? »

Sous son impassibilité, Artus d'Ivreville vivait en fait difficilement ce conflit avec sa fille. Influencé par une épouse qui conservait sur lui tous pouvoirs, il céda, surmonta ses réticences, reçut Venoy, l'autorisa à venir faire sa cour à Charlotte. Néanmoins, il souligna que la date d'un éventuel mariage ne serait fixée que plus tard, après une période indéterminée durant laquelle il se chargeait d'étudier le jeune homme.

— Réussirai-je l'examen ? fit Jérôme avec dérision, la première fois que les jeunes gens se retrouvèrent.

Ils n'étaient pas seuls : Floriane et dame Frumence étaient présentes, conformément aux instructions du maréchal d'Ivreville. Il est vrai qu'elles leur tournaient discrètement le dos, toutes prêtes à leur accorder très vite une plus grande liberté.

— Vous réussirez, bien sûr ! affirma Charlotte, rayonnante et péremptoire.

Dans son inébranlable, son orgueilleuse assurance, elle ne voyait pas l'air de Venoy plus tourmenté que jamais. Pour elle, il venait de quitter plus qu'un ami, un frère ; il supportait les humeurs et l'autorité rigoriste du maréchal d'Ivreville, lui qui n'avait jamais obéi à d'autres lois que celles du Prince ; pour elle, il avait changé de vie, de conduite — finies les folles nuits au cabaret, les beuveries et les maîtresses ! —, pour elle enfin, il affichait un respect tout neuf à l'égard du Cardinal et ce n'était pas là son moindre sacrifice car il méprisait l'homme de tout son être. Pourtant Jérôme avait l'impression que tous ces efforts, tous ces bouleversements n'étaient que vétilles, ou du moins, choses naturelles aux yeux de Charlotte toujours si désespérément lisse et sûre d'elle-même, comme étrangère, malgré ses protestations, à la passion mordante, exclusive qu'il lui portait. Combien de temps durerait l'épreuve ? pensait-il. Combien de temps saurait-il se contenir ?

Convoqués par Mazarin à une réunion au Palais-Royal, les Princes y arrivèrent aux environs de midi, ce dix-huit janvier 1650, sans nulle méfiance malgré les avertissements inquiets de leurs amis.

La reine s'était déclarée souffrante. Condé lui rendit visite dans sa chambre, bavarda avec elle un instant, puis rejoignit son frère, Longueville et les ministres dans la galerie où devait se tenir le Conseil.

Tout se joua assez vite. D'abord, Mazarin se retira, murmurant un vague prétexte. Puis ce fut au tour de Guitaut, le vieux et fidèle capitaine des Gardes de la reine, d'apparaître, tandis que son neveu Comminges, lieutenant à la même compagnie et le jeune enseigne Cressi, s'approchaient respectivement d'Armand de Conti et du duc de Longueville. S'adressant à Condé, Guitaut lui annonça avec respect qu'il avait ordre de les arrêter tous les trois.

— C'est impossible ! C'est une méprise ! Allez voir la reine !

Refusant d'admettre les faits, M. le Prince protesta, chercha à gagner du temps. Mais, au fond, il savait bien qu'ils étaient pris au piège, qu'il était inutile d'espérer fuir, que chaque galerie, chaque antichambre devait être gardée, verrouillée.

Un escalier secret, empli de gardes, les mena jusqu'au jardin où attendait un carrosse entouré de chevau-légers du roi, sous la conduite de César de Miossens. Les Princes y prirent place puis l'équipage s'ébranla, contourna la ville, s'enfonça sur les chemins boueux, battus par la pluie et le vent. Où allait-il ?

Mais soudain, de façon imprévisible, le carrosse versa et Condé, sans attendre, bondit, preste comme du vif-argent, pour courir à toutes jambes dans le faubourg. Hélas, Miossens aussi était rapide !

— " Miossens ! Tu me rendrais un grand service si tu voulais. "

— " Je suis au désespoir de ce que mon devoir ne me le peut permettre ", s'excusa le gentilhomme.

Condé comprit et rejoignit l'escorte. Bientôt, le donjon de Vincennes se profila, lugubre dans le crépuscule. Aucun meuble, aucun repas n'avaient été prévus pour les prisonniers. Comminges, qui devait en assumer la garde, trouva du vin et des œufs chez un autre détenu depuis longtemps installé dans la forteresse. Les Princes eurent l'élégance de s'en contenter puis sans façons, couverts de leurs manteaux, s'ins-

109

tallèrent sur des paillasses. Ces messieurs échangèrent quelques propos philosophiques et citèrent les Anciens. Comminges était lettré, spirituel. Il possédait aussi un trésor inestimable dans une prison, un jeu de cartes, qui occupa très bien la soirée.

Dès que Condé avait eu le dos tourné, Anne avait quitté son lit et fait venir le petit roi auprès d'elle. Ensemble, ils avaient prié dans son oratoire. Contrairement aux ennemis de M. le Prince, la reine n'éprouvait que fatigue et tristesse devant son devoir accompli. En revanche, une joie tumultueuse souleva Paris lorsque se répandit la nouvelle. Des feux de joie pétillèrent aux coins des rues.

> *« Ah Dieu ! le joli triolet*
> *Que Miossens, Guitaut, Comminges !*
> *Vraiment la reine a fort bien fait !*
> *Ah Dieu ! le joli triolet ! »*

Un beau coup de filet venait de capturer "un ours, un singe et un renard", Condé, Conti et Longueville ! Toute la nuit, le peuple fêta l'événement, encouragé par son idole, un Beaufort caracolant à la lumière des flambeaux.

II
Trahisons

(Janvier 1650 - Avril 1651)

« L'absence diminue les médiocres pas-
sions et augmente les grandes, comme le
vent éteint les bougies et allume le feu. »

François de La Rochefoucauld

« I l a osé ! »

Voici ce que pensa d'abord Charlotte. Mazarin avait osé s'en prendre à des Princes du sang, lui dont les origines étaient si confuses. Et la reine avait approuvé ! Quelle emprise subissait-elle donc pour ainsi priver le roi du premier de ses gentilshommes ? Comme beaucoup d'autres, Charlotte fut suffoquée par le coup de tonnerre. Puis elle ne se préoccupa que de Jérôme, se félicitant qu'il se fût éloigné à temps de la fréquentation de M. le Prince.

Toute la journée, elle espéra vainement sa visite. Couchée vers neuf heures, elle entendit peu après ses parents rentrer du Palais-Royal. Sa mère passa quelques minutes dans sa chambre pour lui apprendre que le proche entourage de Condé subissait aussi sa disgrâce. Mesdames les Princesses — la mère et la belle-fille Claire-Clémence — avaient reçu l'ordre de se retirer dans leur château de Chantilly avec le petit duc d'Enghien. Le duc de Bouillon, frère du maréchal de Turenne, tous deux amis des Longueville, venait de prendre la route de sa vicomté du Sud-Ouest. Quant à Anne-Geneviève, on savait qu'elle s'était évanouie à l'énoncé de la catastrophe, malaise vite surmonté puisqu'elle avait sans difficulté accepté de se rendre à la Cour, sur ordre de la reine. Mais, depuis lors, nul ne l'avait revue, pas plus chez Anne d'Autriche qu'ailleurs. La duchesse s'était évaporée !

— Notre Frondeuse s'est méfiée. Nous n'avons sûrement pas fini d'entendre parler d'elle, commenta Floriane avant de souhaiter le bonsoir à sa fille, sans avoir fait allusion à Jérôme de Venoy.

Bien que sa chambre donnât derrière la maison, sur les jardins, Charlotte put longtemps capter les bruits de Paris en effervescence : cris, galopades, salves de mousquets. Elle pensait à Jérôme. Était-ce la prudence qui l'avait retenu ? Cela ne lui ressemblait guère, d'autant que son sort n'était plus lié à Condé. Elle s'endormit assez tard, mécontente, froissée par son silence inexplicable.

Elle rouvrit les yeux sans savoir si vraiment elle avait sommeillé. Dans la cheminée, une bûche brûlait encore doucement. Ses rougeoiements suffisaient à créer de petits éclats de lumière sur les meubles, sur le miroir, sur les minces fils d'or courant dans le damas bleu et roux des tentures.

Un bruit furtif, pareil à une giclée de pluie, cingla sa fenêtre. Charlotte écouta : rien apparemment ne troublait le repos de l'Hôtel ; le bruit avait cessé. Mais il reprit peu après, aussi précis, aussi rapide. Charlotte se leva, ouvrit le volet, tourna la poignée de la fenêtre. Aussitôt, la nuit lui souffla son haleine glaciale, aux forts effluves de buis, de feuilles mortes et de terre détrempée.

— Charlotte !

Du fond de l'obscurité odorante, une voix assourdie lui parvint, la voix de Jérôme !

— Je monte. Ne bougez pas.

Elle entendit un léger raclement contre le mur et se pencha. Une ombre grimpait à sa rencontre suivant les ornementations de la pierre et de la brique. La lumière ténue de la chambre ne tarda pas à éclairer un visage. En une seconde, Jérôme fut auprès d'elle.

114

— J'avais peur que vous ne m'entendiez pas ou de m'être trompé de fenêtre, bien que Cateau me l'ait parfaitement indiquée, dit-il à mi-voix. Mais je vous ai trouvée, enfin...

Muette, Charlotte le regardait comme si c'était la première fois qu'elle le voyait. Il lui semblait gigantesque dans un long manteau noir battant ses bottes relevées jusqu'aux cuisses, chevalier imprévisible, à la ténébreuse beauté, dont l'apparition inattendue avait quelque chose de surnaturel, d'envoûtant. Pourtant Charlotte conservait toute sa lucidité, avec d'abord cette inquiétude : « Mon Dieu ! Pourvu que personne ne l'ait surpris ! » Ignorant la cause de sa présence, elle ne pouvait tout à fait s'en réjouir. Néanmoins, elle se laissa enlacer sans résistance et cacha son visage contre l'épaule de Venoy.

Le froid, l'humidité retenus dans les vêtements du jeune homme, effleurèrent sa peau, seulement voilée de toile fine. En la sentant frissonner, il crut qu'elle répondait à son propre désir et l'embrassa tout en courbant sa taille, en soulevant ses jambes. L'instant suivant, il l'avait déposée sur le lit tiède et allongé sur elle, dévorait toujours sa bouche, fiévreusement.

Jamais Charlotte ne s'était sentie aussi vulnérable, écrasée par son poids, meurtrie à travers sa chemise par la garde de son épée, les boutons d'argent de son pourpoint qui s'incrustaient dans sa chair. Cependant, elle était plus encore menacée par l'insistance de ce baiser qui sapait insidieusement sa volonté, par cette main explorant son corps, une main que Jérôme n'avait même pas dégantée, plus brutale que caressante, et malgré cela, magicienne, créatrice de sensations exquises...

— Tu es mienne ! s'écria-t-il. Charlotte ! Dis-le ! Que tu es mienne depuis toujours !

Sa voix n'était plus la même. Rauque, exigeante, elle heurta le calme feutré de la chambre. Il n'était pas possible qu'elle n'ait pas été entendue ! Alors, brusquement, Charlotte se souvint du voisinage de ses parents, de ses domestiques, de

115

la précarité de leur intimité, la fenêtre toujours béante sur l'ombre froide, la porte prête à s'ouvrir ! L'effroi la submergea à la perspective d'être découverts. De toutes ses forces, elle repoussa Jérôme.

— Non ! non ! Laissez-moi, supplia-t-elle.

Sybille aussi avait crié : « Non, non, laissez-moi », avec la même expression d'horreur que Venoy crut surprendre dans les yeux de Charlotte. Il la laissa s'échapper. Sans comprendre, il la vit donner un tour de clef à la porte, courir repousser le battant de la fenêtre puis revêtir une robe de chambre en nouant la ceinture bien serrée, d'un geste qui semblait abolir entre eux toute velléité de rapprochement.

La colère soulevait sa poitrine que Venoy entrevoyait dans l'échancrure de velours, bordée de fourrure blanche. Tremblant de frustration, de chagrin, il regardait battre les veines de son cou mince et laiteux. Sybille aussi avait une gorge semblable avant qu'on ne la lui mutilât. Accablé, il passa la main sur ses yeux pour en effacer l'image. Un sentiment d'abandon terrifiant l'étouffait.

— Charlotte, qu'y a-t-il ? Qu'avez-vous ?

— C'est vous, Jérôme, qui allez m'expliquer ce que vous faites ici, cette nuit. Je ne veux pas croire que vous soyez venu uniquement dans ce but.

D'un geste évasif, elle montra le lit contre lequel il s'appuyait encore.

— Et pourquoi pas ?

— Vous êtes fou ! Vous voulez donc nous perdre ? Mon père vous tuerait s'il vous savait chez moi.

— Je devrais avoir peur ? fit-il avec un mépris qui l'aida à surmonter son immense déception. Ma chère, ce risque ne saurait me retenir. Le danger double toujours, au contraire, la joie des amants véritablement épris. Mais en ce qui vous concerne, je doute fort que vous le soyez.

Mortifiée, Charlotte ne voulut pas reconnaître qu'en effet, elle avait eu peur ; peur de son père ; peur de la honte, du ridicule, d'elle-même — elle ne savait trop. Elle préféra seulement relever son dernier grief.

— Vous savez bien que je vous aime.

— Prouvez-le !

— Je ne vous croyais pas égoïste et aveugle à ce point, Jérôme, lui reprocha-t-elle douloureusement. Vous avez donc besoin de preuves ? Que ce mot apparaît honteux entre nous ! Des preuves ! Aurais-je à les fournir que je ne pourrais le faire maintenant. Pas ici !

— Alors suivez-moi, tout de suite. Sans réfléchir. N'emportez rien d'autre qu'un manteau sur vos épaules. Soyez vous-même, enfin ! Et non cette créature insensible, ce monstre rigide que vous vous efforcez d'être, je ne sais pourquoi.

Il ne pouvait la blesser davantage qu'en évoquant justement ses méfiances, ses ambiguïtés devant l'amour. Charlotte rejeta ses cheveux en arrière et darda sur Jérôme un regard dur.

— Vous rendez-vous compte de ce que votre attitude a d'offensant ? Qu'en précipitant les choses, vous vous risquez à tout gâcher ?

— Vous appelez « précipiter les choses » la patience dont j'use depuis plus de quatre mois ? s'écria-t-il, en frappant sa paume de son poing fermé. Bon Dieu, Charlotte, vous vous moquez du monde !

Elle lui fit signe de baisser le ton, ce qu'il fit, malgré sa fureur croissante :

— Toutefois, si je suis venu, c'est pour une tout autre raison. Vous avez appris l'arrestation des Princes.

Une soudaine angoisse étreignit Charlotte. Elle eut l'illusion, très forte, que le parquet oscillait sous ses pieds, que les murs se lézardaient, que la maison tout entière craquait autour d'elle, vacillait sur ses fondations, prête à s'écrouler, à l'ensevelir parce qu'elle ne saurait réagir à temps. Elle chercha son souffle pour répondre :

— Oui, bien sûr. Mais quel rapport cet événement a-t-il avec votre présente conduite ?

117

Venoy s'approcha et cette fois-ci la prit doucement par les bras, scrutant son visage, cherchant de tout son amour, de toute sa gravité, à lui faire accepter ce qu'il avait à lui dire.

— Écoutez-moi, Charlotte, ma chérie. Si j'ai pu quitter M. le Prince sans hésitation ni remords quand il était un homme puissant et respecté, je ne peux me résoudre à l'abandonner maintenant que le malheur le frappe. Je ne peux balayer ce qu'il fut pour moi pendant tant d'années. Je ne peux admettre qu'il soit traité injustement, qu'il soit abaissé, amoindri par un ministre sans vertu, étranger à toute idée de noblesse ou d'honneur. Vous comprenez certainement cela, Charlotte.

Encouragé par son silence qu'il prit pour un acquiescement, il poursuivit :

— Par bonheur, nous sommes nombreux à garder fidélité aux Princes. Madame de Longueville est restée cachée toute la journée dans une petite maison du faubourg Saint-Germain que lui a prêtée son amie, la Princesse Palatine, en même temps qu'un carrosse dépourvu d'écusson ou autre signe distinctif. La duchesse a donc pu partir pour la Normandie sans se faire remarquer, en début de soirée, décidée à tout pour l'intérêt de ses frères et de son mari. Elle soulèvera facilement la région où la famille compte tant de places et d'alliés. M. de Marsillac l'accompagne avant de se rendre lui-même en Poitou. Bouteville ira en Bourgogne. Brézé à Saumur. Quant à moi, je pars avec M. de Turenne rejoindre notre ami La Moussaye à Stenay. Vous savez que la ville appartient aux Condé. Par ailleurs, tout un groupe des nôtres est en ce moment réuni à l'Hôtel de M. le Prince et projette d'enlever les nièces du Cardinal. Ce qui constituerait éventuellement un bon moyen d'échange, en tout cas, serait un atout supplémentaire pour notre camp. Charlotte, il va bientôt être quatre heures. J'ai fait donner des ordres à Duchot, mon intendant : mes bagages doivent être prêts. Nous avons l'intention de nous mettre en route dès l'ouverture des portes. Mais je ne partirai pas sans vous. Mon carrosse nous attend près de la tour de Nesle. Venez, mon amour, venez vite !

— Non !

Elle l'avait écouté sans l'interrompre. Maintenant sa réponse fusait.

— Non ! Je ne peux pas, reprit-elle. Vous m'avez parlé d'honneur, à mon tour, Jérôme. Servir M. le Prince signifie malheureusement, aujourd'hui, trahir le roi. Or, depuis des siècles, les Ivreville sont à la disposition de leurs souverains. Je ne faillirai pas à la tradition. Jamais mon père ne me pardonnerait de souiller notre nom de traîtrise. L'honneur ! Pensez-vous qu'il y en ait beaucoup à s'attaquer à de petites filles innocentes ? Quant à moi, même si j'acceptais de renier mon devoir et tous les miens, croyez-vous que je puisse vous aimer librement, avec fierté, dans la rébellion, la clandestinité, l'opprobre ? La perspective d'une telle existence, d'un tel chaos, me révulse. Pourquoi se mettre hors la loi ? Vous pourriez tout aussi bien servir les Princes en restant à la Cour, en plaidant leur cause auprès de la reine.

— La reine est sous la coupe d'un fourbe et d'un voleur. Il n'est plus temps de dialoguer. Il est temps de se battre, pour la plus grande gloire du roi, précisément, afin de le soustraire à l'influence corrompue du Cardinal.

« Reste, reste, mon amour. Reste, ne tue pas nos chances. Ne me sacrifie pas à de fallacieux scrupules. Je serai à toi ; je t'aime tant. Reste ! »

Ces mots expirèrent sur les lèvres de Charlotte avant même d'être prononcés. Tout ce qu'elle aurait voulu crier — prières et serments —, les gestes qu'elle aurait voulu offrir, au lieu de jaillir, de l'alléger, s'amoncelèrent en elle comme un fardeau, l'entraînant loin de Jérôme, dans des abysses silencieux, désespérément solitaires. Incapable de le supplier, elle ne put que lui dire d'une voix éteinte :

— Vous le savez, la rupture que provoquerait votre fuite serait irrémédiable, définitive. Si vous partez, tout serait perdu pour nous.

— Si je pars seul. Mais vous viendrez.

— Non, murmura-t-elle encore.

Elle vit ses traits changer sous l'effet d'une douleur aiguë.

— Je ne peux pas croire que vous refusiez. Nous sommes l'un à l'autre, ma mie. Le destin l'a décidé pour nous, voici longtemps. Je vous montrerai le sceau tangible de cet arrêt mystérieux devant lequel personne ne peut rien, aucune considération n'a de sens. Je conçois le respect que vous portez à votre famille, en particulier à votre père, mais une femme ne reconnaît d'autre loi que celle de l'être aimé.

— Il n'est de loi qui ne soit joug pesant, avilissant, s'obstina Charlotte qui espérait encore le voir changer d'avis.

Car c'était bien à lui de céder, non à elle ! A lui de concilier son amour et son attachement aux Princes, au lieu de l'accuser si facilement de froideur et d'étroitesse, au lieu de douter d'elle, d'exiger sans cesse des marques d'attachement, d'imposer toujours sa volonté. Charlotte puisait toute sa fermeté dans des convictions plus fortes que sa peur de perdre Jérôme, plus fortes que l'attrait du danger à partager avec lui.

Il la lâcha, recula d'un pas comme si, tout à coup, son contact le révulsait.

— Vous n'étiez donc qu'une apparence trompeuse, fit-il après l'avoir considérée un instant. Adieu !

Elle ne chercha pas à le retenir, pétrifiée par son regard lourd d'incompréhension, de mépris et d'hostilité. Longtemps, devaient la poursuivre ces paroles affreuses, irrévocables. Jamais, jamais elle ne pourrait lui pardonner une telle humiliation !

Quelques minutes plus tard, il avait disparu dans la nuit.

Charlotte ne découvrit pas tout de suite l'ampleur de sa souffrance, pas plus qu'elle n'en comprit immédiatement l'exacte origine. Ulcérée, elle remâcha ce qu'elle considérait surtout comme un affront inouï, un outrage à son amour-propre. Jérôme l'avait trahie en lui préférant les folles agitations du monde, le tortueux sillage des Princes. Pire ! Il lui avait dénié toute sensibilité, tout véritable caractère : « Vous n'étiez donc qu'une apparence trompeuse », lui avait-il jeté avec une sorte de dégoût. Autrement dit, une illusion, un songe creux. Sans égards, il avait piétiné ce qu'elle lui avait dévoilé de plus tendre, de plus intime, s'apprêtant peu à peu à lui faire le don total d'elle-même. La communion des âmes qu'elle avait tant souhaitée, qu'elle avait été si sûre d'atteindre, ne se ferait donc pas. Comment aurait-elle pu accepter sereinement sa défaite ?

Les quelques vers que Jérôme lui écrivit, alors qu'il était sur la route de Stenay, ne firent qu'attiser sa rancœur.

> *« Adieu, je n'ai plus de trêve, je n'ai plus de repos.*
> *Mais de m'en plaindre à toi serait-il à propos*
> *Quand c'est toi, mon Iris, qui causes mon martyre ?*
> *Adieu, je n'ai plus rien à dire*
> *Sinon que je t'aimais dès la fleur de mes ans*
> *Et t'aimerai toujours avec même constance... »**

« Des mots ! Rien que des mots », pensa-t-elle. S'il tenait si fort à elle, pourquoi dans ce cas l'avait-il quittée ?

En tourbillons violents qui semblaient ne jamais devoir faiblir, la révolte, la fureur, le dépit se déchaînèrent en elle. Vaille que vaille, elle leur résista, comme un arbre dans la tourmente, mais sans pouvoir empêcher les ravages de s'étendre : feuillage arraché, branches saccagées, faîtes ployés sous les rafales impitoyables. Lorsque enfin tout s'apaisa, lorsque Charlotte se retrouva dépouillée, désarmée, pantelante, alors lui apparut la vérité dont elle crut mourir : elle avait tout simplement perdu celui qu'elle avait élu entre tous, celui qu'elle aimerait toujours.

★
★ ★

---

* Vers empruntés au comte Louis-Henri de Brienne.

« Je n'aime pas les plaisirs innocents », avouait Anne-Geneviève de Longueville lorsque ses proches se risquaient à lui suggérer de mettre un peu d'ordre dans ses amours, de renoncer à provoquer la reine, de se soumettre enfin à la morale et aux lois.

Ses plaisirs, en effet, n'avaient rien d'innocent. Ils la menaient loin, au travers d'incroyables, de dangereux revers qu'elle supportait avec une fermeté bien digne de son lignage.

François de Marsillac, maintenant duc de la Rochefoucauld depuis la mort récente de son père, s'en alla préparer la guerre en Poitou sur un dernier baiser à Anne-Geneviève qui ne doutait pas d'en faire autant en Normandie. Las ! Une à une, les portes des forteresses amies se fermèrent devant elle : Rouen, Pont-de-l'Arche, Le Havre, oui ! même Le Havre. Le duc de Richelieu qui lui devait pourtant son mariage, refusa de l'y recevoir, la renvoya sur les routes parsemées d'espions du Mazarin. Trahie, rejetée, entourée seulement de quelques fidèles, la blonde fugitive, méconnaissable sous une défroque de garçon, courut longtemps d'une cachette à l'autre, poursuivie par l'armée royale, manqua se noyer en essayant d'embarquer une nuit de tempête, erra encore, avant de parvenir enfin saine et sauve aux Pays-Bas, sur un vaisseau anglais. Refusant l'asile doré que lui proposait le Prince d'Orange, elle fit appel aux Espagnols qui ne demandaient pas mieux que de soutenir une si prestigieuse rebelle. De Namur à Maëstricht, royalement accueillie dans chaque bourgade, elle put enfin arriver à Stenay acclamée par Turenne, Venoy, La Moussaye et tous les autres.

Situées sur la rive droite de la Meuse, non loin de la frontière, Stenay et son importante citadelle appartenaient à Condé. La ville était vite devenue le point de rassemblement des nombreux partisans du Prince. Une troupe s'y était déjà constituée, bientôt grossie de recrues espagnoles. Un traité signé par madame de Longueville et ses amis avec Gabriel de Toledo vint leur garantir deux cent mille écus en plus de renforts, contre quelques places fortes françaises à remettre au roi d'Espagne en cas de victoire. La riposte ne se fit pas attendre.

A la demande de la reine et du Cardinal, appuyés par Monsieur et Gondi, le Parlement déclara la duchesse de Longueville, le duc de Bouillon et son frère Turenne, le duc de La Rochefoucauld, le comte de Venoy, « perturbateurs de l'ordre public, rebelles, ennemis de l'État et criminels de lèse-majesté ».

Il arrive que certains événements révèlent sous un éclairage surprenant des créatures longtemps tenues pour négligeables. Ainsi Claire-Clémence, la jeune madame la Princesse. Reléguée à Chantilly, elle aurait pu se contenter d'en goûter les attraits dans cette discrétion un peu triste qui avait toujours régi son existence. Chacun n'attendait rien d'autre de la part de cette petite si ridiculement amoureuse de son illustre époux. Mais voici que l'adversité lui donnait l'occasion d'affirmer son amour, de prouver que l'on pouvait être de médiocre noblesse, mâtinée de bourgeoisie, sans pour autant manquer d'audace et de brio. Claire-Clémence rencontrait la chance de son destin ; elle l'empoigna avec cran.

Trompant la vigilance de M. du Vouldy que la reine avait affecté à sa surveillance, elle réussit un beau jour à s'enfuir. L'une de ses dames d'honneur glissée à sa place dans son lit et le fils du jardinier introduit au château, revêtu du pourpoint brodé du petit Enghien, jouèrent habilement la comédie nécessaire tandis qu'un carrosse emportait à toute allure madame la Princesse et son fils.

Montrond d'abord, fief des Condé, puis la ville de Turenne, et pour finir Bordeaux, s'ouvrirent à eux. Une émouvante fragilité, qui n'ôtait rien à sa détermination, suppléait au manque de beauté de Claire-Clémence.

« " Il " sera fier de moi dans sa prison lorsqu' ' il ' saura ce que je fais pour ' lui '. Peut-être alors, m'aimera-t-' il ' un peu ? » songeait-elle en courant les routes pour rencontrer les chefs de troupes, parlementer avec les édiles.

Son ardeur séduisait. Le duc d'Enghien, qui n'avait que sept ans, débitait par cœur ses petits discours avec une grâce malhabile si touchante que tous en étaient retournés. Le Berry, le Poitou, le Limousin, la Guyenne s'enflammèrent pour les Princes.

De son côté, la vieille madame la Princesse n'était pas en reste. A son tour, elle faussa compagnie à ce nigaud de Vouldy qui pendant plusieurs jours s'acharna à garder Chantilly sans se rendre compte que la cage n'abritait plus que des domestiques. On retrouva la Princesse douairière à Paris, suppliant le Parlement de faire libérer ses enfants. Puis elle se retira chez Isabelle-Angélique de Châtillon, sa jeune parente, non sans faire distribuer de l'or aux Parisiens, pour l'amour des prisonniers.

Les brandons de la révolte si adroitement, si ardemment agités par des mains féminines, menaçaient maintenant de ravager tout le royaume malgré la prompte réaction de Mazarin.

Son premier soin fut de mettre sa petite famille à l'abri de toute tentative d'enlèvement : ses nièces furent donc conduites sous bonne garde au Luxembourg*, chez Monsieur. Puis en février la Cour passa trois semaines en Normandie, sans craindre la peste et les frimas qui faisaient du moindre déplacement une aventure risquée. Ce voyage s'avéra triomphal. Le peuple acclama le roi et versa sans sourciller toutes les taxes dont on l'imposa. Surprenantes, inépuisables ressources du fond des campagnes ! Neuf cent mille écus alimentèrent le Trésor royal, une aubaine dans laquelle Mazarin, rasséréné, puisa sa part avant d'entraîner derechef la Cour en Bourgogne.

Ancien gouvernement de Condé, cette province conservait encore quelques forteresses fidèles au Prince. Sous les ordres du maréchal d'Ivreville, l'armée en vint vite à bout. Galvanisés par la présence de leur souverain, les hommes lui auraient tout aussi bien conquis la lune ! Le vingt mars, le bourg de

---

* Palais du Luxembourg où siège actuellement le Sénat.

124

TRAHISONS

Venoy tomba malgré la résistance du vieux duc de Boisdanil. Puis ce fut au tour de Bellegarde-sur-Seurre de capituler le vingt avril. Le premier président au Parlement de Dijon, Lenêt, s'enfuit rejoindre madame la Princesse à Bordeaux. Bordeaux qu'il faudrait bien mater, tôt ou tard.

★

★ ★

— Adrien ! Je ne m'attendais pas à te voir si tôt ! Quand êtes-vous donc rentrés de Bourgogne ?

— Hier, ma tante, répondit l'enfant à la Prieure qui venait d'apparaître dans le parloir de la Visitation.

Sœur Marie-Joseph était en effet la sœur aînée de sa mère dont elle avait du reste quelques traits de ressemblance, en particulier de beaux yeux gris-bleu, véritable parure entre les plis noirs et blancs de son habit.

— Tu es venu seul...

— Maman verra Charlotte après dîner. Dites-moi vite, ma tante, pressa Adrien. Comment va-t-elle ?

Mais Sœur Marie-Joseph qui jugeait son neveu trop jeune pour lui ouvrir le fond de sa pensée, préféra rester évasive.

— Elle se porte beaucoup mieux, rassure-toi. Elle a dû l'écrire à ta mère, d'ailleurs.

Le joli visage d'Adrien marquait une gravité, un souci qui ne correspondaient pas du tout à son naturel.

— Croyez-vous réellement, ma tante, que Charlotte veuille demeurer parmi vous ? fit-il d'une voix chagrine.

— Nul ne l'y oblige, le rassura la religieuse, touchée par son désarroi. Le choix de ta sœur lui sera dicté par Notre Seigneur Jésus et dans ce cas, nous ne pourrons que nous réjouir.

Sa réponse ne parut guère satisfaire le jeune garçon.

— Ce serait une erreur ! Maman en est bouleversée. Quant à mon père, il ne décolère pas.

125

— Je sais.

Artus d'Ivreville avait effectivement réagi avec fureur lorsque, sans crier gare, Charlotte était retournée au couvent des Filles Sainte-Marie de la Visitation avec, cette fois-ci, l'intention très ferme de ne pas en ressortir. Le maréchal avait été jusqu'à saisir le Parlement afin d'empêcher, par arrêt de justice, sa fille de prononcer ses vœux, ce qui n'était pas du tout acquis d'avance.

— Nous allons prévenir Charlotte de ta visite. Elle en sera sûrement contente, ajouta Sœur Marie-Joseph sans avouer que le cas de sa nièce la préoccupait plus qu'il n'y semblait.

Le ralliement de Jérôme de Venoy aux Princes avait été connu publiquement dans la journée suivant son départ. Ivreville avait aussitôt appelé sa fille. Sans préambule, sans long discours, il l'avait priée de s'abstenir désormais de parler du comte et d'oublier surtout les projets insensés qu'elle avait faits avec lui.

— N'ayez aucune inquiétude, monsieur. Je n'aurai plus aucun commerce avec cette personne, lui avait déclaré Charlotte sans le moindre signe de fléchissement, avant de sortir de son cabinet.

La décision paternelle, apparemment, ne l'affectait pas le moins du monde ; cependant Floriane, qui avait assisté à ce court entretien, avait remarqué l'œil fixe de sa fille, sa manière presque douloureuse de redresser la tête, de raidir l'échine. Inquiète, elle l'avait suivie, questionnée, pour se faire en retour rabrouer par Charlotte.

— Nous ne devons plus prononcer ce nom, mère !

— Mais enfin, Jérôme n'a pas pu partir comme ça, sans te prévenir, sans t'écrire !

— Puisque vous y tenez, sachez donc qu'il a fait mieux, lui révéla Charlotte d'un air glacé qui fit peine à sa mère. Il est venu chez moi, en pleine nuit. Il souhaitait que je le suive.

— Et tu as refusé ?

— Auriez-vous désiré le contraire !

— Qui te prouve que je n'aurais pas compris ton geste ?

126

Charlotte, mon petit, tu souffres et je n'y peux rien. Je ne sais que te dire, excepté ceci : les choses évolueront. Ces troubles politiques auront une fin. L'ennemi d'un jour devient souvent l'allié du lendemain. Si vous vous aimez, rien ne peut être perdu.

— La politique ne doit pas excuser certaines veuleries, certaines trahisons, avait répondu Charlotte, trop enferrée dans sa propre intransigeance pour accepter la sollicitude de sa mère.

Enfoncée dans un orgueilleux silence, elle avait repoussé toute autre approche et profitant du voyage de ses parents en Normandie avec toute la Cour, sans les prévenir, elle était retournée à la Visitation. Parce qu'il ne pouvait exister d'autre voie capable d'assouvir à la fois son chagrin et la soif d'absolu qui était la sienne.

— Je n'aurais jamais dû vous quitter, avait-elle dit à sa tante et à mademoiselle de La Fayette qui l'avaient accueillie avec leur admirable sérénité.

Charlotte avait donc retrouvé les prières, les méditations négligées au cours de ces mois tout emplis de Jérôme. Les préceptes de François de Sales et de Jeanne de Chantal, la fondatrice de l'Ordre, avaient repris place à son chevet. Grâce à Dieu, elle pourrait oublier, peut-être. Tout de suite, elle avait réclamé le voile, avait voulu prononcer ses vœux, ardente, fébrile, trop chargée d'amour pour ne pas vouloir vite en poser le fardeau devant le Seul qui en fût digne : son cœur brûlait de flammes trop vives pour l'unir à un autre cœur que celui du Très-Haut.

Les religieuses avaient eu beaucoup de mal à tempérer son impatience.

— On n'entre pas dans cette maison pour fuir le monde ou pour oublier l'objet de ses larmes, lui avait murmuré mademoiselle de La Fayette, celle qui avait été si passionnément éprise de Louis XIII.

— Vous-même, pourtant...

— Moi-même, au contraire, je suis venue ici afin de mieux

aimer le roi, d'être en communion totale avec lui, dans la lumière du Christ. Aucune déception, aucune rancune, ne doit altérer le choix que vous vous apprêtez à faire. Je ne cherche pas à vous décourager mais à vous aider à lire en vous, au plus secret. Votre orgueil est à la fois votre force et votre fragilité. Plus de lucidité, de modestie, d'ouverture aux autres, ne pourraient que vous éclairer. Les règles fondamentales de notre ordre ne sont-elles pas, d'ailleurs, « piété intime, humilité, charité fraternelle » ?

Jamais Charlotte n'avait toléré qu'on lui parlât avec une telle franchise. Elle avait accepté le conseil, pourtant, car il émanait d'une créature divinement belle et bonne, une sorte d'ange : Sœur Angélique. Mais ces paroles avaient tracé dans son esprit un bien pénible chemin, y jetant confusion, incertitude. La fièvre l'avait saisie contre laquelle vaillamment elle avait lutté tout en luttant aussi contre elle-même. Pour s'offrir à Dieu avec toute la perfection qu'elle jugeait nécessaire, deux conditions lui étaient donc imposées, également impossibles à remplir : soit elle effacerait de sa mémoire jusqu'au plus petit souvenir de Jérôme, ce qui ne pouvait être tant que l'animerait un souffle de vie ; soit elle continuerait à l'aimer en retrouvant toutefois l'élan, la confiance, la pureté du premier jour. Hélas ! Tout avait été brouillé depuis, son corps effleuré, sollicité, sa fierté atteinte ! Elle ne saurait faire qu'une médiocre religieuse sous des voiles de fausseté et de regrets !

Ainsi, le seul domaine où nul n'avait le droit de feindre, fermait-il ses portes une à une devant Charlotte, désespérée par ses propres faiblesses, ne sachant plus quelle voie prendre pour garder tête haute, ni comment se dépouiller de ce rôle ingrat de victime.

Elle en était là de ses réflexions, lorsqu'une novice vint l'informer de la présence de son frère.

Discrètement, leur tante les laissa seuls, de chaque côté de la clôture.

— Lotte ! Tu es encore malade ! s'écria Adrien sans déguiser son émotion.

Ce n'était pas sa sœur, ce pâle fantôme aux traits tirés, cette grande fille au maintien rigide, toute vêtue de noir, le chignon sévère et la main devenue si diaphane qu'il osait à peine la toucher à travers la grille !

Charlotte ébouriffa sa tête brune :

— Non, ne t'inquiète pas. C'est fini. Je me sens bien.

Adrien l'observa plus attentivement, cherchant à surprendre dans ses prunelles une étincelle plus vive qui lui rendrait l'espoir. Il l'avait appelée Lotte sans la voir réagir !

— Tu vas bientôt t'en aller d'ici ? souffla-t-il avec une mine de conspirateur. Puis il s'échauffa : Réponds ! Tu n'es qu'une égoïste. Pas une seconde tu n'as pensé à notre chagrin. Reviens, Charlotte, reviens ! Si tu t'obstines, je suis décidé à venir t'enlever !

— Toi ! sourit Charlotte attendrie sous son air distant.

— Parfaitement ! Je pourrais me faire seconder par M. de Barradas. Lui aussi a été effaré par ta décision.

— M. de Barradas est donc encore à Paris ?

— Il a combattu en Bourgogne avec notre père, expliqua Adrien, tout en se gardant de préciser que René avait été l'un des premiers à mener l'assaut sur la forteresse de Venoy. Il embarque pour les Iles en juillet. M. de Mazarin l'a nommé gouverneur de Saint-Christophe.

— J'en suis heureuse pour lui, fit Charlotte, pensive.

— A propos, j'ai une lettre à te remettre de sa part, dit Adrien en fouillant dans sa poche. La voilà !

— Tu le remercieras...

Un silence se glissa entre eux, la lettre de René toujours pliée entre les doigts de la jeune fille. Enfin son frère insista encore, essayant cette fois-ci une tactique différente :

— Tu sais, dehors il fait bon. C'est le printemps. Tu ne regrettes donc pas un peu nos galopades ?

Mais une voix sèche lui rétorqua :

— Cela me regarde. Maintenant, tu dois me laisser. Je ne veux pas manquer la messe.

Toutefois, devant le petit visage d'écureuil brusquement empourpré, Charlotte s'adoucit :

— Ta visite m'a fait du bien. Je t'écrirai bientôt. Allez, mon Adrien, file vite !

Le cachet de cire sauta ; la grande écriture de René apparut. Que pouvait-on déduire de ces lignes moqueuses ?

« Non, ma chère. Ne comptez pas sur moi pour grossir la cohorte de rimailleurs qui se lamentent sur votre éclipse. Je n'ai pas envie de vous versifier des fleurettes mais plutôt celle de vous accabler. Quoi, ingrate ! Vous disparaissez sans explication, sans seulement un mot d'adieu à vos amis, à votre ami ? Le meilleur aviez-vous dit un jour à votre serviteur. Cela reste douteux. Je vous en veux beaucoup et vous souhaite de bien vous morfondre entre vos quatre murs tandis que je sillonnerai les mers, libre comme l'oiseau... »

L'entrée de Charlotte d'Ivreville au couvent de la Visitation avait eu effectivement un grand retentissement à la Cour et à la ville où sa personnalité n'était pas restée inaperçue. Les gazetiers, les poètes, Loret, Scarron, avaient regretté sa beauté soustraite au monde.

> « *Lorsqu'Ivreville quitta la Cour,*
> *les jeux, les grâces, les amours*
> *entrèrent dans le monastère,*
> *Laire, laire, laire...*
> *Les Grâces pleurèrent ce jour-là.*
> *Ce jour-là, la beauté se voila*
> *Et fit vœu d'être solitaire... »*

Quelle raison avait poussé la jeune fille ? Une vocation profonde ? Une passion contrariée ? Un dépit amoureux ? Les suppositions les plus extravagantes couraient parmi les salons et les ruelles où chacun s'interrogeait en vain.

Cette curiosité, ces remous autour de sa personne, irritaient Charlotte, tout comme l'agaçait aussi la sympathie envahissante de Mademoiselle de Montpensier qui prit la peine de venir la voir, intriguée, désolée par son comportement.

Ayant dû accompagner la Cour en Normandie alors que la saison des bals battait son plein dans la capitale, Mademoiselle avait ensuite refusé de se rendre en Bourgogne sous le prétexte qu'elle était malade — l'une de ces angines auxquelles, il est vrai, elle était si souvent sujette. Restée à Paris loin de la vigilance de la reine, elle en avait vite profité pour reprendre ses tractations matrimoniales. Serait-elle, finalement, Impératrice d'Allemagne ? Saugeon, son homme de confiance, venait en tout cas d'y repartir avec de nouvelles instructions. Tout espoir n'était pas perdu de faire un beau mariage. Mais ces préoccupations ne détachaient pas pour autant la bouillante princesse de ses amis.

— Loin de moi l'intention de vous détourner de Dieu mais réfléchissez bien, Charlotte. Moi-même, naguère, j'ai été tentée par le Carmel. Je n'allais plus au Cours. Je restais des heures plongée dans la vie de sainte Thérèse, sans poudre à mes cheveux, ni mouches, ni rubans, à peine un méchant petit mouchoir autour de mon cou. J'aurais aimé avoir au moins quarante ans en gage d'humilité, de sacrifice, avait confessé Mademoiselle, opulente dans ses atours et ses bijoux, une mouche de taffetas sur la tempe. C'est dire si je peux vous comprendre. Mais ces fantaisies-là sont comme la fièvre. Lorsqu'elles ne vous emportent pas, elles finissent par disparaître et vous rendre au monde, ce qui n'est pas si désagréable au fond. Ma chère, vous nous manquez !

Sans se décourager par le mutisme de Charlotte, elle revint une autre fois à la charge.

— M. de Beaufort offre une collation chez Renard mardi prochain et vous n'y serez pas. Quelle pitié !

Et d'égrener les agapes, les invités prévus au festin. Mademoiselle ne dédaignait pas les bavardages, s'occuper des uns, des autres, sans malveillance d'ailleurs, selon une curiosité naturelle que Charlotte écoutait s'épancher d'une oreille distraite. Jusqu'au moment où le nom de Stenay ranima son

131

attention. Sa visiteuse évoquait maintenant les dernières frasques de la duchesse de Longueville.

Par les lettres que celle-ci envoyait à ses amis parisiens, à la Princesse Palatine en particulier, on savait tout de la petite cour qu'elle avait établie sur les rives de la Meuse. Pour elle, la politique continuait à aller de pair avec la galanterie. En vers exquis, le poète Sarrasin l'exhortait à sacrifier à Vénus et à Cupidon, conseils suivis bien volontiers par Anne-Geneviève. Le maréchal de Turenne soupirait à ses pieds, imité par nombre d'officiers dont l'un, apparemment, avait eu plus de chance : le comte de Venoy était le nouvel amant en titre de la duchesse.

— Un retour de flamme, commentait Mademoiselle, car ils se sont déjà beaucoup fréquentés, jadis. Pauvre M. de La Rochefoucauld ! Il va souffrir s'il apprend leur liaison.

« Et moi ? pensait Charlotte. N'ai-je pas mal ? Ne vais-je pas pleurer, crier parce que cette trahison m'est encore plus insupportable que l'autre ? Non, bien sûr. Je resterai calme, comme indifférente à mes blessures, parce qu'il doit en être ainsi, parce que j'ai décidé que Jérôme ne m'était plus rien, parce que j'ai toujours su retenir mes larmes, ravaler leur poison. Mon Dieu, donnez-moi le courage de faire front ! Aidez-moi à puiser dans cette nouvelle épreuve une force nouvelle ! »

Dans son esprit particulièrement actif, les faits s'ordonnaient ; parmi les ombres, une idée surgissait, prenait corps. Déjà, la veille, Charlotte l'avait entrevue après la visite d'Adrien. Aujourd'hui, le naïf bavardage de Mademoiselle, sa maladresse involontaire, son affectueuse insistance, lui offraient peut-être le moyen de mettre cette idée à exécution, de sortir dignement de l'impasse où elle s'était fourvoyée.

— Charlotte, continuait Mademoiselle, je me flatte d'être perspicace : de toute évidence, cette vie de recluse n'est pas faite pour vous. Venez chez moi quelque temps. Nous ferons des promenades qui vous rendront vos couleurs et votre santé. Je m'en arrangerai avec M. et Mme d'Ivreville. Ayez

132

confiance en moi, ma chère. Bien que je ne quémande pas vos confidences, évidemment...

Frémissant, au contraire, de l'envie de les entendre, elle dut néanmoins se contenter de quelques mots. Ceux-ci lui donnèrent l'illusion de la victoire :

— Je me rends à vos arguments, lui dit en effet Charlotte. Vous m'avez parfaitement comprise et j'accepte avec gratitude votre hospitalité.

Le temps des passions vives, de l'impulsivité — comme celle qui l'avait jetée chez les religieuses —, était donc fini. Charlotte retrouverait les siens. Mais en se plaçant sous l'aile prestigieuse d'Anne Marie Louise de Montpensier, princesse de France, en paraissant obéir à son autorité, elle s'évitait ainsi un piteux retour sous le toit paternel, l'humiliation de reconnaître son erreur et sa précipitation. Pour le reste... Charlotte avait déjà choisi.

★
★ ★

Renard était sans conteste le traiteur le plus célèbre de Paris. Sa chère était excellente, c'était un fait, mais sa renommée dépendait aussi de l'emplacement de sa maison. Cet ancien valet de l'évêque de Beauvais avait su se concilier la fortune en confectionnant pour la reine de fort jolis bouquets. En récompense, un brevet de Louis XIII daté de 1633 lui avait octroyé le bastion de la porte de la Conférence, une grande terrasse en friche sise au sommet des murailles. En contrepartie, Renard avait dû l'aménager. Il en avait fait un jardin ravissant, couvert d'arbres et de fleurs, surplombant la Seine, d'où l'on pouvait également suivre tout ce qui se passait sur le Cours*. Une clientèle distinguée fréquentait sa maison ; la reine elle-même ne dédaignait pas y collationner.

---

* Extrémité de l'actuelle place de la Concorde.

Quant à Mademoiselle, elle s'y rendait souvent en voisine, à pied, de son château des Tuileries.

Sa venue était toujours suivie avec intérêt, la grande fille drainant avec elle une cohorte de jeunes gens élégants et spirituels. Ce jour-là, elle fut particulièrement guettée car tout le monde savait que, parmi eux, figurerait mademoiselle d'Ivreville.

On trouva Charlotte changée, sa minceur extrême lui donnant plus d'allure et de mystère que jamais ; cependant elle était toujours très belle, un peu originale dans une robe de soie chinoise, verte, frangée d'or. Le duc de Beaufort qui recevait, la complimenta :

— Bon Dieu ! L'air des couvents vous a été favorable !

La brune madame de Montbazon dont les chairs blanches et grasses assuraient la réputation galante, d'un coup d'éventail rappela son amant à plus de décence.

Monsieur, Isabelle-Angélique de Châtillon, Nemours, la duchesse de Chevreuse et le baron de Laigue, tous firent fête à Charlotte, qui supporta assez bien l'épreuve, s'y étant préparée. Floriane, également invitée, se sentait émue, si fière de sa fille de retour enfin parmi la société la plus titrée, la plus raffinée, la plus gaie du monde où elle ne déparait pas.

« Pense-t-elle encore à Venoy ? N'était-ce qu'un caprice déjà fini ? »

Floriane en doutait mais, connaissant le caractère affirmé de Charlotte, elle espérait que sa déception serait bientôt définitivement surmontée. Tout comme Artus, bien que surprise de la volte-face de leur fille, elle savait gré à Mademoiselle d'avoir su la convaincre.

Paul de Gondi délaissa un moment sa maîtresse, mademoiselle de Chevreuse, pour papillonner autour de Charlotte dont il flairait avec gourmandise les troubles senteurs de fruit vert. Petit, myope, les traits épais, le Coadjuteur avait néanmoins une réputation justifiée de séducteur. Homme d'Église, politique subtil, amant effréné, il adorait tendre ses filets autour de proies nouvelles. Et tant pis si en l'occurrence

Charlotte restait de marbre en écoutant ses propos. Elle l'intéressait énormément.

Beaufort proposa d'emblée de boire à la santé du roi et de la reine, ce qui donna vite un ton détendu à la réception. L'Allemagne semblait aujourd'hui assez loin des pensées de Mademoiselle. Sa tante, Henriette-Marie, veuve du roi d'Angleterre, relançait l'idée de la marier à son fils aîné, actuellement parti reconquérir son royaume. Mais Charles II qui ne parlait même pas français n'avait ni sou, ni maille et Mademoiselle répugnait beaucoup à lui engager sa fortune. En revanche, son frère cadet, le duc d'York, invité de Beaufort, possédait un doux visage et une solide éducation qui pouvaient tenter une princesse... Bah ! Mieux valait remettre ses choix à plus tard, profiter des douceurs que Renard s'ingéniait à déployer.

Dans la maison grande ouverte sur des parterres de roses, dans les salons de verdure, sous les ombrages, il faisait bon rire et manger au son des violons. Présentées sur des plats d'argent, les tourtes, les crèmes fouettées, les tartelettes succédaient aux pigeons, aux farces d'oignons et de ris de veau, aux gros dindons rôtis. Libérée des tentatives de Gondi, Charlotte hésitait maintenant, auprès de madame de Frontenac, entre une omelette et un petit perdreau aillé, lorsque soudain une assiette emplie de mets à ras bord passa et repassa sous son nez. Tentatrice, une voix lui chuchotait :

— Ce ne sont pas ces portions de malade qui vous feront grossir, ma chère. Goûtez plutôt à cet assortiment.

— René !

— Bonjour, Charlotte ! Ravi de vous revoir. Faites-moi une place, voulez-vous.

Barradas s'assit entre les jeunes femmes, rejoint peu après par d'autres amis.

— Je ne pourrai jamais avaler tout ça, déclara Charlotte devant son assiette.

— Mais si ! Au besoin, je vous gorgerai de force, comme une oie, tellement votre maigreur me gêne, soutint René. Quel désastre !

135

— Je suis donc à ce point effrayante ?

— Pire encore ! appuya-t-il avec gravité.

Charlotte, plutôt mordante lorsqu'il s'agissait de brocarder les autres, avait toujours du mal pour elle-même à accepter la plaisanterie. Les yeux de René s'étaient faits moqueurs, énigmatiques.

— Si c'est pour vous montrer désagréable..., commença-t-elle.

— Mangez, mangez, nous parlerons ensuite. Et buvez donc aussi, cela vous redonnera des couleurs. Quelle idée de se vêtir de vert quand on a mauvaise mine, maugréa-t-il en lui versant un verre de chambertin.

Par défi, elle le vida d'un trait :

— Je vous déteste.

— Fi ! Le vilain sentiment pour une jeune fille pieuse, dit René en riant.

Sa joie communicative entraîna les convives, gagna Charlotte.

« Ris, ma belle, jubilait René à part soi, si heureux après avoir cru ne jamais la revoir. Ta joie, c'est moi qui la fais naître. J'emporterai au moins ce souvenir de toi. »

Une heure plus tard, Charlotte déclara forfait.

— Grâce, René ! Je n'avalerai ni une miette ni une goutte de plus.

— Voyons... Vos joues sont roses ? Alors nous pouvons aller sous les arbres un instant.

D'une table voisine, Floriane les regarda sortir de la salle et marcher jusqu'à l'extrémité de la terrasse où quelques buis les dérobèrent bientôt à sa vue.

Au pied de la muraille, le long de la berge sablonneuse, le spectacle sans cesse différent des bateaux portés par la Seine ramena Barradas à ses projets. Appuyé contre le rempart, il murmura d'un air songeur :

— Dans quelques semaines, je naviguerai moi aussi. Mais ce sera bien loin de cette sage rivière.

Il semblait avoir oublié Charlotte qui contemplait, tout

136

aussi pensive, le frémissement des petites voiles au-dessus du courant fugace. L'air printanier sentait la feuille nouvelle et pas un nuage ne tachait l'horizon.

Charlotte posa sa main sur la pierre tiède près de celle de René dont elle observa d'abord le hâle de la peau, les doigts robustes sans être grossiers, avant de remonter jusqu'à son épaule solide, son profil net et railleur, s'attardant sur le petit pli tendre de la bouche. Aussitôt, le rappel d'une autre bouche plus dure, plus sensuelle aussi, chercha à la désarçonner.

Lutter, rassembler son courage, si traîtreusement amoindri. Repartir... Charlotte attendit encore un peu. Elle n'était pas accoutumée à boire. Le chambertin l'avait grisée mais pas au point de lui faire perdre la tête, juste assez pour l'aider à ne pas écouter le passé, à franchir le pas avec hardiesse. Car ce qu'elle allait dire avait été mûrement, lucidement pesé avant de quitter la Visitation.

— Vous souvenez-vous, René, de m'avoir promis de m'emmener dans vos voyages ? Une promesse faite il y a déjà longtemps, à Ivreville.

Voyant qu'il ne disait rien, ne réagissait même pas, elle poursuivit doucement :

— J'étais une petite fille en ce temps-là. On promet n'importe quoi à une enfant de cet âge.

René se retourna. Il souriait, extérieurement toujours le même, sans trahir l'espoir insensé que le ton de Charlotte venait de soulever en lui.

— Je me souviens très bien. Je n'ai pas pour habitude de me moquer des petites filles. Cette promesse-là tient toujours.

— Nous sommes donc d'accord : je vous suivrai à Saint-Christophe, dit-elle sans trembler.

Mais René secoua la tête comme pour dénier le marché conclu autrefois.

— Impossible, ma chère.

— Impossible ? Je ne comprends plus.

— Il n'y a qu'une personne que je pourrais accepter parmi mes domestiques et mes bagages.

Charlotte, qui s'était attendue à une explosion de gratitude, à l'enthousiasme habituel du jeune homme, se redressa vivement, piquée par son flegme. Tout avait si bien marché jusqu'à présent ! Bras croisés, elle exigea l'explication.

— Puis-je savoir qui serait cette personne privilégiée ?

— Ma femme, tout simplement, répondit-il, croyant jouer son va-tout.

Alors Charlotte eut ce geste inouï, si imprévisible que cette fois-ci Barradas en perdit contenance. Illuminée par un de ses trop rares, de ses adorables sourires, elle lui tendit les mains :

— Eh bien, qu'à cela ne tienne. Épousez-moi !

— Tout compte fait, j'ai dû trop vous pousser à boire. Cela expliquerait l'intérêt subit que vous me portez, fit-il enfin, trouvant dans l'humour le moyen de dissimuler son émotion.

— Ne faites pas le modeste. Je vous ai déjà dit que vous étiez mon meilleur ami. Je veux partir loin. Depuis toujours me tient cette envie de voyage. Vous seul m'offrez l'occasion de la satisfaire.

Lui seul ! Parce qu'un autre n'avait pas su la garder, l'avait déçue, trahie, qu'elle voulait éperdument le fuir et se venger. René connaissait tout du chagrin de la jeune fille au départ de Venoy, de la liaison de ce dernier avec la duchesse. Il n'était pas assez fat pour croire que Charlotte s'était mise à l'aimer tout à coup. Mais peu lui importait puisqu'elle s'en remettait à lui, qu'elle lui donnait sa confiance. Il l'aiderait à oublier et ferait si bien que, peut-être — certainement ! —, l'amour viendrait le récompenser.

Sans lâcher ses mains, il rapprocha sa tête de la sienne ; ses lèvres se posèrent sur sa joue en un baiser plein de tendresse et d'héroïsme tant le déchiraient des élans passionnés, primitifs.

— Vous aurez tous les horizons nouveaux dont vous pouvez rêver, Charlotte. Comptez sur moi.

138

★
★ ★

Début juin furent célébrées en l'Hôtel du maréchal d'Ivreville les fiançailles de sa fille Charlotte avec René de Barradas, seigneur de Coligny, baron de Cressia. En même temps,
était signé leur contrat de mariage en la présence de Maître
Levasseur et Maître Boindin, notaires au Châtelet. Les biens
des futurs époux, placés sous le régime de la communauté
selon la coutume de Paris, s'avéraient assez importants :
terres en Champagne, terres à Saint-Christophe pour le jeune
homme ; terres en Normandie, en Anjou pour la fiancée qui
apportait en outre une dot inaliénable d'environ quatre-vingt
mille écus, due en grande partie aux largesses de la reine.

Les bans étant déjà publiés dans les paroisses respectives
des jeunes gens, leur mariage eut lieu trois jours plus tard,
à minuit, en l'église Saint-Louis des Jésuites, rue Saint-
Antoine. L'évêque de Noyon, qui était l'oncle paternel de
René, donna la bénédiction nuptiale devant une foule de
parents et d'amis parmi lesquels se trouvaient Anne d'Autriche et ses deux fils, le duc et la duchesse d'Orléans, Mademoiselle de Montpensier ainsi que le cardinal Mazarin, qui
prouvaient ainsi leur attachement particulier à la famille
d'Ivreville.

La cérémonie terminée, on raccompagna les nouveaux
époux jusqu'à l'Hôtel de Barradas situé place Royale. Un
léger médianoche y fut servi, auquel ne participèrent que les
proches. Il n'y eut pas d'autres festivités.

La mère de Charlotte, sa belle-mère et Antoinette, la sœur
de René, se retirèrent ensuite dans une chambre afin d'apprê-
ter la jeune mariée pour sa nuit de noces. Cateau y avait déjà
tout préparé : une « toilette » juponnée de velours où étaient
disposés les objets nécessaires à la mise en beauté ; une chemise de lin blanc, rehaussée de rubans de satin, une cornette
pour les cheveux, des linges immaculés, repassés avec soin.

LE VENT SE LÈVE

Le lit, garni d'une custode de soie jaune, était ouvert sur des draps et des oreillers en toile de Hollande. Des tapisseries d'Anvers, représentant des épisodes de la guerre de Troie, somptueux présent du Cardinal au jeune couple, habillaient de couleurs la grande pièce pavée de marbre noir et blanc.

A la porte, s'étaient tues les plaisanteries habituelles des familiers, redescendus boire d'autres verres pour fêter l'événement. Autour de Charlotte, les femmes s'affairaient en silence. Devant son sérieux, même les rires et l'entrain d'Antoinette s'étaient évanouis. Avant de sortir, Floriane embrassa sa fille, priant encore de toute son âme pour qu'elle fût heureuse en dépit d'un choix dicté certainement par la déception et l'amour-propre blessé. Floriane l'avait compris, sans en rien dire, mais voulait espérer que René, sympathique et adroit, saurait faire évoluer l'affection que lui portait Charlotte vers un sentiment plus profond. Une folle passion entre deux êtres n'était pas toujours un don du ciel, elle-même en savait quelque chose. Cependant, que penser de ce long voyage qui allait prochainement emporter loin de la vigilance des siens, vers des contrées peut-être hostiles, une jeune femme déjà meurtrie ?

— Tu n'as plus besoin de rien ?

Charlotte remercia sa mère. Face à son inquiétude évidente, elle eut même un exceptionnel mouvement d'affection et l'embrassa à son tour de bon cœur.

— Tout ira bien, ma chère maman.

Bientôt elle fut seule, à demi allongée dans le lit tout imprégné de parfum de marjolaine, frissonnant un peu malgré la tiédeur d'un été précoce dont le palpitement gonflait par intermittence les épais rideaux jaunes.

Pourquoi trembler ? Tout était fini. Rien n'avait gâté le cours de ses noces qu'elle aurait vécues, pour sa part, avec un certain détachement s'il n'y avait eu l'émotion, le contentement de son père. Au fond, elle ne voulait retenir que cela de cette soirée un peu irréelle : le sourire d'Artus d'Ivreville. Pourquoi trembler ? René allait venir mais elle ne pouvait

140

craindre un homme qui s'était toujours montré cordial et compréhensif, qui avait accepté sans broncher les conditions qu'elle avait mises à leur union. Des conditions impératives. Partir en était une, mais il en existait une autre à laquelle Charlotte tenait tout aussi essentiellement : elle ne voulait pas avoir d'enfant !

Elle revoyait encore la surprise de René ; entendait son rire et sa réponse :

— Ma chère, je ne peux rien vous garantir. En ce domaine, la nature est souveraine.

— Eh bien, vous ferez en sorte d'en être maître ! avait-elle rétorqué avec humeur.

— C'est ça ! Je me débrouillerai !

Et comme amusé, il s'était étonné de cet étrange refus, lui, le fils aîné qui ne concevait pas l'existence d'un mari et de sa femme sans une ribambelle de rejetons autour d'eux, Charlotte avait dû s'expliquer, raconter son plus lointain souvenir d'enfance, le plus terrifiant aussi : le jour où sa mère avait manqué mourir en mettant au monde Adrien.

— J'étais toute petite. A peine cinq ans ! Les cris de maman emplissaient la maison, me terrifiaient. Plus personne ne faisait attention à moi. Je suis entrée dans la chambre. Et j'ai vu... j'ai vu naître mon frère.

Elle ne pouvait évoquer la scène sans une expression de dégoût et d'effroi.

— Bien sûr, je comprends que vous ayez peur, lui avait murmuré René avec gêne.

Alors Charlotte avait immédiatement protesté :

— Je n'ai pas peur d'affronter la mort, si c'est cela que vous insinuez. Donnez-moi une épée : j'irai, s'il le faut, défier n'importe quel adversaire. Mais mourir ainsi, sans défense, humiliée, réduite à l'état de bête...

Des milliers de femmes pensaient comme elle qui préféraient le célibat à l'asservissement répété des grossesses, au risque mortel de l'enfantement. Mais un homme était-il

141

capable d'admettre ces réticences lorsque procréer était le devoir sacré du mariage ?

Pourtant René avait cessé de se moquer d'elle, lui promettant, une fois encore, tout ce qu'elle avait voulu. Et, maintenant, il était son mari ; il allait la rejoindre.

— René... mon mari...

Charlotte chuchota ces mots qui, tout en l'ancrant définitivement dans le présent, condamnaient à l'oubli le passé.

Le loquet de la porte lentement se souleva. René entra sans bruit. Il n'avait plus son bel habit de noces mais sur ses chausses, une simple chemise aux manches amples, échancrée sur la poitrine. S'asseyant à côté de Charlotte, il lui prit les mains qu'il tint contre lui tandis qu'il contemplait le fier visage aux yeux baissés.

— Vous dormiez ?

Charlotte fit signe que non.

— Reposez-vous, ma mie. Nous sommes condamnés à faire chambre commune mais je ne vous importunerai pas. Un fauteuil me conviendra pour quelques heures, le temps de sauver les apparences.

Charlotte souleva les paupières. René plaisantait tout en se tournant vers un petit guéridon où Cateau avait posé une carafe de vin du Portugal. Il en remplit deux verres ; lui en tendit un.

— « Ils » sont terribles ; « ils » montent la garde, dit-il, faisant allusion aux membres de leur famille dont les voix enjouées leur parvenaient encore. Demain matin, je me glisserai près de vous pour voir tout le monde défiler devant notre lit. Vous connaissez la coutume. Nos mères auront la larme à l'œil, chacun ira de sa boutade ou de sa question : « Êtes-vous mon gendre ? » me demandera votre père. « Êtes-vous ma belle-fille ? » vous demandera le mien.

René contrefaisait leurs voix avec justesse et malice, en évoquant les rites qui suivaient une nuit de noces, lorsque les parents venaient s'assurer, après un temps jugé raisonnable, si le mariage avait bien été consommé, si les mariés s'en trouvaient heureux.

Toutefois, Charlotte n'avait guère envie de sourire à ces facéties. Désorientée par le tour que prenaient ses propos, elle se redressa sur son oreiller au risque de répandre le vin luisant d'or et de pourpre.

— Buvez, Charlotte, avant de faire des bêtises.

Elle lui obéit sans même y penser. Un feu doux et fruité se coula dans sa gorge.

— Vous voulez dormir sur ce fauteuil ?...

— Ce sera plus convenable pour les associés que nous sommes, n'est-ce pas ? répondit René en reposant leurs verres vides. Le terme d'associés vous déplaît ? Disons : compagnons d'aventures.

— Je préfère, en effet, dit Charlotte de plus en plus déroutée. Mais alors...

Elle eut un silence plutôt embarrassé.

— Alors ? Je ne ferai que me conformer à vos désirs. J'ai cru comprendre que vous ne souhaitiez pas autre chose entre nous. Nous serons deux amis prêts à s'amuser, à explorer ciel et terre !

— Oui... Bien sûr...

Charlotte s'était préparée à tout sauf à cette attitude chevaleresque, si extraordinaire, qu'elle aurait pu croire à une douteuse plaisanterie ou, plus simplement, y voir la preuve que René ne tenait pas à elle comme elle l'avait cru.

Mais, dans ce cas, pourquoi l'aurait-il épousée ? L'amitié ne pouvait tout justifier. Seule, elle ne pouvait expliquer, par exemple, la gravité des yeux intensément fixés sur elle, la douceur de certains gestes.

Devant Charlotte soudain plus attentive, un voile se déchirait peu à peu. En regardant mieux René, il lui semblait découvrir ce qu'il était sous ses mines de farceur et de bon vivant : un être infiniment généreux qui l'aimait et, de ce fait, s'effacerait toujours derrière ses volontés, ses caprices. Car elle était autoritaire et capricieuse. Pour la première fois de sa vie, Charlotte en convenait. Contre la loyauté du jeune homme, elle n'avait pas joué franc-jeu ; cramponnée à son égoïsme, elle

143

manquait de courage et d'honneur. Puis son impression de culpabilité s'estompa pour laisser grandir un sentiment inhabituel, tendre, insinuant, aussi suave, aussi chaleureux que le vin de Porto. Spontanément, elle noua ses bras autour du cou de René.

— Notre première aventure est celle que nous allons vivre maintenant, dit-elle sans plus réfléchir, avec son sérieux inimitable.

— Charlotte !

Dérouté à son tour, René n'osait croire à ce qu'il entendait.

— Je respecte toujours mes engagements, c'est un principe, reprit-elle en souriant. Or n'ai-je pas accepté d'être votre femme ? A vous, bien sûr, de respecter les vôtres !

— Chérie, mon petit, es-tu bien sûre ? balbutia-t-il contre la bouche qui s'offrait.

— Ne dis plus rien, chuchota-t-elle, émue, malgré elle, de le sentir trembler.

Ils n'avaient encore échangé que de rares baisers fraternels. La joie de René était trop forte. Elle lui donnait soudain des faims brutales d'oiseau de proie, prêt à fondre sur sa victime, des envies d'éclats et de pillage. S'il n'y prenait garde, il gâterait tout et verrait s'éloigner la surprenante créature toute de féminité, qui s'abandonnait, confiante, contre lui.

Avec dévotion, il défit les rubans de sa coiffe et libéra ses cheveux qu'il soupesa, caressa, porta à son visage. Leur parfum d'herbes des prés l'affola, lui rappelant des heures radieuses, lorsqu'en pleine campagne ils galopaient tous deux. Alors, sans plus attendre, il se dévêtit, s'allongea près de Charlotte dont il souleva délicatement la chemise. Le drap frais, un peu rêche, voila leurs nudités, étouffa leurs soupirs. Cette nuit, le geste devait rester furtif, caché dans la pénombre et le secret. Cette nuit, René saurait être sage, privilégier patience et retenue.

« Je fais ce que je dois faire », pensait Charlotte soumise à son vouloir.

Elle n'y mettait aucune répugnance, aucun regret en dépit de son ignorance et de ses préjugés, de certains souvenirs.

144

Seulement, assez vite, l'élan qui l'avait jetée vers René se brisa. Révélés naguère par Jérôme, ses sens un moment troublés se turent à nouveau. Elle avait imaginé elle ne savait quelle lutte, attisée par une bise âpre, peut-être exaltante. Elle se sentit tout juste parcourue par une brise fugace. A peine unis, leurs corps se séparèrent. Elle en conclut que l'amour se résumait en une étreinte rapide, un peu embarrassante, pas même douloureuse, ne tenant en rien les promesses d'une voix, d'un baiser, d'une main qui s'égare.

Tout d'abord surprise, Charlotte décida qu'au fond, cela ne devait avoir aucune importance et paisiblement réussit à s'endormir dans les bras de René.

★
★ ★

A mesure qu'avaient grandi les beaux jours, avaient crû, également, l'inquiétude, le mécontentement, les bruits de guerre civile. Des nouvelles affligeantes arrivaient de Champagne dévastée par les troupes de l'Archiduc Léopold ; de Picardie où Turenne avait assiégé Guise, pris Le Catelet ; de Guyenne envahie jusqu'à Bordeaux par les partisans de Condé. Bordeaux, prête à tout pour se débarrasser de son gouverneur, M. d'Épernon. La Cour s'apprêtait d'ailleurs à se rendre dans la ville afin de la ramener à l'obéissance.

C'est le moment qu'avait choisi la Garde suisse pour réclamer ses gages impayés. Depuis deux siècles au service des rois de France, elle menaçait maintenant de s'en retourner dans ses montagnes ! Il fallut l'intervention du maréchal de Schomberg et de Le Tellier, secrétaire d'État à la Guerre, pour dégager leur solde de finances bien mal en point. La reine et Mademoiselle y ajoutèrent des joyaux pris dans leur cassette personnelle.

Gondi recommençait à s'agiter. Il estimait que la pourpre cardinalice tardait à venir récompenser sa collaboration.

Rallumé par ses soins, l'esprit frondeur crépitait à nouveau chez ses paroissiennes, dans les ruelles de ses maîtresses, chez certains conseillers. Les fidèles des Princes, de leur côté, manœuvraient si bien qu'ils parvenaient à retourner l'opinion en leur faveur. Le Parlement finissait par s'indigner de leur arrestation arbitraire. S'ils étaient coupables, il fallait les juger et non les traiter comme de vils criminels.

Car rien n'était épargné aux trois prisonniers ! Leurs papiers, leurs biens, avaient été saisis. Le gouverneur de Vincennes, le trop zélé de Bar, s'ingéniait à leur mener la vie dure. La nuit, le jour, des gardes insolents épiaient le moindre de leurs gestes, troublaient leur sommeil. Correspondre leur était interdit. La nourriture, qu'ils étaient contraints de payer, s'avérait exécrable ; un vin aigre leur occasionnait de pénibles dévoiements dont les pamphlétaires donnaient tous les détails dans leurs feuillets.

Tandis que le duc de Longueville supportait son mal en silence, Armand de Conti tentait de l'oublier en se plongeant dans l'alchimie, les pratiques occultes. Le prince bossu espérait ainsi dialoguer à travers l'espace avec Anne-Geneviève. Leur séparation le rendait hystérique. Volontairement il se blessa, à l'aide d'un chandelier, pour offrir à l'absente, en sacrifice morbide, son sang, sa douleur et sa fièvre. Face à ces débordements, son frère occupait sa captivité d'une manière beaucoup plus raisonnable. Ayant réussi à fabriquer de l'encre, à se procurer du papier, Louis parvenait à écrire, à recevoir des messages de l'extérieur. Chaque matin, il assistait à la messe, jouait au volant avec le fils de Bar. L'après-midi, il se consacrait au jardinage. Des œillets d'une belle écarlate, piqués dans de petits pots de terre, avaient réussi, sous sa main, à éclore entre les murailles grises de la forteresse : " Mars, le dieu des combats, était devenu jardinier ! Tout allait décidément de travers dans ce pays en proie aux plus noires cabales. " Mais du fond de son infortune, Louis de Condé préférait s'en amuser. Son grand rire salua les exploits de Claire-Clémence qui avait fait son entrée à Bordeaux, venant de Lormont par la Garonne :

— " Qui aurait cru que je serais condamné à arroser des fleurs tandis que ma femme ferait la guerre ? "

Personne, bien sûr. Le stoïcisme de M. le Prince gagnait l'admiration de tous, même des royalistes fervents. On oubliait ses excès pour ne voir que sa grandeur vainement attaquée par un calamiteux ministre. Avec une louable constance, mademoiselle de Scudéry venait d'achever le quatrième tome des aventures du *Grand Cyrus* pour le dédier à madame de Longueville.

Si cette dernière n'écrivait pas de romans, trop occupée à jouer les héroïnes, la tendresse qu'elle portait à ses frères et ses devoirs d'épouse surent en revanche guider efficacement sa plume. De Stenay, Anne-Geneviève lança un manifeste qui toucha les Français tout en ranimant la haine qu'un grand nombre d'entre eux vouaient au cardinal Mazarin. *L'Apologie pour messieurs les Princes* exhortait en effet chacun à s'unir contre " cet homme funeste. Élevé de la boue, poussé par son ambition, il était l'unique obstacle à la paix désirée. Cet homme, s'indignait avec virulence Anne-Geneviève, désigné par l'ire de Dieu pour la punition de nos fautes, est coupable de tant de sang et de larmes ! Est-il possible qu'il soit encore souffert ? "

Bien peu auraient pu répondre « oui » à cette ardente question.

Monsieur alluma lui-même le traditionnel feu de la Saint-Jean sur la place de Grève. Criant de plaisir, la foule vit s'embraser un édifice vertigineux où quatre Titans de carton-pâte prétendaient lutter contre Jupiter.

— Bientôt, ce sera tout notre pays que nous verrons flamber de cette manière et les cris que nous entendrons seront des lamentations, prophétisa René quelques heures plus tard devant Charlotte déjà couchée.

Étonnée, elle le regardait faire les cent pas dans la chambre :

— Vous voici bien pessimiste.

— Lucide tout simplement. Cette affaire de Bordeaux

n'arrange rien. On dit que madame la Princesse et Lenêt ont sollicité l'aide des Espagnols. Le véritable ennemi sera donc partout, introduit comme un loup dans la bergerie et cela, grâce aux bergers ! M. le Prince lui-même serait furieux s'il l'apprenait.

Jamais Charlotte ne lui avait vu l'air aussi préoccupé. Pour sa part, elle préférait ne pas évoquer la guerre où il lui était si difficile, comme à la plupart, de prendre parti quand se heurtaient tant d'intérêts contraires à la raison, quand les deux forces adverses comptaient des êtres chers. Mais elle était de ceux qui estimaient que l'éloignement de Mazarin aplanirait tous les obstacles.

— Ne vous tourmentez pas, René. Bientôt nous serons loin et ces querelles nous sembleront dérisoires.

Leurs affaires étaient en ordre ; leurs bagages presque achevés. Le bateau qui devait les emmener à Saint-Christophe via la Martinique, devait appareiller de Nantes dans quinze jours. Charlotte ne voulait penser qu'à ce voyage qui achèverait de la libérer. Dans le tumulte ambiant, trop de choses lui rappelaient encore son rêve détruit. Il n'y avait pas de jour sans nouvelles de Stenay grossie des officiers de Condé battus en Bourgogne, comme Bouteville, Gramont ou « le petit » Guitaut. De Picardie était venu aussi l'écho des exploits de Jérôme dont la témérité devant Le Catelet avait failli lui coûter fort cher. Blessé, mais heureusement hors de danger, il était soigné maintenant par la duchesse de Longueville elle-même.

Charlotte n'avait pu s'empêcher de penser que cette imprudence qui aurait pu être fatale, survenue une semaine après son propre mariage, en était peut-être la conséquence. Désespéré, Jérôme n'avait-il pas, en fait, cherché à abréger une existence où l'amour lui était à jamais refusé ?

Une fois de plus il avait fallu à la jeune femme bien des efforts de volonté pour ne pas laisser le regret l'envahir et ne pas puiser dans cette idée quelque douceur amère. Sans doute devait-elle se tromper encore. Jérôme était vivant. Elle n'avait que le droit d'en louer Dieu sans se laisser ronger, heure après heure, par l'impuissance, la jalousie et de vagues chimères de vanité.

Oui, il était grand temps pour elle de s'en aller vers d'autres rivages.

René s'était arrêté près du lit et s'était mis à contempler Charlotte avec un sérieux, une insistance qui finirent par la mettre mal à l'aise. Elle avait l'impression de se sentir devinée.

— Autant vous apprendre tout de suite notre changement de programme, ma mie : nous ne partons plus, du moins pour être exact, notre destination n'est plus la même.

— Plus la même ? Comment ça ?

— Nous accompagnerons tous les deux la Cour à Bordeaux. M. le Cardinal vient de me reconduire dans ma charge de maître de camp, en attendant que le calme revienne dans le royaume.

— Ce n'est pas possible ! s'écria Charlotte, soudain plus blanche que ses draps.

Elle fixait René avec une expression douloureuse, incrédule, qui le bouleversa. Il s'approcha d'elle et voulut la prendre dans ses bras mais elle se renfonça dans ses oreillers, avec indignation, hostilité.

— Ce n'est pas possible ! répéta-t-elle. Ne l'avez-vous pas dit au Cardinal ? Il faut refuser, demander audience à la reine.

— Vous imaginez bien que la reine est d'accord. Elle était d'ailleurs présente lorsque ce contrordre me fut donné. Sa Majesté m'a affirmé que le roi a besoin de mes services, de mon bras vaillant ! ajouta-t-il en souriant, espérant détendre une atmosphère de plus en plus lourde.

Le regard de Charlotte pesait sur lui comme un reproche.

— Et mon père ? Peut-être pourrait-il de son côté tenter une démarche ?

— Votre père était là lui aussi, se réjouissant de pouvoir me conserver dans ses rangs tout comme votre mère, ravie de

149

voir ajourner un voyage qui lui causait de l'inquiétude. Voilà, ma chère, tout ce que je peux vous dire. Je sais votre déception et la partage mais nous ne pouvons qu'obéir aux ordres du roi.

— Du roi ! Vous voulez rire. Le Cardinal est le seul à décider, selon ses obscurs desseins. Vous ne vous demandez même pas le pourquoi de cette volte-face, de cette trahison. Nous sommes les victimes d'une machination, René. Mais, bien entendu, vous gobez tout aveuglément et dans la bonne humeur encore !

— Autant prendre les choses du bon côté, non ?

— Nous « devions » partir ! appuya Charlotte sans l'entendre. Vous me l'aviez promis ! Cela était convenu entre nous.

— Ce sera pour plus tard.

Mais elle s'obstinait, profondément désappointée, le cœur gonflé de révolte, d'amertume et de ressentiment.

— C'est maintenant que je veux partir ! Pour quelle autre raison vous aurais-je épousé ? Vous ne comprenez rien !

Si, oh si ! René comprenait, entr'apercevait, à travers les reproches glacés, leur source réelle — le souvenir de « l'Autre » — et de sa clairvoyance s'élevait, à vitesse vertigineuse, une douleur difficilement supportable. Face à la colère de Charlotte, sous ses mots insultants, il mesurait son erreur. Les premiers jours harmonieux de leur mariage, leurs rires et leur complicité, lui avaient faussement fait croire à un miracle. Mais pas plus que ce soir, elle ne l'avait alors aimé.

— Quelle franchise ! Pas très élégante peut-être, mais je l'admire, railla-t-il penché sur elle, dessinant d'un doigt le contour de son visage, de sa bouche pincée, glissant le long de son cou puis de sa gorge.

— Ne me touchez pas ! dit-elle en remontant le drap sur ses épaules.

Mais, d'un geste sec, il l'arracha.

— Laisse-moi au moins te regarder. La colère te sied. Tes yeux sont deux tisons ardents. Ta peau se colore et frémit comme une rose sous le zéphyr.

— C'est bien le moment de faire le poète ! Taisez-vous donc. Je voudrais dormir.

— Dormir pour oublier, rêver, voguer à l'écart du monde et de ses désillusions, c'est bien ce que tu veux, n'est-ce pas mon petit sphinx ? murmura René d'une voix étrangement douce.

Elle ne répondit pas. Il la sentait de marbre et de plomb, les mains repliées devant elle, crispées sur sa chemise. Il la sentait insensible, fermée, ennemie. D'ailleurs avait-elle jamais été proche de lui, même au plus intime de leurs relations, lorsqu'il l'avait prise naguère avec tant de ménagements et de bonheur ? Charlotte, si pure, si inexperte, si ignorante des dons latents de sa beauté...

« J'ai été trop doux, trop craintif. Assez de précautions ! » pensa René brusquement saisi de rage.

Ses mains se firent dures et impatientes. Elles déchirèrent la toile, meurtrirent les chairs, écartèrent les membres, forcèrent un corps rétif à se soumettre. L'autorité, la rudesse sauraient peut-être mieux la convaincre. René se sentait trop blessé ce soir, pour épargner la jeune femme. Elle fut bientôt à sa merci, dénudée, le visage caché sous son bras, trop fière pour implorer grâce. Le désir de la posséder, de la vaincre, s'enfla chez René, le précipita sur elle, le mena, haletant, vers un plaisir solitaire qui finit par le terrasser.

— Je t'aime, Charlotte, je t'aime.

Mais son aveu plein de tendresse ne rencontra que le silence.

★
★ ★

Au sortir de l'écheveau assombri des ruelles, les murailles franchies, la surprise et le contentement étaient presque trop forts lorsqu'on découvrait sur l'échappée de l'horizon, le long du quai de la Lune, le balancement régulier des coques et des mâtures. Au soleil, la surface de la Garonne éclatait en paillettes d'or livrées au friselis du courant. Dans l'air, frémissaient de discrètes vapeurs salées rappelant qu'en bout de course, le fleuve rencontrerait bientôt la mer. Octobre était venu mais Bordeaux conservait les rutilances du plein été. Chaleur, douceur et lumière, fondues selon une divine alchimie dont renaissaient depuis des siècles les vignobles de Guyenne, conféraient à l'antique cité — et cela, en dépit des récents désordres — tout l'éclat opulent, un rien impertinent, d'une belle séductrice.

La main en visière au-dessus des yeux, Charlotte ne put en ignorer l'attrait sans toutefois en tirer d'émotion particulière. Ce n'était pas de plaisirs esthétiques dont elle avait besoin, mais plutôt d'un air un peu vif et surtout d'un moment de solitude que la vie nomade de la Cour ne lui offrait plus depuis longtemps.

A Bordeaux, Charlotte était logée avec la suite de Mademoiselle chez le Président de Pontac. Quoique belle, la maison s'avérait exiguë pour tout ce monde. Encore ne devait-on se plaindre. L'Archevêché où s'étaient installés Leurs Majestés, le duc d'Anjou, le Cardinal et leurs proches, était franchement incommode. Les autres, courtisans, conseillers, domestiques, s'étaient disséminés chez les bourgeois ou dans les auberges de la ville.

En ce début d'après-midi, à l'heure de la sieste, le quai était assez tranquille. Un marin pétunait, assis sur un tas de cordages ; un autre repeignait la coque d'une vieille barque ; un autre encore roulait un tonneau de saumure. Une femme et une fillette en fichu installaient sur un banc un étal de fruits et de friandises luisant au soleil. Un soleil encore redoutable risquait de faire naître de fâcheuses taches rousses sur la peau claire de Charlotte. Elle regretta son feutre qu'elle avait laissé pour se couvrir d'une légère coiffe de taffetas à peine plus large que sa main. Hésitant à s'avancer plus avant sur le quai sans ombre, elle avisa une sorte de hangar isolé fait de bardeaux où étaient entreposés des fûts et des caisses de bouteilles vides. Elle alla s'y abriter, à deux pas de l'eau.

Apparemment sans but, sa promenade l'avait donc conduite au port et la vue de ces canots et pinasses, de ces petits vaisseaux sagement amarrés, de la galère du roi aux quarante rameurs pour l'instant au repos, cependant tous prêts s'il le fallait à l'appareillage, avivait sa révolte et son désir de partir elle-même, de rejoindre au plus vite sa maison d'Ivreville.

Plus de deux mois s'étaient écoulés depuis le soir où René lui avait appris qu'ils n'iraient pas à Saint-Christophe, plus de deux mois de rancœur, de soumission forcée, d'impuissance et d'ennui mais également de brutales, de déconcertantes découvertes et l'impression sournoise, jour après jour confirmée, que le sort continuait à se divertir à ses dépens en lui jouant un tour odieux.

René... En évoquant son mari, Charlotte vibrait de honte et de rage. Ainsi, cet homme qu'elle avait choisi avec confiance afin qu'il l'aidât à surmonter une poignante déception, pour lequel elle avait eu de l'amitié et même — ce qui décuplait son ressentiment — une indéniable tendresse, cet homme l'avait trahie de la manière la plus basse, la plus vile. En la traitant comme une fille à soudards, en la...

Charlotte mordilla nerveusement ses doigts avec un sanglot sec. Le souvenir de la nuit où René l'avait prise de force la bouleversait encore. Les hommes n'étaient que des bêtes mues par de répugnants instincts. Comment avait-elle pu l'oublier, se lier à l'un d'entre eux ? Jamais elle ne pourrait pardonner à René l'humiliation subie. Elle le lui avait dit, d'ailleurs, le lendemain matin, lorsque tout contrit de sa propre conduite, il lui avait demandé pardon, lui avait affirmé son amour et son respect. Trop tard !

Insensible à ses protestations, Charlotte lui avait craché son mépris et sa rancune avant de se détourner de lui. Sans avoir pu la fléchir, la mort dans l'âme, René avait dû rejoindre son régiment envoyé prendre position dans le Bordelais. Puis, le quatre juillet, la Cour s'était mise en route à son tour, Charlotte, comme les autres, obligée d'obéir aux ordres de la reine...

153

Du reste, tout le monde enrageait de ce départ : les Frondeurs ne pouvaient être réjouis de voir Mazarin courir en Guyenne pour y jouer les justiciers ; Paris faisait grise mine — pour combien de temps privée de son roi ? —, sans parler des hostelleries, des commerces désertés par leur pratique. Heureusement, était demeuré Gaston d'Orléans. Madame étant grosse de huit mois, Monsieur ne voulait pas s'en séparer, parfaite excuse en vérité pour s'épargner un tel voyage auprès du Cardinal. Nommé « Lieutenant général du roi en toutes ses provinces et armées du nord de la Loire », Monsieur aurait peut-être enfin l'occasion de prouver ses mérites. Pauvre Gaston, toujours faible, irrésolu, mais de bon vouloir, tiraillé entre de fulgurants désirs de gloire et le goût des plaisirs tranquilles, trop souvent arraché à ses manies de collectionneur par les parlementaires vociférants ou les conseils insidieux de Gondi ! Il n'avait meilleure ressource devant ces contrariétés, ces responsabilités écrasantes, que celle de se mettre au lit en prétextant la goutte ou la colique.

Mademoiselle s'inquiétait pour son père. Elle aussi n'avait pu cette fois se dérober à ses devoirs. Charlotte s'en était félicitée car l'indépendance d'esprit de la grande fille lui convenait beaucoup plus que l'entourage immédiat de la reine : filles d'honneur frivoles d'un côté, dames mûrissantes — dont sa propre mère — de l'autre.

Ah ! l'ennuyeux, le pénible voyage ! Fontainebleau, Orléans, Tours, Richelieu, Poitiers, Angoulême... Pendant trois semaines, avaient cheminé dans la chaleur et la poussière tout un train de chevaux, mulets, valets, bagages, chariots, meubles de la reine, sa suite et celle du roi, puis la suite de Mazarin, deux fois plus importante ! Un long, un interminable convoi de gens et de bêtes défilant devant les villageois accourus parfois de très loin pour le voir passer.

C'était, chaque jour, dans les villes ou les bourgades débordées par l'invasion, la recherche frénétique d'un toit pour dormir, la rivalité entre intendants, maîtres d'hôtel, ou quelque maréchal des logis, tous voulant le meilleur pour leurs maîtres, puis la quête de nourriture, si difficile qu'elle relevait souvent de l'exploit. A la vitesse de l'éclair, les fermes se voyaient délestées de la moindre goutte de lait, du plus petit morceau de couenne, de la plus chétive volaille. Aubaine ou calamité, le phénoménal cortège, longtemps après son passage, laissait les gens des campagnes dans un état voisin de l'hébétude. Mais, du moins, étaient-ils payés peu ou prou et la présence, sinon la vision éphémère du jeune roi, valait bien monnaie d'or.

Stoïque, Anne d'Autriche supportait sans un murmure les lenteurs et les inconvénients du voyage, les petits sommes sur de pauvres fauteuils d'auberge parce que ses meubles s'étaient égarés en chemin, la fournaise qui régnait dans son carrosse où bien souvent se chamaillaient ses deux fils. Force donc, pour tout le monde, était d'imiter sa patience ; Charlotte avait rongé son frein.

A la fin de juillet, la Cour avait atteint Libourne pour un séjour d'un mois. Il y avait fait si chaud que la reine y avait passé ses journées allongée sur son lit, ne se levant et ne s'habillant qu'à la relative fraîcheur du crépuscule. Toutes les dames venaient lui tenir compagnie avec des livres, des ouvrages de tapisserie, en commentant les tractations ou les escarmouches contre les Bordelais. Puis on avait déménagé pour s'installer à Bourg, de par sa situation plus épargnée par la canicule. Regarder arriver les bateaux, en bas sur la rivière, y constituait la principale distraction. Avec, bien entendu, les conférences incessantes entre les députés de Bordeaux, les représentants des Princes — Gourville, Lenêt —, et le cardinal Mazarin.

Il avait été long à gagner, l'accès à la capitale de la Guyenne ! D'emblée les séditieux s'étaient entêtés : leur ville ne refusait pas de s'ouvrir au roi. Elle était même prête à le faire dans la joie et l'honneur. Mais il fallait d'abord que fût destitué le gouverneur d'Épernon, que Mazarin se retirât, que les Princes fussent libres. Sans se mêler aux palabres, d'Épernon, pendant ce temps, s'était emparé d'une petite

155

place des rives de la Dordogne, Vayres, dont le gouverneur Richon avait été pendu, sur ordre du Cardinal, à l'un des piliers des halles de Libourne. En contrepartie, le duc de Bouillon avait aussitôt fait exécuter sans jugement un royaliste qu'il détenait à Bordeaux, le malheureux Canolle. Les combats avaient repris. Le maréchal d'Ivreville s'était rendu maître de l'Ile Saint-Georges.

Derrière les remparts, les Bordelais s'étaient alors hardiment préparés au siège, soutenus par Claire-Clémence. En tête des dames de la ville, la jeune princesse avait contribué aux travaux de fortification, ne dédaignant pas transporter elle-même des seaux de terre. Le duc d'Enghien, pour encourager ses partisans, avait galopé de l'un à l'autre, sa voix enfantine lancée à tous les échos :

— "Vive le roi ! Vivent les Princes ! Et foutre du Mazarin ! "

Les assauts, les combats souvent meurtriers le jour, les soupers, les bals, la féerie des chandelles la nuit, les violons succédant aux arquebusades : le conflit se teintait de noir et de lumière ; les femmes n'étaient jamais loin de leurs guerriers. René avait cherché à revoir Charlotte.

Il était arrivé un soir à Bourg, encore tout échauffé par le feu de la bataille. Visiblement sans état d'âme, il était fier de combattre pour son roi, heureux de revoir sa femme comme si rien ne s'était passé, comme si le voyage aux Iles n'avait été qu'un rêve effleuré vaguement et sa grossièreté envers Charlotte une insignifiante plaisanterie. Toujours fringant et vermeil, il s'était adapté à la situation, y puisant le meilleur, entretenant avec chacun et même avec le Cardinal des rapports excellents. Ce qui ne pouvait se faire maintenant se ferait plus tard ! Charlotte n'avait qu'à se montrer patiente, s'accommoder elle aussi. Quant à son ardeur, certes, un peu excessive, elle n'avait été que la conséquence de sa passion.

— Mais je souffre mille morts pour vous avoir offensée. Ma mie, laissez-moi détruire ce malentendu.

156

A cet instant, sa voix rieuse avait fini par fléchir ; il avait paru sombre. Brève émotion chassée dans un franc sourire :

— Ne doutez pas de mon amour, jamais.

Mais Charlotte n'avait pas voulu l'entendre. Ces mots n'avaient plus de sens pour elle depuis qu'une autre voix les lui avait soufflés avant de s'évanouir pour toujours. Elle avait éconduit René sèchement, refusant de prendre part, désormais, au fol tourbillon du monde. La vie, hostile, lui était devenue une énigme qu'elle se refusait à déchiffrer. Elle ne comprenait plus.

La promiscuité de la Cour en voyage lui avait permis de découvrir certaines choses qu'elle n'aurait pas crues possibles : l'esprit frondeur de Mademoiselle, par exemple, qui s'affirmait au fil des semaines contre la reine et son ministre ; mais surtout le lien ardent, inimaginable qui unissait ceux-ci. Oui, ce lien honteux existait ; les mazarinades n'avaient pas menti, Charlotte en était sûre et aurait voulu en parler avec sa mère si cette dernière ne lui avait également révélé une personnalité déconcertante.

Charlotte l'avait appris, incidemment, sur une indiscrétion d'Adrien : c'était Floriane d'Ivreville, trop tourmentée par le départ de sa fille en terres lointaines, qui avait fait échouer le projet. Un mot à son ami le Cardinal, qui décidément ne lui refusait rien, et Floriane avait obtenu satisfaction. Sa propre mère avait donc elle aussi agi avec duplicité ! Indignée, Charlotte lui en avait fait le reproche.

— Tu es si jeune, ma chérie ! C'était pour ton bien. Tu as encore besoin de ta famille !

Misérables arguments qui n'avaient fait qu'élargir la cassure. Floriane tremblait peut-être pour sa fille mais pour elle-même semblait priser le risque. On l'avait vue se rendre auprès des assiégés, monter dans le carrosse du duc de La Rochefoucauld — l'un de ses anciens amants, avaient susurré quelques sirènes de la Cour —, se mêler aux négociations, et cela, en dépit de la désapprobation notoire de son mari ! Charlotte eût souhaité une attitude plus ferme de la part de son père.

157

« Chez les êtres les plus familiers, que de secrets ! » pensait-elle, murée dans une solitude de jour en jour plus profonde et plus amère.

Fin septembre, les événements s'étaient précipités. Des nouvelles alarmantes étaient arrivées de Paris, menacée au nord par les Espagnols tandis que les troupes de Turenne avaient déferlé en Champagne, pris la ville de Rethel. Un détachement s'était même avancé à vingt lieues seulement de Vincennes où se morfondaient toujours les Princes. Depuis la terrible année 1636 où l'étranger avait failli anéantir le royaume, on n'avait pas connu une telle panique. Des milliers de réfugiés avaient reflué des campagnes jusque dans Paris. La haine nourrie contre le Cardinal y était parvenue à son comble. A la Croix-du-Trahoir*, au Pont-Neuf, en face de la rue Dauphine, on avait pendu son effigie, une grotesque silhouette rouge, comme pour exorciser tout le mal qu'il causait. Beaucoup songeaient même à pactiser avec l'Archiduc Léopold dont les envoyés trompettaient aux carrefours les offres de paix et d'amitié.

Inquiet quant aux réelles intentions de Monsieur, Mazarin, par mesure de précaution, avait fait transférer les Princes de Vincennes à Marcoussis, un antique château cerné de douves, situé au sud de la capitale**. La Cour avait assez perdu de temps en Guyenne. Il fallait en finir. A Bordeaux, les Royaux avaient réussi à s'emparer du faubourg Saint-Seurin. Las de la guerre, affolés en voyant arriver l'époque des vendanges qui ne pourraient se faire si une solution n'était pas trouvée, les Bordelais avaient accepté une trêve. Le premier octobre, la paix avait été signée. D'Épernon y avait perdu son titre de gouverneur.

Madame la Princesse, les ducs de Bouillon et La Rochefoucauld, amnistiés, étaient venus se jeter aux pieds de la reine. Lenêt avait conféré des heures avec Mazarin. En vain, ils avaient tous réclamé l'élargissement des Princes. Toute la

---

* Carrefour des rues Saint-Honoré et de l'Arbre-Sec.
** Département de l'Essonne.

Cour s'était moquée de Claire-Clémence, mal fagotée, une écharpe à saignée entortillée à la diable autour du bras, tremblante et ridicule.

Enfin, la semaine précédente, le cinq octobre exactement, Bordeaux avait accueilli Leurs Majestés. Depuis Bourg, vingt bateaux et la galère royale avaient lentement remonté la rivière, tirant le canon à l'approche de la ville dont les propres canons leur avaient répondu. Heureuse de voir enfin le roi, la foule s'était amassée sur le port, au passage des carrosses empruntés ensuite par la Cour pour se rendre à l'Archevêché. Le ciel radieux, l'humeur des gens folâtre et familière, leur faconde, tout aurait pu faire de l'événement une fête véritable s'il n'y avait eu, au sein du cortège, le responsable de la guerre, celui qu'on accusait déjà de violer la récente trêve en plaçant des troupes d'infanterie à la porte du Chapeau Rouge alors que les bourgeois avaient dû poser leurs armes, que les régiments du roi restaient cantonnés dans leurs quartiers ; s'il n'y avait eu ce Sicilien criminel !

Mademoiselle pour sa part se montrait ravie. A Bordeaux, sa popularité dépassait celle de la reine que l'on boudait un peu. Sa réception donnée la veille chez M. de Pontac avait été un triomphe. Maintenant ses avis comptaient. De nouveau, elle considérait son cousin le roi de France comme le seul prétendant possible. Elle repartirait à Paris saisie d'une fièvre politique qu'elle cherchait sans succès à communiquer à Charlotte accablée à la perspective du long voyage de retour.

Mais comment l'esquiver ? Comment prendre congé de la reine, partir de son côté pour Ivreville bien décidée à ne plus s'en éloigner jamais, à ne pas reprendre la vie conjugale ? Elle n'avait ni équipage ni domestique. Seule Cateau l'avait suivie en Guyenne. Elle dépendait de son mari. Ses parents, sa mère surtout, useraient de toute leur influence pour la remettre dans ce qu'ils considéraient certainement comme le droit chemin.

Une fois encore, le chagrin secoua Charlotte sans amener de larmes qui l'eussent pourtant soulagée. Une odeur de bois vermoulu, de fonds de bouteilles, traînait sous le hangar, une odeur écœurante jusqu'à la nausée. La jeune femme tira de sa poche un petit flacon de vinaigre rosat. Elle savait bien l'autre raison — la vraie raison — de son malaise. Depuis une semaine, elle connaissait son état, confirmé discrètement par un médecin de Bourg. En elle croissait insidieusement le fruit de sa honte, l'enfant de René. Rien n'avait été selon son désir. Les sentiments les plus profonds, même ceux qu'elle avait crus éternels s'étaient effrités. L'amour n'avait brillé qu'un instant, vite balayé par la trahison, l'égoïsme. Tout était sali. Pourrait-elle même retrouver le monde pur et protégé de son enfance lorsque sa grand-mère l'instruisait avec tant de rigueur et de bonté ?

Le malaise peu à peu s'atténua. Charlotte redressa la tête. Elle était décidée à ne laisser personne constater sa défaite.

La petite marchande s'était mise à fredonner une chanson douce pendant que sa mère agitait une branche au-dessus des fruits pour en écarter les insectes. Charlotte se fit apporter par l'enfant une grappe de raisin qu'elle paya de quelques sols et caressa la rondeur grenue du fruit, avant de croquer dans sa chair juteuse. Là, au creux de sa main, pensa-t-elle, était la véritable raison de la paix de Bordeaux, cette poignée de gemmes précieuses dont chacun, en Guyenne, tirait profit. L'intérêt mais aussi l'amour et le respect de la vigne avaient su faire taire les armes. Mais pour combien de temps ?

Trois jeunes garçons qui, depuis un moment, musardaient sur le quai, s'étaient avancés non loin de Charlotte. Lui tournant le dos, hardiment campés sur le rebord de pierre, ils s'amusaient maintenant à satisfaire leur nature, le plus loin possible, dans l'eau dansante de la rivière. Leurs cheveux également longs et bouclés dépassaient d'un même feutre à plume de coq, mais la teinte en était différente : brune chez le plus svelte des trois, très noire pour le plus petit, blonde pour le plus robuste. Leurs vêtements étaient aussi les mêmes, des chausses passablement usagées, rapiécées par endroits, une chemise simple sous un petit « buffle » en cuir.

A priori, rien ne les distinguait d'autres enfants de leurs âges. Mais, au premier coup d'œil, Charlotte les avait reconnus. C'étaient son propre frère, Adrien d'Ivreville, Philippe d'Anjou, le petit Monsieur et Louis, roi de France et de Navarre, échappés à la surveillance de leurs mères et de leurs gouverneurs respectifs !

— Trois galopins en goguette, murmura-t-elle avec indulgence.

Eux aussi avaient éprouvé le besoin si naturel d'apaiser leur soif de liberté ! De son poste d'observation elle pouvait les entendre.

— C'est moi qui gagne. Regardez ! s'écria soudain Louis, très fier d'avoir accompli la meilleure performance de leur virile distraction.

Adrien renoua son aiguillette puis s'inclina pour féliciter son souverain, sans lui contester la victoire.

« Quel parfait courtisan déjà ! » estima Charlotte, une lueur d'amusement au fond des yeux.

Le petit Monsieur, pour sa part, avait du mal à s'avouer perdant. Furieux de la suprématie de son aîné, il se retourna vers lui et acheva la joute en lui arrosant les souliers avec malice. Ce qui lui valut un jet de salive en retour.

— Je vous ferai fouetter !

— Tyran ! Je me plaindrai à maman, gémit Philippe.

— Elle me donnera raison, repartit Louis avec hauteur.

Sans nul doute. Anne d'Autriche donnait toujours raison au roi.

Les crachats s'échangèrent de plus belle au grand désespoir d'Adrien.

— Je vous en prie, je vous en prie, cessez ce jeu ! supplia-t-il.

— Hé ! petits ! Nous pouvons vous en apprendre d'autres, fit alors une voix narquoise, à l'accent rocailleux.

Cinq forts gaillards assez débraillés, le mufle rongé de barbe, le poil sale, avaient eux aussi assisté à la querelle, sans qu'on les eût remarqués. Tout de suite, Charlotte s'en méfia.

Avaient-ils identifié le roi et son frère ? Les avaient-ils épiés, suivis jusqu'à cet endroit retiré, en tramant quelque forfait ? A Bordeaux existait toute une fange, obscure et vindicative, agitée par des esprits forts, enivrée par de fumeuses, de dangereuses visions politiques, prête à tout.

Ou bien ces individus n'étaient-ils simplement que de mauvais sujets comme il en traînait dans chaque port, des pervertis vivant toujours entre le vice et le vin ?

A pas nonchalants, mains dans les poches, ils se dirigeaient vers les trois enfants qui les regardaient, trop surpris pour réagir. Le petit Monsieur, en particulier, semblait fasciné par la force bestiale se dégageant d'eux.

— Mais c'est aussi joli qu'une fille, ça ! grasseya l'un des compères. Viens donc par ici, poupée, qu'on te mignote un brin.

Effrayé, Philippe se rapprocha de son frère qui se plaça aussitôt devant lui, tout prêt à le défendre.

— N'avancez plus !

Louis parlait avec un air et une autorité si peu conformes à son âge, qu'un instant le drôle en fut saisi.

— Tu ne vas pas te laisser intimider par ces moucherons, ironisa un autre.

Taureau noir et massif, il les dépassait tous d'une bonne tête, un long couteau de boucher glissé dans son ceinturon.

Il y eut quelques moqueries et le petit Monsieur ne tarda pas à se retrouver dans les airs, gigotant, pareil à un pantin désarticulé entre deux pognes épaisses.

Ensuite, tout se passa en quelques minutes sans que Charlotte fût capable de bien discerner l'exact déroulement des faits. Louis et Adrien se précipitèrent sans hésiter au secours de Philippe mais furent si violemment repoussés qu'ils manquèrent de justesse tomber dans la rivière. Le roi ! Le roi malmené comme le dernier des manants ! Et Adrien ? Charlotte ne les voyait plus. Sans défense, ils étaient cernés par ces gueux qui crachaient leurs obscénités dans des rires effroyables. Hors d'elle-même, elle chercha dans le hangar ce

162

qui pouvait lui servir d'arme, vit une pelle appuyée à la cloi-son, s'en empara, s'élança.

— C'est le roi qu'on attaque ! cria-t-elle aux deux mar-chandes qui craintivement s'intéressaient de loin à la scène.

Et devant leur expression effarée, Charlotte exposa très vite son plan d'action.

— File chercher du secours ! intima-t-elle à la vieille femme. Et toi, petite, tu sais viser ? Oui, c'est ça. Prends ce panier de pommes et de poires et bombarde-moi ces canailles !

Puis Charlotte courut de nouveau. Pas un des hommes ne la vit arriver. Sa pelle s'abattit violemment sur la nuque de l'un d'eux qui s'effondra.

— Bien joué, Lotte !

Adrien avait réussi à s'esquiver. Il avait aussi ramassé un bâton qu'il tenait comme une épée, pointé vers les brutes. Prises à revers, celles-ci s'amusèrent beaucoup de cette riposte imprévisible qu'elles jugèrent dérisoire.

— Lâchez cet enfant ! ordonna Charlotte.

— Viens donc le reprendre, ricana le ravisseur de Philippe d'Anjou.

Un coup de pelle lancé à la hauteur des genoux le fit chance-ler tandis qu'un mystérieux projectile, à la seconde même, l'atteignait à la tempe. Déséquilibré, il lâcha sa proie. Philippe courut aussitôt rejoindre la jeune marchande. Méthodique-ment, sans précipitation, celle-ci envoyait pommes et poires, qui dans un œil, qui sur un nez. Avec le petit Monsieur, le tir se fit plus resserré et plus efficace encore. Cette fois, les hommes cessèrent de rire. Piqués d'être mis en difficulté par des freluquets et cette étrange furie, ils contre-attaquèrent. En un tournemain, Charlotte et Adrien furent désarmés, Louis tenu en respect par l'énorme coutelas. La pluie de fruits cessa bientôt : le panier était vide. Philippe et la fillette furent empoignés sans ménagements.

— Allons, mes mignons, assez plaisanté ! Vous allez nous suivre bien sagement. Nous nous expliquerons dans un endroit plus discret.

163

Charlotte sentit un bras entourer ses épaules. Révulsée par ce contact et l'atroce odeur de sueur et de vin qui s'en dégageait, elle se débattit avec l'énergie du désespoir. Devant elle Adrien était déjà entraîné en direction de petites maisons basses et miteuses.

— Tu nous suis, Dureteste ?

Le dénommé Dureteste continuait à menacer Louis, toujours impassible devant son couteau de boucher. Inexplicablement, leur face-à-face se prolongeait. L'homme paraissait hypnotisé. Un miroir magique lui renvoyait — à lui qui n'était qu'instinct, brutalité, laideur — son image contraire. Celle d'un jeune garçon au grave regard bleu, noble et brave, beau et blond comme un prince. Et, peu à peu, une idée terrible germait dans ses pensées grossières. Cet enfant, n'était-ce point...

— Sus ! sus ! Le roi est en danger. Là-bas, voyez-le !

Des clameurs, un piétinement sourd se firent entendre alors. Sous la conduite de la fruitière, un groupe d'hommes armés surgissait, fondait sur les agresseurs hébétés, brusquement paralysés en apprenant l'étendue de leur crime. Le roi ! c'était le roi ! Ils se laissèrent tous prendre.

Tous, sauf un. Plus rapide que les autres, Dureteste avait réussi à s'enfuir. On ne le retrouva pas.

★
★ ★

— Madame de Barradas, jamais je n'oublierai votre courage. Il n'a de rival que votre beauté. Prenez soin de votre santé et ne restez pas trop longtemps éloignée de nous.

Sur ces mots, Louis baisa la main de Charlotte.

— Sire, je serai, toute ma vie, de Votre Majesté, la très humble et très fidèle sujette et servante, répondit-elle cérémonieusement en faisant sa révérence.

Philippe d'Anjou s'avança pour faire lui aussi son compliment. Mais plus spontané que son frère, il planta deux baisers sur les joues de la jeune femme. Puis ce fut au tour d'Adrien de l'embrasser. Son départ les chagrinait beaucoup ; ils n'en comprenaient pas la raison.

Les trois enfants s'étaient vite remis de leurs émotions. Réprimande et punition leur avaient fait perdre pour un moment le goût des aventures. La reine, déjà « enrhumée de chaud », était pour de bon tombée malade mais elle avait remercié Charlotte avec toute la reconnaissance, tout le soulagement d'une mère rétrospectivement atterrée à l'idée du pire. Le Cardinal y était allé de trémolos fleuris pour la féliciter ; Mademoiselle n'avait pas tari d'éloges ; Floriane et Artus d'Ivreville s'étaient attendris en voyant que leur fille avait hérité de leur propre audace ; René était accouru, extrêmement fier ; tout le monde avait fêté son geste, vite connu au-delà de Bordeaux ; bref, Charlotte était l'héroïne du jour. Elle pouvait tout se permettre, tout exiger. Et voici que pour récompense, à la reine qui la pressait d'exprimer son désir, elle avait seulement demandé l'autorisation et les moyens de gagner les terres normandes de son père, « sa santé exigeant immédiatement un séjour dans son climat natal » !

Chacun à la Cour avait été déconcerté par une si modeste et si curieuse supplique. Perplexes, ses proches avaient bien tenté de la dissuader mais Charlotte, plus tenace que jamais, avait obtenu ce qu'elle voulait. En ce matin d'octobre, un solide carrosse de cuir clouté, encadré d'une petite escorte, l'attendait donc devant la maison de M. de Pontac. Elle y monta gravement, sans montrer son impatience, sous les yeux préoccupés de sa mère, sur un adieu à Mademoiselle qui, désolée, assistait d'une fenêtre à cet inexplicable départ. Avec lourdeur, l'attelage s'ébranla. Bruyamment, les sabots des chevaux raclèrent le pavé. Bientôt, ils eurent franchi le rempart, trouvé la route toute droite, qui filait vers les vignes et les villages. Le ciel offrait une véritable palette de nuances, si particulières à la Guyenne, à la fois tendres et lumineuses.

— Halte ! cria soudain quelqu'un.

La tête à la portière, Charlotte vit qu'un cavalier avait fait arrêter le carrosse et maintenant s'approchait d'elle.

— Vous ! fit-elle en se rejetant à l'intérieur de la voiture.

— Oui, moi, répondit René. Moi, votre mari, que vous le vouliez ou non et qui a le droit d'exiger des explications sur votre conduite.

— Vous avez perdu vos droits en rompant, le premier, vos engagements.

— Charlotte ! Il est ridicule de me tenir rigueur d'une décision qui ne me revient pas. D'ailleurs, je vous le répète, notre départ n'est que reporté. Les difficultés que rencontre en ce moment notre pauvre pays sont plus importantes que nos contrariétés personnelles, il me semble.

Lèvres serrées, elle préféra ne pas lui répondre.

— Charlotte ! Dites quelque chose !

— Allez, cocher !

— Non, attendez ! Pourquoi fuyez-vous ? Je veux le savoir. Ce n'est tout de même pas pour une simple maladresse dont je me repens sincèrement ?

La main sur la portière, René pencha la tête afin de mieux voir Charlotte.

— Je vous aime. Toute ma vie est à vous. Vous m'avez laissé croire naguère que nous pourrions être heureux ensemble. Et nous le pouvons ! J'en suis convaincu.

— Vous appelez cela une simple maladresse ? fit-elle avec douleur en ignorant délibérément ses dernières paroles.

— Mon petit ! s'exclama-t-il, surpris par sa pâleur et la fixité de ses traits.

Elle avait prétexté sa faible santé pour justifier ce retour chez elle. Bien sûr, il n'en avait rien cru. Mais maintenant, en lui voyant ce visage, il était saisi de doute, d'appréhension.

— Vous n'êtes pas vraiment malade ? Vous n'êtes pas...

Il s'arrêta, devinant tout à coup ce qui se passait. Sa joie fut la plus forte. Elle l'illumina.

— Eh bien, si ! Vous pouvez vous rengorger : je porte votre enfant ! siffla-t-elle. Vous avez manqué à votre parole.

166

Je vous déteste. Laissez-moi désormais ! En route ! cria-t-elle d'une voix plus forte.

Cette fois René n'essaya pas de la retenir. Immobile sur son cheval, il resta au milieu du chemin, regardant disparaître l'équipage dans un envol épais de poussière. Il était ainsi fait que l'espoir ne pouvait jamais longtemps déserter son âme. La nouvelle qu'il venait d'apprendre le bouleversait mais éclairait aussi son avenir. Loin d'en vouloir à Charlotte, il comprenait enfin son attitude tout en se reprochant la sienne ; il la plaignait, connaissant ses principes et son intraitable orgueil qui l'éloignaient hélas, des joies les plus simples. Ces joies que lui-même, en revanche, savait apprécier. Tout avait été trop rapide pour elle. Mais René était persuadé qu'un jour elle saurait s'attendrir, s'ouvrir enfin et que cet enfant, dont l'annonce lui procurait personnellement un tel bonheur, aiderait à la métamorphose.

★
★ ★

Le départ de Charlotte précéda de peu celui de la Cour. Plus que tout autre, la reine avait envie de quitter Bordeaux qui l'avait si mal accueillie. Un maigre feu d'artifice, une collation des plus chiches, des compliments débités du bout des lèvres et le Cardinal pas même reçu par le Parlement : la ville n'avait rien fait pour agrémenter leur séjour. La reine était fatiguée ; les contrariétés renforçaient ce rhume qu'elle traînait depuis les grandes chaleurs. S'y ajoutaient des maux désagréables, humiliants. Elle parvenait à l'âge souvent fragile d'une femme où la nature parfois se brouille, se révolte, avant d'emprunter un cours plus paisible.

A l'étape de Saintes, une étrange créature, séculière du couvent des Carmélites, une certaine madame Lainé, insista pour la rencontrer. Comme nombre de mystiques, persuadée d'être investie d'une divine mission, madame Lainé exhorta la régente à se défaire de son ministre.

— Cet homme est un agent de Satan qui perdra Votre Majesté et la France avec elle ! Je prévois un avenir terrifiant, champs de morts, amas de ruines. " Pour marque de vérité, j'assure à Votre Majesté qu'elle sera très malade et ce dans trois jours. "

— " Ce n'est qu'une pauvre femme à qui l'on fait dire ce que l'on veut ", commenta Anne d'Autriche sans vouloir y attacher d'importance.

Il n'empêche que, le surlendemain, arrivée à Poitiers, elle dut se coucher, grelottante de fièvre. Saignée à quatre reprises, elle put reprendre la route un peu soulagée. Mais à Amboise, elle resta douze jours avant d'être capable de repartir, soignée par mesdames de Brienne et d'Ivreville.

Mazarin, quant à lui, trépignait, se tourmentait. Le Diable seul devait savoir ce qu'avaient manigancé les Frondeurs pendant la trop longue absence de la Cour !

La seule joie de la reine, en ce morose automne, était d'avoir près d'elle ses deux enfants, aimants et pleins de vie, de recevoir leurs baisers, de les entendre rire avec leurs jeunes amis, de les voir épier les amourettes des filles d'honneur, de constater, surtout, le sérieux avec lequel Louis s'initiait à son métier de roi.

Éducation particulière que la sienne. Le manque d'études approfondies se trouvait compensé, sous l'égide de son parrain le Cardinal, par l'expérience quotidienne de la politique et des rapports humains. Pour le reste, Louis préférait — et de loin ! — l'art de la danse aux déclinaisons latines.

Ils ne retrouvèrent Fontainebleau que le sept novembre. Une tempête venait d'ôter au domaine sa flamboyante parure de feuillages. Malmenée, dépouillée, la forêt avait un air de précoce abandon qui ne pouvait qu'assombrir les humeurs. Pour comble, Gaston d'Orléans tarda à venir présenter ses respects à sa belle-sœur. De là à voir dans sa défection une amorce de trahison...

Finalement, Monsieur vint, fort mécontent. Le transfert des Princes à Marcoussis s'était fait sans son avis. Et voici

168

qu'il apprenait qu'on s'apprêtait maintenant à les envoyer au Havre ! Or la citadelle du Havre appartenait à la duchesse d'Aiguillon, cette Marie de Combalet, nièce tant aimée jadis du feu cardinal de Richelieu, vieille ennemie de Monsieur et toute dévouée à Mazarin. S'il tenait les Princes dans pareil endroit, ce dernier en serait le maître absolu, se servant d'eux comme d'atouts imparables. Non sans raison, Gaston prévoyait la grogne du Parlement, la reprise des troubles. Aussi, les affectueuses paroles de la reine avec laquelle autrefois, jeunes et fous tous deux, il avait cabalé, ne réussirent à le convaincre qu'à demi. Enfin, lorsqu'il réclama pour le Coadjuteur le chapeau de cardinal, sans cesse promis, sans cesse refusé, Mazarin lui opposa un non catégorique. Décidément, " on ne pouvait se fier à ce fourbe, à ce trompeur ", songeait Gaston, furieux et découragé, en regagnant Paris. Les amis des Princes virent aussitôt tout le parti qu'ils pouvaient tirer de son amertume.

En attendant, escortés par le gros maréchal d'Harcourt, l'inévitable de Bar, huit cents cavaliers en armes, tout un charroi contenant portes blindées, serrures, barreaux, destinés à consolider leur future geôle, enfermés dans un carrosse aux mantelets rabattus, les prisonniers gagnèrent Le Havre en novembre, à petites marches pluvieuses. Toujours maître de lui-même, Louis de Condé ironisait sur tant de précautions et la servilité d'Harcourt. Mais en son âme farouche, en son cœur de Prince, couvaient la rancune et la révolte.

Les soutiens à sa cause ne cessaient de croître.

Après son départ, Vincennes était devenue un haut lieu de pèlerinage. Des visiteurs défilaient par centaines dans le donjon où avait végété le plus remarquable capitaine du siècle. Attendris, ils se faisaient montrer sa chambre et le petit banc où son illustre main avait aligné des pots d'œillets. A ce propos, la fidèle et toujours inspirée Scudéry avait composé de fort jolis vers tout en publiant le cinquième tome de son roman, le sixième et le septième étant annoncés pour le printemps suivant. Ses lecteurs confondaient en un même

169

engouement le Grand Condé et le *Grand Cyrus*, les personnages de chair et leurs reflets sublimés. Tout Paris avait
adopté le parti du Prince. Aucun autre que lui ne pouvait
prétendre au titre de héros et surtout pas Jules Mazarin.

Pourtant, en décembre, le Cardinal tenta et réussit un coup
de maître en reprenant Rethel à Turenne, en repoussant les
Espagnols, en faisant Bouteville prisonnier. Malgré une crise
de goutte très douloureuse, il avait chevauché en première
ligne, panache au vent, animé d'une belle humeur guerrière.
Mais sa victoire, chantée en *Te Deum* à Notre-Dame, fut à
peine applaudie. Quoi qu'il fît, il était celui sur lequel on
s'acharnerait toujours.

« Illustre le Sieur Jules ? Dans sa partie honteuse, oui. Né
pour la farce, les cartes et les dés, il n'était qu'un infâme
filou, une corneille déguisée à l'éclat trompeur. »

« Servies toutes chaudes le matin comme des petits pâtés
sortis du four », des centaines, des milliers de mazarinades
continuaient à dauber sur le ministre. Les colporteurs les
vendaient en tout lieu ou les chantaient sur le Pont-Neuf
malgré la menace du fouet. Mais depuis peu, afin de mieux
déjouer la surveillance du lieutenant civil, étaient apparus les
« placards ».

Au plus épais des nuits, des ombres quittaient, à pas de
chat, les ateliers des librairies du quartier Saint-Jacques.
Mains dans les poches, ce n'était en apparence que des noc-
tambules ordinaires, des traîneurs de cabarets. Personne ne
devinait les grandes feuilles enduites de colle qu'ils portaient
sur le dos. Parvenus aux carrefours, dans les rues les plus pas-
santes, ces hommes s'adossaient soudain contre un mur,
contre une porte, et d'une poussée vigoureuse, placardaient
leur affiche avant de se fondre rapidement dans les ténèbres.
Comme les petits libelles, elles étaient faites de papier
médiocre, frappé d'une encre pâteuse et dénonçaient pour la
plupart les méfaits du Cardinal, ses basses origines, ses
mœurs odieuses. Mais leur format immense, avec dessins à
l'appui, attirait davantage les regards, atteignait en fait le

peuple innombrable. Car ceux qui ne savaient pas lire trouvaient toujours à leurs côtés un lecteur obligeant.

Cet hiver-là fut particulièrement rigoureux. Tout d'abord, en janvier, la Seine en crue emporta plusieurs arches du Pont-au-Change. Des pans entiers de maisons, qui étaient bâties dessus, s'écroulèrent. L'on vit des malheureux se débattre dans l'eau brune et glacée, des lits, des armoires emportés par le tourbillon pour, finalement, être tous engloutis. Déchaînée, la rivière noya les caves et les fossés. Dans certains quartiers on dut circuler en barque, les égouts regorgeant dans les rues transformées en cloaques pestilentiels. Puis l'eau se retira. Un froid intense s'abattit, purifia l'air, étendit sur toutes choses un carcan gelé. Alors Paris sembla ciselée dans un blanc cristal dont les prismes renvoyaient à l'infini tous les bruits, toutes les couleurs de cette ville tempétueuse.

Des nobles venus de province, assemblés au couvent des Cordeliers, se mirent avec frénésie à réclamer la réunion des États généraux, la destitution de Mazarin et la libération des Princes. Ceux qui criaient le plus fort n'avaient rencontré ni l'un ni les autres. C'étaient tous des nobliaux démunis, ne possédant que la cape et l'épée, plus souvent nourris de raves, d'oignons et de pain bis que d'ortolans ou de confitures. Tapageurs, sans pouvoir, leur présence ajoutait au désordre.

Les députés du Parlement, le vindicatif Président Viole et le vieux Mathieu Molé en tête, ne cessaient de leur côté de harceler la reine au sujet des Princes, demandant au moins un jugement régulier. La mort récente de la Princesse douairière, enterrée en grand apparat au couvent des Carmélites, avait affecté l'opinion soulevée par Claire-Clémence et ses amis.

Toutefois, le danger réel ne pouvait naître au sein d'un peuple braillard et versatile, ni dans les groupes de gentilshommes faméliques, et pas davantage lors des réunions pompeuses et bavardes de grands bourgeois. Mazarin, pourtant subtil, qui savait si bien manipuler chacun, prévoir à long terme le cours du temps, ne comprit pas assez tôt que sa perte était décidée par des personnages beaucoup plus redoutables, sous les ors des palais et des hôtels à la mode, dans les effluves galants et parfumés de femmes résolues.

Ah, la gracieuse, la fascinante cohorte ! En tête, se remarquaient deux femmes au passé turbulent, à l'intelligence aiguë : la duchesse de Chevreuse et la Princesse Palatine, talonnées de près par Anne-Geneviève de Longueville, si pénétrée d'elle-même et sa cousine et rivale, la brune, l'insinuante Isabelle-Angélique de Châtillon. Puis se bousculaient la fougueuse Mademoiselle et sa belle-mère — la fragile mais tenace Marguerite d'Orléans —, madame de Montbazon tout affolée d'or et de plaisirs, mademoiselle de Chevreuse et sa cousine madame de Rhodes, ces deux dernières se partageant Gondi, et combien d'autres de moindre poids mais tout aussi actives. Il n'était nullement question, bien sûr, de coalition purement féminine. La plupart de ces dames se jalousaient ou se détestaient franchement. Leurs relations n'étaient souvent que superficielles et mondaines. L'intrigue, le pouvoir eussent été d'ailleurs dépourvus de saveur et d'effet s'il n'y avait pas eu les hommes pour lesquels, avec lesquels, vibraient les conspiratrices.

Tous avaient d'excellents motifs souvent confondus : l'honneur, la gloire, l'ambition, l'amour, l'argent, la vengeance, l'orgueil. Certains se contentaient de l'enivrant fumet des complots. Quelques-uns pressentaient, plus ou moins obscurément, que s'achevait l'ordre ancien qui, durant des siècles, avait régi le royaume : le roi sur son trône, appuyé sur les grands féodaux, les nobles de race, dont eux-mêmes étaient issus.

Quel était ce monde qui sournoisement avait pris forme ces dernières années ? Un monde d'obscurs besogneux, griffonnant des lois, des règlements absurdes dans les officines des ministères que des intendants serviles s'en allaient ensuite faire appliquer aux quatre coins du pays. Un monde où la parole, l'attachement à un grand seigneur, la fantaisie, les coutumes provinciales disparaîtraient bientôt, lentement étouffés par les multiples tentacules d'un État tout-puissant. Richelieu avait naguère posé les fondements de cette politique de gratte-papier. Mazarin et son équipe de commis la poursuivaient. Impitoyable, le premier avait abattu les donjons et fait tomber les têtes insoumises. Le second n'était craint de personne.

La vieille Fronde s'allia donc à la nouvelle, la Fronde des Princes. Chapitré par le Coadjuteur qui ruminait son chapeau perdu, Monsieur promit son appui. En contrepartie, le duc d'Enghien épouserait l'une de ses filles. Madame de Chevreuse, d'abord réticente, finit par accepter d'accorder la sienne au Prince de Conti ; alliances qui réconcilieraient toutes ces prestigieuses familles. Un traité signé fin janvier chez la Princesse Palatine scella l'union des conjurés. Lorsque Mazarin en prit conscience, il était trop tard. Pour la première fois, il laissa éclater son exaspération en traitant tout le monde de révolutionnaires, pareils aux Cromwell, aux Fairfax qui, en Angleterre, avaient tué leur roi.

Sa colère eut raison des dernières hésitations de Monsieur. Sur sa requête, le Parlement exigea le départ du ministre et le retour des Princes. Seule contre tous, la reine obtempéra.

Dans la nuit du six au sept février 1651, par un beau clair de lune, plusieurs cavaliers franchirent les portes de Paris sous l'habit des Gardes du Cardinal et prirent chacun une direction différente afin de mieux brouiller les pistes. L'un d'eux était Jules Mazarin, fuyant bientôt sur la route de l'ouest. Quelques jours durant, il attendit à Saint-Germain puis à Lillebonne, espérant être rejoint par Anne et le roi mais leur venue s'avérant impossible, il piqua jusqu'au Havre et prenant ses ennemis de vitesse, déverrouilla lui-même les portes de la citadelle.

Ainsi, la cage était ouverte, ainsi était libéré le fauve le plus dangereux qui fût, M. le Prince, que Mazarin salua plus bas que terre avant de se résoudre à l'exil.

— « Je pense qu'il plaira à Votre Majesté : il ressemble à M. de Buckingham. »

173

Anne d'Autriche entendait encore le cardinal de Richelieu lui présenter Giulio Mazarini, alors légat du pape et nouveau venu à la Cour de France. En faisant allusion au sentiment romanesque, déraisonnable que la reine avait éprouvé au cours de cette lointaine année 1625 pour le favori du roi d'Angleterre, Richelieu avait fait preuve de sa perfidie et de sa jalousie habituelles. Blessée, Anne qui pleurait toujours en silence la mort tragique du séduisant Buckingham, avait cependant accusé la rosserie sans rien dire. Mais, peu après, elle avait dû reconnaître qu'en effet, Mazarin le lui rappelait beaucoup : les mêmes cheveux noirs, abondants, autour d'un visage fin, moustache et barbe taillées « à la royale », les mêmes yeux sombres, ardents sous le front large ; un goût identique pour le faste et le raffinement. La ressemblance avait touché la reine. Pourtant ce qu'elle avait aimé tout de suite, c'était la voix de Giulio. Pour elle, Infante d'Espagne, élevée dans la rigueur et l'isolement, cette voix musicale, veloutée, évocatrice d'une Italie charmeuse et sensuelle, portait toutes les séductions, toutes les tendresses intimement espérées.

Toutefois, elle s'était d'abord méfiée car Richelieu chantait trop les louanges du jeune légat. Mais, assez vite, s'était passé l'ineffable, ce qu'aucune analyse, jamais, ne saurait expliquer, l'accord subtil entre un homme et une femme, leur estime et leur amitié réciproques bientôt nuancées de tendresse ; puis ce trouble plus profond d'abord caché, combattu ; enfin, au fil des années, l'acceptation pleine et entière d'un amour que leur offrait la Providence.

Sans son soutien, elle n'aurait jamais pu assumer son rôle de régente. Peu sûre d'elle, nonchalante, attachée au bien vivre, affectueuse, sensible à la médisance, orgueilleuse et têtue, Anne savait bien que la conduite d'un État exigeait des qualités qui n'étaient pas les siennes. Mais portée par l'amour maternel, épaulée par le Cardinal, elle avait eu tous les courages.

Elle n'était pas aveugle ; elle connaissait les défauts de son ministre et ami. Mais ils étaient, selon elle, compensés par une telle intelligence, tant de douceur et de dévouement, qu'elle les pardonnait. Pourquoi était-il exécré à ce point ? Tous les efforts qu'elle avait déployés pour qu'on l'aimât, s'étaient retournés contre lui.

Et contre elle ! Car le monde avait toujours le besoin de salir ce qu'il ne comprenait pas. La haine étant la plus forte, Anne avait donc dû céder pour la sauvegarde du trône. Mais comment, Seigneur, allait-elle faire maintenant ?

Bien sûr, lui restaient les ministres compétents et fidèles, choisis par Mazarin : Le Tellier, Lionne, Servien, et ce jeune commis Jean-Baptiste Colbert. Elle avait aussi des amis sûrs et un échange de lettres chiffrées, codées, leur seul lien désormais.

Dans l'ombre de son lit, la reine soupira, incapable de dormir. Chaque bruit la mettait en alerte. Dans la chambre voisine, elle entendait Françoise de Motteville, sa dame de compagnie, ronfler légèrement. Non loin, Louis reposait. Dieu merci, les événements n'entamaient pas sa belle santé.

Viendraient-ils encore cette nuit s'assurer de leur présence ?

Le riant Palais-Royal était devenu leur prison. Tout autour rôdait un peuple incertain qui voulait, de force, les garder entre les murs de la capitale. A plusieurs reprises, un officier de Monsieur était venu vérifier si le roi était bien dans son lit. A sa suite, une petite délégation d'émeutiers avait également défilé dans les chambres, des rustres, tout de même intimidés puis finalement émus, en découvrant leur jeune souverain rêvant en toute innocence sous sa courtepointe brodée de lys. Quelle épreuve ! Anne avait su néanmoins garder son calme, sourire, complimenter, dissimuler sa fureur. Tout comme Louis avait feint de dormir.

« Il n'oubliera jamais », pensa-t-elle, connaissant le caractère rancunier de son fils.

La ville bourdonnait nuit et jour de folles rumeurs ; les bourgeois avaient repris les armes ; les officiers et les hommes

175

de Condé, à cheval, arrêtaient les passants aux abords du Palais-Royal, soulevaient le masque des femmes, au cas où le roi aurait emprunté quelque déguisement trompeur. On injuriait avec hargne et mépris « les mazarins » ; aux portes, la milice vérifiait avec insolence chaque sortie.

Si étroitement surveillés, la régente et ses enfants n'avaient pu rejoindre le Cardinal qui maintenant se dirigeait vers l'Allemagne suivi de son neveu, de ses nièces, de malles, de meubles, en un triste cortège d'exilés.

Anne se signa, ferma les yeux. Malgré ses insomnies, le silence et la solitude de la nuit lui plaisaient ; elle était tellement lasse !

La reine d'Angleterre Henriette-Marie, parlant d'après sa propre expérience, comparait le peuple à une bête féroce qui ne se laisse jamais apprivoiser. Pour Mademoiselle, plus nuancée que sa tante, il évoquait plutôt la mer, calme si les vents ne l'agitaient pas de mouvements imprévisibles et changeants. Troublé par des esprits séditieux, le peuple, en effet, transformait son amour en haine, sa haine en amour, s'effarouchait, grondait comme un flot déchaîné soudain sous la tempête ; puis son humeur se calmait, prenait inexplicablement d'autres couleurs.

Ainsi, les mêmes feux de joie qui avaient salué l'arrestation des Princes treize mois auparavant, brillèrent-ils en ce jeudi gras pour fêter leur liberté.

Accueillis aux portes du Havre par toute la noblesse de Normandie, tous trois avaient ensuite rencontré sur leur chemin le duc de La Rochefoucauld, le comte de Venoy, le président Viole et le secrétaire d'État La Vrillière, porteurs de l'ordre officiel de libération mais que Mazarin avait si malicieusement devancés. A Saint-Denis, ce fut Monsieur, venu à leur rencontre, accompagné de Beaufort et de Gondi, qu'ils avaient retrouvé, entouré de cinq mille cavaliers. Leurs embrassades n'avaient pas eu de fin. L'épée au côté, libre, Louis de Condé exultait.

176

En son honneur, Paris avait fermé ses boutiques. Seuls restaient ouverts auberges et cabarets. La foule avait envahi les rues ; les visages s'étaient mis aux fenêtres pour regarder passer les carrosses. La ville était folle, enivrée d'applaudissements et de vivats, assourdie par les clairons, les trompettes et les coups de feu tirés en l'air, rassasiée d'actions de grâces entonnées dans les églises, de chansons et de rires, de festins joyeux.

> *« Vive le roi ! Vivent les Princes !*
> *Princes vaillants et magnanimes*
> *Cœurs généreux, esprits sublimes ! »*

Ils étaient là, enfin ! Chacun voulait les voir, les complimenter. Au Palais-Royal, parmi la cohue, la reine eut la force et le talent de leur paraître aimable, de plaisanter avec eux comme si de rien n'était. Pendant ce temps, au Luxembourg, les violons et les comédiens de la fête prévue par Monsieur s'apprêtaient déjà.

Vive le roi ! Vivent les Princes et point de Mazarin !

★
★ ★

Longtemps Charlotte avait aimé la nuit. Longtemps elle avait guetté avec impatience le crépuscule et son cortège d'ombres dont les voix mystérieuses répondaient toujours à la sienne. Des ombres protectrices qui bien vite se coloraient, se peuplaient, au gré de son imagination jusqu'au moment où le sommeil venait les disperser, ce dernier ne se faisant jamais longtemps attendre. Mais ce temps-là était révolu et Charlotte en était venue maintenant à redouter les heures nocturnes.

Elle était pourtant arrivée à Ivreville dans les derniers jours d'octobre emplie d'amertume, certes, mais non abattue, plutôt satisfaite d'elle-même au contraire. Elle avait pu se

177

retirer de la Cour, fuir René, toute à son avantage ; elle avait réussi, à force de volonté, à guérir de son amour pour Jérôme, à cuirasser son cœur ; elle était parvenue également à dominer la nature en ignorant le travail secret sourdement tramé au fond de sa chair. Sa minceur cachait en fait une robustesse et une agilité qui lui avaient toujours permis de satisfaire ses fantaisies, ses audaces. Infatigable, elle s'était donc élancée chaque jour sur sa monture la plus rétive, pour des randonnées les plus hasardeuses, ne rentrant que fort tard, belle, un peu étrange aussi, dans son acharnement à s'étourdir. En la voyant invariablement vêtue d'un pourpoint vert, un grand manteau noir volant derrière elle comme l'aile d'une chimère, chasser avec ses cousins ou, le plus souvent, courir seule par monts et par vaux, explorer les forêts profondes, se rire du vent ou de l'orage, les gens du voisinage, certains parents, ses domestiques, avaient pensé à quelque créature de légende, l'une de ces divinités anciennes dont on ne savait si elles étaient bonnes ou maléfiques mais que l'on admirait, que l'on vénérait. Tous avaient respecté sa solitude. Même sa mère n'avait pas cherché à troubler sa retraite volontaire. Informée par René de la grossesse de Charlotte, Floriane, sans cacher sa joie, s'était toutefois contentée d'écrire régulièrement à sa fille et d'envoyer Ermelinde Frumence lui tenir compagnie. Une Ermelinde qui, bien entendu, n'avait jamais pu raisonner la sauvageonne.

Cependant, la nature méprisée par Charlotte avec tant de superbe avait fini par prendre sa revanche. Jour après jour, ses vêtements s'étaient faits plus étroits ; elle s'était mise à détester son corps épaissi, difficile à mouvoir, dans lequel s'agitait constamment le petit hôte indésirable.

— Vous devriez cesser de monter à cheval, lui avait conseillé sa cousine Marguerite de Lorval, elle-même mère de six enfants.

« Ermelinde m'apprend que tu montes encore. Je n'ose croire à pareille imprudence ! » avait écrit Floriane.

René aussi s'était tourmenté :

« Mon amie, prenez soin de vous... »

Exaspérée, Charlotte avait froissé sa lettre. Pourtant, il avait bien fallu qu'elle se résignât, acceptât, malgré elle, de remplir son devoir jusqu'au bout, afin de gagner, par un dernier sacrifice, sa complète liberté. Mais, dès ce moment, le sommeil l'avait fuie et ses angoisses, alors qu'approchait la délivrance, s'étaient intensifiées.

Ce fut un matin de mars. A Ivreville, le printemps n'était encore qu'un balbutiement, quelques touffes de fleurs au bord des chemins éclaboussés par les averses, quelques ramures plus tendres, de jeunes gazouillis. Le petit Pierre, Louis, Timoléon de Barradas vint au monde avec toute la vigueur des oiseaux qui s'époumonaient sous les fenêtres de Charlotte.

La famille, en partie réunie pour sa naissance, s'extasia devant le phénomène, un gros poupon de plus de huit livres, apparemment prêt à croquer la terre entière. Sa nourrice, une jeune Normande aux joues roses et pleines, eut tout de suite beaucoup de mal à le contenter. A l'âge de quinze jours, il dévorait déjà sa première bouillie.

— Nous allons être obligés de trouver une nouvelle Bélise pour rassasier ce petit glouton. Et tant pis pour son caractère ! suggéra Floriane en riant.

Elle évoquait ainsi par ce nom de Bélise la chèvre qui avait autrefois donné son lait à Charlotte avant de rester de longues années sa compagne de jeux favorite. Floriane ne manquait jamais d'affirmer que sa fille devait au capricant animal ses sautes d'humeur et son indépendance forcenée.

— Vous ferez comme vous le jugerez bon, maman, lui répondit Charlotte avec indifférence.

Elle ne parvenait pas à s'intéresser à son fils. A vrai dire, elle ne serait même pas parvenue à le croire né de sa propre chair si les heures interminables de l'enfantement ne lui étaient encore si cruellement présentes.

En revanche, le sentiment paternel pétillait déjà chez René.

Éperdu de gratitude, il vint remercier sa femme de lui avoir donné cette merveille.

Charlotte le vit entrer radieux dans sa chambre lambrissée où la cheminée crépitait vivement, où le soleil traversait avec générosité les petits carreaux de couleur des fenêtres. Elle-même était très pâle, avec de grands yeux brillants. Sans façons, il s'assit au bord de son lit. Elle s'aperçut qu'en l'embrassant, il déposait à côté d'elle une petite boîte de maroquin bleu. Un bijou ? Elle n'en voulait pas. Dédaignant l'offrande, elle déclara sans attendre :

— Monsieur, vous avez votre fils. Grâce à Dieu. J'estime qu'à présent vous n'avez plus rien à exiger de moi ; est-ce clair ?

— Il me semble, répondit René d'un ton léger sans paraître s'émouvoir. Cependant, je conserve l'idée que nous demeurerons malgré tout bons amis.

— C'est une idée peu raisonnable. Pour ma part, j'ai appris à mes dépens ce que me valait votre amitié.

— Elle vous a valu au moins — Dieu aidant — de créer ce bel enfant dont nous pouvons tous deux être fiers, reprit René en souriant.

— Cet enfant m'a brisée. Je n'en aurai pas d'autre. Maintenant, laissez-moi, s'il vous plaît.

— Je suis sûr, ma chère, que vous vous rétablirez vite.

Se rétablir vite ! Il en parlait à son aise ! Comme tous les hommes, il ne pouvait bien sûr concevoir une telle souffrance, un si prodigieux déchirement. « Ah ! Plus jamais ça ! » se jurait Charlotte tandis que René l'embrassait avec tendresse, tout prêt à repartir.

— Vous ne me demandez pas pourquoi je suis si pressé de vous quitter ? fit-il à la fois mystérieux et satisfait. Une épouse attentive se doit pourtant de s'intéresser aux faits et gestes de son mari.

L'air morose de Charlotte était suffisamment éloquent pour que René se mît à rire.

— Eh bien, je vous le dirai quand même.

Il chuchota dans le creux de son oreille :

180

— Je vais à Brühl*.

— Comment ! Auprès du...

— Oui, coupa-t-il. Mon voyage n'a rien d'officiel, vous vous en doutez. C'est même tout le contraire. La reine m'a confié des lettres pour Son Éminence.

— Mais je croyais tout commerce entre eux définitivement rompu !

— Ne vous faites pas plus naïve que vous l'êtes, dit-il sans se soucier de vexer Charlotte. Sa Majesté a plus que jamais besoin des conseils du Cardinal. De son côté, celui-ci tremble qu'on ne l'oublie et ressasse le cruel adage : « Les absents ont toujours tort ». Tous deux ne peuvent se passer de cette correspondance.

— Personne ne la soupçonne ?

— Si, justement. C'est la raison pour laquelle les messagers — des gens sûrs comme votre serviteur — s'entourent d'ombre et de ruse. Prenez mon exemple : tout le monde m'a vu partir pour la Normandie et en connaît la raison, la naissance de mon fils. Voilà une excellente couverture qui me permettra d'aller en Allemagne, à l'opposé d'ici.

— Cela vous amuse, n'est-ce pas ? Ces façons de conspirateur, ces déplacements clandestins vous ravissent, flattent votre nature d'aventurier. C'est consternant ! s'indigna Charlotte. Et tout ça pour servir un homme qui a ruiné notre pays.

— Il est vrai que ça m'amuse. Mais vous vous trompez en ce qui concerne le Cardinal Mazarin. Comme la plupart des gens, vous le sous-estimez. C'est un être foncièrement généreux et pétri de loyauté. Il veut pour le roi un trône solide, une autorité véritable. N'ergotons pas sur ses méthodes.

— Il veut assurer sa fortune et celle de sa tribu. Rien d'autre. Le naïf, c'est vous, mon cher.

Debout pour mieux considérer la jeune femme, René dit avec indulgence :

— Je ne désespère pas de vous voir changer d'avis un jour.

---

* Près de Cologne où s'était retiré Mazarin.

181

Allons, donnez-moi votre main de reine et souhaitez-moi gentiment bonne route.

— Pour qu'elle vous conduise au diable ? Si vous y tenez, tant pis pour vous ! conclut Charlotte en lui tendant malgré tout sa main.

Il s'inclina puis partit aussitôt.

Sur la couverture était restée la boîte bleue. Charlotte l'ouvrit. Elle contenait un objet ravissant, d'or ciselé, monté sur une épingle, un petit bateau aux voiles déployées de nacre et de perles, voguant sur une barrette de saphirs.

L'esquif, symbole de l'amour fragile...

> « *Sous les rames d'Amour vogue notre désir*
> *Mais toujours un écueil fait périr la nacelle.* »

Tout en se remémorant ces vers anciens, Charlotte jugea René bien maladroit de souligner ainsi l'échec de leur mariage. Ce choix était d'ailleurs doublement malencontreux puisqu'il évoquait aussi ce qui n'avait pu être : la course d'un voilier, fendant les mers, vers des cieux miroitants. Puis son animosité s'éteignit soudain et du bout des doigts, elle caressa mélancoliquement le bijou. Était-il possible de pardonner à René, de reprendre avec lui le projet entrepris ? Lui-même y tenait-il vraiment ? Il avait l'air de si bien apprécier la situation !

Elle soupira en refermant l'écrin. Non, il était trop tard. Plus rien ne les unissait. Leur dernière conversation au sujet du Cardinal en avait apporté une nouvelle preuve. D'ailleurs, eût-elle voulu faire un effort de réconciliation qu'elle en eût été incapable. Sa vitalité, son mordant avaient disparu. Elle ne ressentait qu'un vide, une lassitude extrême. Elle n'avait pas menti tout à l'heure : cet enfant l'avait brisée.

Sa mère avait beau répéter que c'était normal, que bientôt ses forces, le goût des choses lui reviendraient, Charlotte sentait bien qu'un changement profond s'opérait en elle et qu'il n'était pas celui prévu. Libérée de son fardeau, enfin rendue à elle-même, elle se découvrait sensible, vulnérable, bien différente de naguère. Avec une lucidité poignante, elle constatait le désert de son existence, tout ce qu'elle avait perdu, un bel amour, sacrifié par pur entêtement. Et la pensée de Jérôme revint pour, cette fois-ci, ne plus la quitter.

La nuit surtout. Tapis dans les ténèbres, les souvenirs rampaient au travers de la chambre, mettant le sommeil en fuite pour mieux l'assaillir et la tourmenter. Si fidèles, si tendres, si féroces !

Voyant sa fille affaiblie, Floriane avait prolongé son séjour à Ivreville pour l'entourer de ses soins. Elle l'obligeait à se nourrir copieusement, à prendre, le soir, des breuvages calmants, mélanges de pavot, d'aubépine et de valériane qui finissaient par endormir Charlotte. Mais des rêves nostalgiques troublaient constamment son repos et la laissaient, au réveil, accablée de tristesse et de regrets.

Jérôme l'avait-il oubliée ? Plus d'un an avait passé. Il ne lui avait plus jamais écrit. Il n'avait pas cherché à la revoir. Tant d'événements l'avaient entraîné loin d'elle !

Il s'était battu pour Louis de Condé ; il avait pris une maîtresse. Plus que jamais, alors que les Princes étaient enfin sortis de leur prison, il devait être maintenant accaparé par les formidables, les très complexes intrigues de la Fronde. Néanmoins, Charlotte ne pouvait croire que Jérôme fût devenu tout à fait indifférent. Il lui semblait encore si proche ; il ne cessait de la hanter !

— Est-ce toi ?

Le rideau avait frémi devant la fenêtre. Dehors, la brise d'avril courait légèrement sur le parc et le jardin. Partout, l'air se parait de parfums suaves échappés des arbres, des fleurs de pommiers, de la terre en pleine métamorphose. La chambre elle-même en était baignée.

Arrachée à un sommeil alourdi par les potions, Charlotte croyait voir une silhouette se détacher de la tenture. Était-ce une illusion ? Un nouveau fantasme né de son besoin douloureux de revoir Jérôme ? La vision se prolongeait. Lente,

silencieuse, elle s'approcha et bientôt fut tout près d'elle, agenouillée contre son lit, le front posé sur sa paume ouverte.
Charlotte retint son souffle, immobile de crainte qu'un geste
même furtif ne dissipât le songe. Puis, tout à coup, une joie
infinie la submergea, un sentiment d'achèvement, de plénitude qu'elle éprouvait pour la première fois de sa vie.

Elle ne pouvait pas douter. Il était revenu. Depuis un mois,
elle l'avait tant espéré, tant appelé, qu'il l'avait entendue et
venait lui répondre. Que disait-il, chuchotant dans l'ombre
des mots indistincts ? Qu'importait, après tout ! Il était là ;
leur amour n'était pas mort mais palpitait toujours, comme
une petite flamme inextinguible, prête à se raviver, à les
embraser tous les deux.

Le temps s'étira, entraînant Charlotte loin de toute notion
précise. Mais à demi éveillée, elle continuait à sentir la présence de Jérôme, toujours à genoux et devinait les battements
de son cœur à l'unisson du sien.

Insensiblement, l'obscurité se teinta de gris. Dans la
grande maison encore paisible, des pleurs d'enfant trou-
blèrent soudain le silence. Une porte grinça, des pas traver-
sèrent un corridor jusqu'à la chambre du petit Pierre. Cateau
avait dû rejoindre la nourrice. Leurs voix répondirent aux
protestations du bébé.

Jérôme s'était relevé et regagnait la fenêtre.

— Non ! non ! ne pars pas ! supplia Charlotte.

Redressée sur son lit, elle essaya de le distinguer encore
dans la faible lueur de l'aube. En vain ! Elle se retrouvait
seule, son bonheur évanoui.

— Jérôme !

A ces cris, Floriane accourut, persuadée que sa fille avait
rêvé.

— Il n'y a personne, affirma-t-elle après avoir, sur sa
demande, regardé au-dehors.

Puis elle repoussa la fenêtre, tira le rideau et doucement
demanda :

— Tu penses encore à lui, n'est-ce pas ?

Charlotte ne s'étonna pas de la question mais, détournant la tête, murmura contre ses oreillers :

— Vous ne pouvez pas comprendre, maman. Pour vous, tout a été si simple.

— Crois-tu ?

— Mais si ! Vous aimiez mon père, vous l'avez épousé. Vous, vous avez su choisir !

— C'est peut-être vite résumer les choses, répondit Floriane embarrassée.

« Vous, vous avez su choisir ! » Par ces mots, Charlotte avouait son échec et s'en rendait responsable. Avec chagrin, sa mère imaginait ce qu'elle devait éprouver si réellement elle aimait encore le comte de Venoy.

— Non, tu ne t'es pas trompée dans ton choix, reprit-elle. René possède toutes les qualités pour te rendre heureuse. Ne le mésestime pas et reviens à lui.

Qu'il était délicat de faire la morale, de rappeler les devoirs d'une épouse lorsque soi-même on s'était souvent égarée ! Malgré son amour pour Artus, Floriane avait en effet connu, jadis, d'autres passions. En particulier, il y avait eu un homme, son premier véritable amant, resté jusqu'à la fin le plus cher et le plus tendre des amis, François de Bassompierre, dont le souvenir, par-delà la mort, continuait à rayonner en elle.

Des larmes lui montèrent aux yeux qu'elle s'efforça de cacher en rangeant de menues choses dans la chambre.

— Consacre-toi à ton mari et à votre fils, poursuivit-elle néanmoins avec toute la conviction dont elle fut capable. Tu finiras par oublier le reste. Il le faut d'ailleurs. Les folies ne mènent à rien, crois-moi, ma chérie.

Son trouble n'échappa pas à Charlotte qui sembla toutefois accepter la leçon. Il ne fut plus question de Jérôme. Mais à partir de ce jour, la jeune femme parut recouvrer rapidement sa santé, son énergie. A tel point que devant ce spectaculaire rétablissement, Floriane se persuada vite qu'il n'y avait certainement pas de quoi, au fond, dramatiser la situation et décida de regagner Paris.

185

— Rejoins-nous bientôt. Tout le monde te réclame, le roi et le duc d'Anjou les tout premiers. Tu sais que ce sont tes deux plus fervents adorateurs. Et je ne parle pas d'Adrien !

— Je verrai. Peut-être. Au revoir, maman !

Le premier soin de Charlotte, après le départ de Floriane, fut d'interroger sa dame de compagnie.

— Ermelinde, vous qui connaissez ma mère depuis bien des années, parlez-moi un peu d'elle. Je m'aperçois qu'on ignore toujours tout de ses proches.

Surprise, la vieille demoiselle eut tout d'abord quelque scrupule à la satisfaire. Mais comme elle ne demandait qu'à bavarder, flattée par l'intérêt de Charlotte, en outre encouragée par les verres de rossolis que celle-ci lui versait, Ermelinde Frumence s'exécuta et longuement se pencha sur le passé de Floriane.

Or, à mesure que surgissait ce passé houleux, Charlotte voyait se dénouer les attaches, s'effondrer les barrières qui jusqu'à présent l'avaient retenue. Tout un vaste univers s'ouvrait devant elle où, libre, lucide, elle allait s'avancer sans avoir de comptes à rendre à quiconque et surtout pas à une mère séductrice et vagabonde, un père trop faible, un époux qu'elle devinait de la même veine qu'eux, léger, habile aux compromis. Ils l'avaient tous trompée. Elle ne leur devait plus rien.

Ivreville était redevenu son beau domaine privilégié. Il n'était pas encore temps pour Charlotte d'en partir. Avant, il fallait que s'imposât la vérité. Si la présence nocturne de Jérôme n'avait pas été un rêve, immanquablement un nouveau signe se manifesterait, celui qui déciderait seul de son avenir.

III
Des lauriers pour l'Amour

(Mai 1651 - Avril 1652)

... « *Et comme je t'ai donné des roses,*
je te veux offrir des lauriers. »

... Tristan L'Hermite
« La Lyre »

Quittant la route qui menait à Dieppe, Jérôme de Venoy poussa son cheval sous le couvert des arbres. De sentiers à moitié effacés sous les branchages, en petites coupes à travers champs, il s'approcha d'Ivreville dont il aperçut les maisonnettes fumant paisiblement autour de l'église. Encore une demi-lieue et il trouverait le château, les couleurs douces, un peu fanées de ses briques enserrées dans les colombages, son jardin et son épaisse couronne de verdure où jusqu'au soir il se dissimulerait. Alors, cette fois encore, il entrerait comme un voleur dans la demeure de Charlotte, retrouverait sa chambre, reprendrait avec elle le dialogue inachevé.

Dire qu'il avait cru l'avoir perdue ! Qu'il l'avait maudite, et avait voulu mourir en apprenant son mariage ! Mais tandis que Mme de Longueville mettait toute son autorité à le guérir de ses blessures, Jérôme avait fini par comprendre que rien ne pourrait jamais enrayer le cours du destin. Enfin rétabli, ayant rompu avec sa maîtresse, revenu à Paris durant l'hiver, lors de la libération des Princes, il avait fait de rapides et discrets voyages en Normandie sans pourtant rencontrer Charlotte, sans même lui écrire. Prudent malgré sa passion obsédante, il entourait ses allées et venues de mystère. Personne ne devait percer son secret. Un dernier doute l'avait également retenu : Charlotte l'aimait-elle toujours ? Son mariage, la maternité — car, bien sûr, il avait aussi appris cela — ne l'avaient-ils pas, en la transformant, éloignée de lui davantage ?

Sa dernière visite avait en partie dispersé ses craintes lorsque, au mépris de toute raison, il avait pénétré chez elle. Durant cette heure passée à son côté, il avait cru la sentir proche et confiante, plus tendre, plus offerte qu'elle ne l'avait jamais été. Et sans les bruits qui avaient brutalement brisé l'enchantement, peut-être aurait-il...

Aujourd'hui, il revenait chercher une certitude.

Aux abords du château, il mit pied à terre et attacha son cheval à un arbre. Le soleil déclinait mais le sous-bois conservait encore une lumière tiède et dansante retenue au travers des feuillages peuplés d'oiseaux. Un galop résonna au loin et bientôt, sur le chemin étroit, entre les taillis, les troncs vigoureux, Jérôme vit apparaître une cavalière. Sans hésiter, il écarta les branches et s'avança au-devant d'elle.

Surprise, Charlotte tira sur les rênes. Sa monture hennit, se cabra. Mais il en fallait plus pour désarçonner la jeune femme. Machinalement, elle flatta l'encolure de la jument noire qui renâcla, mécontente d'être arrêtée dans sa course, piaffant, piétinant le sol de ses sabots impatients. Charlotte ne voyait plus que Jérôme, maigre et hâlé, bien plus beau que dans son souvenir. De nouveau, elle se sentait prisonnière de ses yeux de magicien. Il lui tendit les bras ; elle se laissa glisser contre lui.

Longtemps ils restèrent enlacés, incapables d'exprimer autrement leur joie d'être réunis. Puis Jérôme s'aperçut qu'un sanglot secouait le corps gracile qu'il serrait avec passion. Penché sur Charlotte, il vit les larmes couler sur son visage qui tentait malgré tout de lui sourire.

— Non, non... Il ne faut pas, chuchota-t-il.

190

Délicatement, il effaça les pleurs de ses lèvres assoiffées et soudain, n'y tenant plus, fondit sur les siennes, avide d'en retrouver enfin la tiédeur.

« Mes premières larmes », pensait Charlotte, suffoquant sous la violence de son baiser.

Même aux heures les plus noires, en effet, elle n'avait pas pleuré. Le chagrin avait secrètement exercé ses ravages. Et voici qu'en cet instant, de façon salutaire, son âme, son corps se soulageaient de leurs peines pour mieux laisser place à l'ivresse, au désir. Elle avait payé trop cher ses velléités et ses scrupules pour rester insensible à l'amour qui lui revenait. Jérôme le comprit. Sans plus attendre, son bras autour de sa taille, il l'entraîna au cœur de la forêt.

Le cri de Charlotte fut pareil à la plainte d'un animal blessé. Telle une biche terrassée par le chasseur, elle gisait, tremblante, douloureuse et craintive. Son regard agrandi, reflétant l'envers délicat des feuillages, s'était voilé comme au seuil d'une mort certaine. Mais la lame qui venait de pénétrer en elle avec tant de vigueur, n'était pas une arme mortelle. Au contraire, elle était source de chaleur et de vie. Dans le creux de sa chair labourée, le plaisir ne tarda pas à naître pour s'enfler, se propager partout, irradier tout son être secret, tandis qu'en surface, sa peau dénudée, livrée à la bouche, aux caresses de Jérôme, n'était plus qu'un long frisson voluptueux.

— Que tu es belle ! souffla-t-il, ébloui en la découvrant.

Sa voix rauque acheva de trancher le dernier lien qui retenait Charlotte. Sa peur se fit audace ; sa pudeur devint ardeur. Embrasés par la même fièvre, la même folie, les amants ne furent bientôt qu'une seule flamme qui sembla ne jamais vouloir s'éteindre.

A travers leurs manteaux étendus sur le sol, Charlotte sentait les mousses et les feuilles sèches creusées par leur empreinte. Autour d'eux, les arbres donnaient l'impression de s'être rapprochés. L'ultime rayon du couchant s'était effacé derrière les ramures. La nuit s'avançait ; la forêt se refermait sur eux. On l'eût dite prête à les engloutir. Comblée par l'amour, pas encore tout à fait sortie du bienheureux anéantissement dans lequel ils s'étaient tous deux perdus, Charlotte le souhaita passionnément. Oui, qu'ils soient ensemble aspirés par les forces occultes qui les cernaient ! Qu'ils deviennent poignée de terre, feuille nouvelle, écorce argentée, senteur sylvestre ! Ainsi resteraient-ils indissolublement unis !

Elle le regarda partir aux premières lueurs de l'aube. Elle ne sentait ni le froid, ni l'humidité plus denses au fil des heures. Elle ne pensait même pas à l'inquiétude qui devait régner au château où depuis la veille on guettait certainement son retour. Sa jouissance avait été si forte qu'elle faisait encore vibrer ses membres harassés et meurtris. Charlotte ne s'appartenait plus désormais. Elle s'était donnée tout entière, âme comprise. Mais cette soumission, qu'elle avait si longtemps refusée, méprisée, l'emplissait d'orgueil et de joie. Ainsi l'amour s'était révélé plus magnifique, plus terrible que tout ce qu'elle avait pu prévoir, faiblesse sans doute, mais faiblesse glorieuse qu'elle aurait voulu afficher à la face du monde.

Au contraire, Jérôme s'ingéniait à s'entourer de précautions, redoutant l'amitié de M. le Prince, plus exalté, plus excessif que jamais après sa longue captivité. De quoi eût-il été capable, Seigneur, en apprenant la raison des bizarres disparitions de son ami Venoy, quatre jours de-ci, de-là, dont il revenait avec une mine épouvantable, hâve et crotté comme un brigand de grands chemins ? Jérôme évoquait des affaires de famille, des visites à son père, prétextes dont n'était pas dupe Louis de Condé.

— Je finirai bien par savoir le nom de ta dulcinée et où elle se niche. Ensemble nous irons la débusquer pour la ramener ici, à portée de main, proposait-il dans un rire un peu fou.

Jérôme revint pourtant au cours du printemps et de l'été. Il trouvait toujours, après avoir laissé un Paris surchauffé, véri-

192

table bouillon de révolte, un univers retiré, magique, où l'attendait son amante, sa dryade, sa Charlotte, chaque fois plus passionnée, plus ensorcelante. Mais leurs séparations étaient aussi à la mesure de leurs délires. Ces quelques heures volées de temps à autre au charme des bois, malgré leur goût unique de mystère et d'éternité, bien vite ne lui suffirent plus.

A sa dernière visite, il pressa Charlotte de quitter Ivreville.

— Ça ne peut durer. Je te veux près de moi, te voir tous les jours ; au moins respirer le même air que toi. Et ne me dis pas que tu n'en as pas envie toi-même !

Charlotte sourit devant une impatience qu'elle ne partageait pas de la même façon.

— Tes absences sont emplies de toi, lui expliqua-t-elle. Chaque objet, chaque aspect de la nature, les caprices du temps, les pages d'un livre, m'évoquent ton visage. Je t'attends en revivant tous les instants de nos rencontres. Toujours tu m'accompagnes.

— Charlotte ! Que tu es donc étrange ! Mais ce n'est pas assez. Lorsqu'on aime passionnément...

Un baiser le fit taire.

— Nous nous disputons déjà !

— Tu sais, reprit-il, ces voyages soulèvent de telles difficultés...

— Oui, je comprends, Jérôme. Je viendrai très bientôt.

L'amour qui avait fait de Charlotte une toute nouvelle femme, plus conciliante, perméable aux voix du cœur, n'avait pas néanmoins détruit ses orgueilleux principes. Si elle acceptait de revenir, elle entendait que son retour fût paré d'éclat, d'un caractère symbolique. La proche majorité du roi, donnant lieu à des festivités particulières, était pour elle une excellente occasion de réapparaître parmi les siens.

★
★ ★

Une première déconvenue attendait Charlotte à Paris : l'Hôtel d'Ivreville était inhabitable, livré aux ouvriers, de la cave au grenier.

— Ma mère ne m'en a rien dit ! fit-elle avec irritation au vieux La Musette installé dans la loge du concierge pour la durée des travaux.

— Madame votre maman partage en ce moment les soucis de la reine. Elle aura oublié. Mais nous aurons bientôt une belle maison, toute neuve. Par exemple, imaginez, mademoiselle Charlotte, à la place de ce balustre...

— Cela ne me dit pas où je logerai ce soir, coupa-t-elle impatiemment.

— Où ? Mais chez votre mari ! On vous attend à l'Hôtel de Barradas.

Précisément, Charlotte n'avait jamais eu l'intention de s'y rendre. Que faire ? Elle était contrariée au point de rebrousser chemin s'il n'y avait eu sa parole de rejoindre Jérôme très vite. Elle aussi avait maintenant besoin de le revoir, de se retrouver dans ses bras, un besoin si fort qu'elle en était effrayée, sans pouvoir toutefois s'y soustraire.

Résignée, elle rappela Cateau qui bavardait avec les domestiques de ses parents et remonta en carrosse.

— Vous n'avez pas amené votre fils. Comment va-t-il ? demanda Jean La Musette.

Ses yeux bleus lui souriaient. Charlotte remarqua des miettes de biscuit restées accrochées sur sa bedaine.

— Tu es donc toujours aussi gourmand ? se moqua-t-elle affectueusement avant de lui répondre : Mon fils se porte bien. Lui aussi adore manger. Tu le verras plus tard. Par ces chaleurs, il est mieux à Ivreville avec Ermelinde.

— Ça, c'est sûr, opina La Musette.

Il donna l'adresse au cocher. L'équipage repartit en direction de la place Royale.

— Sus ! Sus ! Aux mazarins !

A ces cris, Charlotte se pencha à la portière. Non loin de l'Hôtel de Barradas, sous les arcades, elle vit trois femmes et un petit garçon suivis d'une demi-douzaine d'individus. Grossiers, excités, ceux-ci brandissaient le poing en répétant l'injure suprême :

— Aux mazarins !

A cet instant, l'une des femmes s'étant retournée, Charlotte s'aperçut qu'il s'agissait d'Antoinette, sa belle-sœur. Elle reconnut, à ses côtés, la mère de René, Gabrielle de Barradas, accompagnée du plus jeune des garçons et d'une servante. Pressés par la horde hargneuse, tous quatre n'eurent que le temps de s'engouffrer sous la porte cochère de leur maison. Deux minutes plus tard, le carrosse de Charlotte y parvenait à son tour. Les braillards lui barrèrent le passage :

— A bas les mazarins ! Tous à la potence avec le bougre de Sicilien !

Les valets tentèrent de les disperser ; le cocher distribua quelques coups de fouet au hasard. Sans succès. Un avorton hirsute monta sur le marchepied et cracha à l'intérieur de la voiture, atteignant la robe de Charlotte. La vue de ces deux femmes — l'une terrorisée, l'autre superbe, véritable statue de marbre — l'enhardit. Il ouvrit la portière, grimpa les rejoindre. Il n'eut pas le loisir de comprendre ce qui lui arrivait.

En un éclair, il se trouva empoigné au col, maîtrisé de telle façon qu'aucun geste ne lui fut possible, une dague fortement appuyée sur la gorge !

— Tu vas dire à tes comparses de nous laisser passer et de décamper en vitesse ! lui intima Charlotte qui, avec sang-froid et très à propos, avait tiré cette arme d'ordinaire fixée sous son siège.

L'homme était si laid, si puant, son audace la révoltait à tel point, qu'elle contenait mal une envie de l'égorger comme un pourceau.

— Hé, les gars ! Laissez passer la dame ! bredouilla-t-il, stupéfait de s'être fait harponner par une aussi délicate, une aussi hiératique créature.

Surpris également, le petit groupe recula, dégageant le car-

195

rosse. Charlotte tenait toujours sa proie. Un rire jovial l'accueillit au seuil de l'Hôtel.

— Libérez donc ce chien ! Il doit être plein de puces.

René de Barradas s'avança et fit sortir l'avorton lui-même, l'expédiant d'un rude coup de pied aux fesses devant ses laquais.

— Mes gens lui donneront la correction qu'il mérite, expliqua-t-il à Charlotte. Maintenant, prenez la peine de descendre. Bienvenue, ma chère.

Dans la cour, attendait toute la tribu Barradas, turbulente, amicale et admirative.

— Vous nous étonnerez donc toujours, s'émerveilla René en offrant le bras à sa jeune femme.

Gabrielle et Antoinette firent apporter une collation dans l'antichambre. Charlotte accepta une limonade, donna des nouvelles du petit Pierre. A son étonnement, tous semblaient avoir oublié l'incident. Sans plus attendre, elle demanda un entretien particulier à son mari. La famille les laissa seuls.

— Maintenant, monsieur, expliquez-moi comment, à Paris, en plein jour, devant votre propre demeure, je sois exposée aux insultes de la canaille ! éclata Charlotte, outrée.

— Vous l'avez constaté, nous sommes tous exposés.

— Pour quelle raison ?

René prit un ton léger pour répondre :

— Bah ! Nul n'ignore où vont mes sympathies. Me sachant un fidèle de M. Mazarin, les sots se permettent quelques petites critiques.

— Quelques petites critiques ! s'exclama Charlotte. Vous vous moquez ! Mais j'ai vu votre mère, ses enfants, poursuivis ! Moi-même, j'ai été outragée, alors que je n'ai que faire de votre Cardinal du diable ! Et vous appelez « sots » ces gibiers de pilori !

— Vous avez su leur tenir tête, ma chère. Encore bravo ! A mon avis, cela mériterait bien un petit baiser, non ?

— Non ! fit-elle en lui échappant, à bout de patience.

Il avait le toupet de tout prendre avec désinvolture, de songer à badiner !

DES LAURIERS POUR L'AMOUR

Son indignation ramena René à plus de sérieux :

— Bien sûr, cet incident est fâcheux, j'en conviens. Et ce n'est pas le premier ! reconnut-il. En effet, cette ville est devenue trop malsaine pour que nous puissions même y demeurer encore longtemps. Vous le savez, car je vous l'ai écrit, que nos terres de Champagne ont souffert du passage des troupes de Turenne et de l'Archiduc Léopold. Toute la région est d'ailleurs dans un triste état. Mon père a dû se rendre à Damery*, espérant remédier un peu au désordre. Mais, fort heureusement, votre mère a l'amabilité d'offrir l'hospitalité, dans son domaine de Saint-Évy, au reste de ma famille. Vous pourriez y aller vous aussi et y faire venir notre fils. La guerre s'annonce, Charlotte. Tant de gens la souhaitent !

Elle déclina l'offre pour elle-même tout en convenant que ce serait une bonne idée d'envoyer Pierre et Ermelinde en Anjou.

— Mais vous ? Où irez-vous ? questionna-t-elle à son tour.

— Rejoindre Brühl dès qu'aura été proclamée la majorité du roi. Ensuite, selon les événements, j'aiderai le Cardinal à préparer...

René se tut. Devant son silence, Charlotte poursuivit d'une voix ironique et méprisante :

— A préparer son retour, n'est-ce pas ? Sûrement bien armé, afin qu'il puisse aisément semer la désolation, le chaos. Mon Dieu, comment pouvez-vous accepter d'être son complice ? D'engager pour lui votre honneur et le salut de tous les vôtres ? Un homme qui a toujours manqué à sa parole, souvenez-vous, René. Si notre départ aux Iles ne s'est pas fait, ce fut bien à cause de lui, si empressé à satisfaire les fantaisies de ma mère.

A mesure que Charlotte parlait, son indignation, son désarroi augmentaient. Trop, c'était trop. Elle avait ressenti la mésaventure de tout à l'heure comme un affront personnel, comme l'ultime point d'une rupture inévitable.

* Marne.

197

— J'en arrive à croire ceux qui l'accusent de magie. Ma parole, ce parvenu vous a tous envoûtés ! Que lui trouvez-vous de si remarquable ? Pourquoi vous accrochez-vous à lui ?

— Pour mieux servir le roi, soupira René.

— Pour mieux le perdre, reprit Charlotte soudain moins véhémente, mais avec, au contraire, une sorte d'accablement.

— Vous changerez d'avis, ma douce petite. Maintenant vous ne devriez songer qu'à vous reposer de votre voyage. Montez un moment dans votre chambre.

Il avait pris ses mains et se montrait patient, tendre. Elle ne le repoussa pas. Mieux valait, pour ce qu'elle avait à lui dire, le regarder bien en face, sans chercher à s'esquiver lâchement.

— Non, René. Je m'en vais tout de suite. Après ce que je viens de voir, d'entendre, je crois qu'il vaut mieux nous séparer. Notre mariage a été une erreur. Vous le savez bien vous-même. Tout nous différencie. Nous avons choisi des voies contraires. Revenir au point de départ serait impossible.

— Il arrive que des routes se recroisent, murmura-t-il gravement.

— J'en doute en ce qui nous concerne.

Ah, que n'eût donné René pour savoir exactement ce qu'elle taisait sous ces mots en apparence si nets, si francs ! Elle avait changé. Comment ? En quelles circonstances ? Il n'aurait su le dire mais il l'aimait trop pour ne pas en flairer la raison : Venoy ! C'était pour Barradas une certitude. Charlotte n'avait pas renoncé à son ancien amour, l'avait revu peut-être ?

« Un jour, se dit-il avec une fureur jalouse qu'il réussit à dissimuler, j'aurai cet homme en face de moi, à ma merci. Et alors !... »

— J'ai toujours respecté votre liberté, Charlotte, reprit-il d'un ton neutre. Mais puis-je vous demander cependant quels sont vos projets immédiats ?

— Je vais me rendre aux Tuileries. Mademoiselle m'y hébergera quelque temps. Je verrai pour la suite.

198

DES LAURIERS POUR L'AMOUR

Charlotte ne voulait envisager un avenir lointain. Tout dépendrait de Jérôme et de l'effacement de René. Dépendance qu'elle n'acceptait pas du reste sans révolte intérieure.

— C'est là en effet une idée excellente. Mademoiselle vous adore. Tout comme moi, chérie. Vous me permettrez cependant de vous accompagner ? Bien que vous sachiez vous débrouiller toute seule. Vous l'avez prouvé amplement.

Le voyant plaisanter selon sa vieille manie, Charlotte se demanda une fois de plus si René tenait réellement à elle, s'il était capable de sentiments profonds. Tout autre que lui l'aurait contrainte, aurait usé de ses droits d'époux. Lui, non. Il était beaucoup trop superficiel, trop inconséquent pour agir avec poigne. Il n'était en fait qu'un garçon aimable, ennemi des complications, sur lequel, pour son propre malheur, elle avait cru pouvoir compter.

★
★ ★

C'était le plus magnifique carrosse de demi-deuil qu'on avait jamais vu. M. le Prince l'avait fait faire en prévision de son départ pour la Guyenne dont il avait été nommé gouverneur. Le deuil était celui de sa mère, la vieille madame la Princesse, morte à la fin de l'année dernière. Recouvert de cuir noir, frappé aux armes des Bourbon Condé, festonné de crépines, abondamment garni de clous et de boucles en argent massif, ce carrosse énorme arborait aussi, sur toutes ses faces, la couronne princière fleurdelisée. A sa tête, des chevaux à la robe d'ébène frétillaient sous les pompons et les grelots. Des cavaliers en armes, tous gentilshommes, en ouvraient et fermaient la marche. Une nuée de pages et de valets de pied, pourpoints de buffle et chausses de drap noir galonné d'argent, courait, s'accrochait, sautait tout autour comme autant de fourmis s'affairant sur un morceau de choix. Au passage de l'équipage, sombre et splendide dans un

Paris estival, les maisons, les boutiques se vidaient d'un flot de curieux. La main au chapeau, une extase craintive dans les yeux, on saluait M. le Prince.

Mais lui, que pensait-il assis sur ses coussins de velours noir, à broderies et franges argentées ?

La joie inexprimable qu'il avait éprouvée en sortant de prison s'était effilochée de semaine en semaine. Et comme jamais rien chez lui n'était sans relief, une poignante amertume l'avait remplacée.

La discorde n'avait pas tardé à faire éclater l'entente des Frondeurs que seul l'acharnement à éliminer Mazarin avait un moment unis. Bien vite, les humeurs, les intérêts particuliers avaient repris le dessus. Après avoir adulé le Prince à son retour, on l'exécrait de nouveau, à présent. Que s'était-il passé ? Malhabile en politique, Louis de Condé n'avait réalisé aucun des mirifiques exploits que chacun avait espéré lui voir accomplir. Il avait refusé les extrêmes, comme de destituer la régente, par exemple. Au nom de l'honneur.

Dans l'ombre de son carrosse, Louis de Condé eut un ricanement silencieux et méprisant. Que pouvaient-ils connaître de l'honneur, ces Messieurs du Parlement, cette foule lunatique et stupide qui l'applaudissait aujourd'hui pour mieux l'abattre demain, tout juste bons, les uns et les autres, à s'illustrer dans des « guerres de pots de chambre » ? Ses intentions étaient beaucoup plus simples : repousser la majorité du roi jusqu'à l'âge de dix-huit ans comme cela se pratiquait jadis ; accumuler les titres, les charges, les richesses, les lauriers, nommer les ministres, décider de tout, mais ceci dans le strict respect du trône, Condé ne demandait rien de plus, rien de moins. Et c'était trop, bien sûr, pour les envieux, les ambitieux de tout poil. Pour l'instable Monsieur, pour Gondi, ce machiavel en soutane aux pensées assassines qui tournait autour de la reine. Cette dernière ne jouait pas elle-même une partie franche. Tout en flattant Condé et le nommant gouverneur de Guyenne, elle s'ingéniait par ailleurs à écarter ses protégés du Conseil, à le brouiller avec tout le monde. Un esprit malin semblait lui souffler la meilleure manière d'exciter les convoitises, de rompre les alliances, de semer partout les dissentiments. Un esprit malin qui hantait la Cour et ne pouvait être que celui du Sicilien ! Il était évident que Mazarin continuait, de Brühl, à influencer Anne d'Autriche. La France n'en était pas débarrassée ! Contre lui, la force armée apparaissait de plus en plus comme le seul recours.

La Princesse Palatine et Isabelle-Angélique de Châtillon prétendaient le contraire. Changeantes comme un ciel de mars, voici que maintenant elles poussaient Louis à faire la paix avec la reine. Isabelle-Angélique, son amoureuse petite cousine... Peut-être l'aurait-il écoutée s'il n'y avait eu Anne-Geneviève.

Elle était revenue de Stenay, aveuglée par l'orgueil, traitée en souveraine et entendait par-dessus tout le rester. C'est elle qui, par jalousie et par rancune, avait fait rompre les fiançailles de leur frère Conti avec mademoiselle de Chevreuse, faisant ainsi de la duchesse, mère de la fiancée, de Gondi, son amant, leurs adversaires irréductibles. Anne-Geneviève n'avait pas voulu voir que cette manœuvre avait sans doute été fatale à son propre parti. Elle ambitionnait d'être sans rivale, de continuer la lutte, de décider des affaires, comme elle dirigeait les cœurs. Elle avait pour traiter avec les Espagnols la même aisance qu'elle mettait à évincer son mari, conserver La Rochefoucauld, séduire Nemours — pour narguer Isabelle-Angélique ! Conti, ce bossu, restait fou d'elle. Et tous aspiraient à la guerre puisqu'elle la désirait. Entre ses mains, Louis, comme les autres, abdiquait toute volonté.

Depuis l'enfance, sa sœur le fascinait. La vie pour elle devait être aussi enivrante, aussi éclatante que les romans écrits en leur honneur. Elle n'avait pas sa pareille pour lui parler de révolte, d'héroïsme et de gloire. La gloire ! Louis la voyait sur les champs de bataille étincelant à la pointe d'une épée sanglante, ondoyant sur ses étendards fouettés par le vent ennemi. Pourtant, parfois, il doutait : en existait-il une assez haute, digne de sa naissance, capable d'apaiser enfin ses tourments ? Et serait-ce glorieux de prendre les armes contre le roi de France lorsqu'on s'appelait soi-même Louis de Bourbon ?

Mais que faire d'autre ? Il avait la preuve qu'on en voulait à sa vie ; il était harcelé par sa sœur, pris au piège, englué !

Le velours noir retenait toute la chaleur de ce brûlant mois d'août. M. le Prince approcha son visage de la portière, cherchant un peu d'air frais. En vain. Tout était pesant, étouffant. Les relents putrides montés des fossés avaient aussi gâté les âmes. Sous la morgue et le dédain, Louis se sentait faiblir, ressassait les affections envolées : Marthe du Vigean inaccessible derrière sa clôture ; le tendre La Moussaye mort à Stenay en défendant sa cause ; sa mère disparue, minée par les chagrins. Le dévouement de sa femme n'avait éveillé aucune douceur en lui. Venoy, son meilleur ami, le fuyait. Le roi se méfiait de lui. Ne lui restait donc que la passion vénéneuse de sa sœur Anne-Geneviève.

A l'entrée du Cours-la-Reine, un cavalier était posté, paraissant guetter quelqu'un. Les yeux pervenche de M. le Prince, jusqu'ici indifférents, se mirent à briller davantage. Il n'y avait qu'un homme pour se tenir aussi élégamment en selle, pour arborer avec autant d'insolence et de légèreté ces dentelles de prix et ce panache aux plumes multicolores ; celui-là même qu'il évoquait à l'instant. Sur un signe, le cocher s'arrêta devant le comte de Venoy qui vint s'asseoir à l'intérieur du carrosse après avoir confié son cheval à l'un des valets de pied.

D'abord, tous deux ne dirent mot. Face au visage éloquent de Jérôme — l'expression même de l'amour comblé —, Louis de Condé sentait croître son impression de tristesse et de solitude. Il se mit à maudire à part soi la femme dont il avait deviné le nom, celle qui avait réussi à détruire leur intime et si ancienne connivence.

— Tout a l'air d'aller selon vos désirs. Tant mieux, tant mieux ! railla-t-il, se préparant à entendre quelque vive réponse.

Mais à sa profonde surprise, Jérôme lui sourit spontanément.

Il y avait des années que Louis ne lui avait vu un tel sourire. Il conférait à son séduisant visage un charme tout droit ressurgi de l'adolescence. Il effaçait les années, faisait renaître la complicité perdue.

— Oui, à vous je peux le dire. Je suis heureux. « Elle » est ici depuis hier.

— « Elle » ? Je ne me trompais donc pas, fit Condé, toute aigreur dissipée comme par enchantement. Alors, il n'y aura plus d'échappées subites en province ?

Et voyant rire Jérôme, il ajouta :

— Il n'y aura plus de cachotteries ?

— Pardonnez-moi. J'avais du mal à croire à mon bonheur. Il me semblait trop fragile pour le dévoiler, même à vous.

— Surtout à moi, le plus despotique des amis.

— Surtout à vous, en effet, admit Jérôme, sans louvoyer.

Un instant, ils se jaugèrent.

« Si je n'accepte pas sa liaison, songeait Condé, Venoy me trahira pour elle une seconde fois et ce sera irrévocable. Je serai seul. »

« Si je ne m'en remets pas à lui, je perds l'être qui m'est le plus cher au monde, Charlotte mise à part, et j'en fais notre ennemi mortel », se disait Jérôme de son côté.

Comme par le passé, chacun devinait les sentiments de l'autre. Ils surent donc en même temps qu'ils resteraient fidèles à leur amitié, quoi qu'il advînt.

— Qu'en est-il de l'opinion de la dame de tes pensées ? Car si je ne me trompe, son mari est un enragé mazarin, reprit avec douceur M. le Prince, sans toutefois nommer René de Barradas.

Mais l'allusion suffit à assombrir son ami.

— Ce que fait cet homme n'engage que lui-même ! Charlotte n'en éprouve que du mépris. Elle déteste l'Éminence.

— Voilà donc une bonne raison de l'écraser et ses partisans avec lui, n'est-ce pas ?

— Je suis prêt à les combattre jusqu'au dernier ! jura Jérôme froidement, rêvant d'un face-à-face sans quartier avec Barradas.

— Par tous les moyens ? lui demanda le Prince.

— Oui, tous !

— Quitte à te lancer dans une guerre civile ?

Le regard de Condé était d'un éclat insoutenable. Il quêtait une certitude, la redoutait et pourtant l'appelait de toute son âme tant il était las de tergiverser. Venoy appuya fortement une main sur son bras :

— Cette guerre serait légitime et salutaire, dit-il d'une voix persuasive.

Aucune hésitation chez lui, tout entier habité par l'amour de Charlotte et la gloire de son prince.

Louis de Condé ferma les yeux, la tête renversée sur la cloison de velours. Il avait l'air de souffrir infiniment.

— Ah ! toi aussi " tu me forces donc à tirer l'épée ? Eh bien, soit ! reprit-il après un long silence. Mais n'oublie pas, Jérôme, que je serai peut-être le dernier à remettre cette épée au fourreau ".

Pendant ce temps, cinq ou six hommes à cheval avaient remonté le Cours au petit trot. Parmi eux se trouvait le roi. Comme chaque jour, il était allé à Clichy se baigner dans la Seine et prolongeait sa promenade sans escorte particulière. Le grand carrosse noir et argent le frôla, négligeant de s'arrêter, et poursuivit son chemin en sens inverse. Sous l'affront, le roi devint blême. Pourtant, ce fut d'un ton maîtrisé qu'il murmura à l'adresse de son plus proche compagnon :

— Vois-tu, Adrien, " si j'avais eu mes gardes auprès de moi, j'aurais donné une belle peur à M. le Prince ".

★
★ ★

Ainsi qu'elle l'avait escompté, Charlotte s'était vu attribuer par une Mademoiselle chaleureuse la plus belle chambre des Tuileries et une place privilégiée dans le cercle de ses intimes. Son hostilité envers le Cardinal, le récit de sa récente agression, avaient suffi à lui assurer des appuis, des sympathies, acquis depuis longtemps déjà auprès de l'entourage à la fois fantasque et altier de la princesse.

Les jours se mirent alors à filer pareils au sable d'une grève, fluides et légers, alors qu'ils n'avaient jamais été aussi chargés de mouvements, de sensations. Comment les retenir ? Tout allait trop vite au gré de Charlotte. L'amour l'entraînait dans une marche inexorable à laquelle il lui était impossible d'échapper. Impossible aussi de savoir où la conduirait cette course étourdissante.

Le présent était agité, fragile ; l'avenir aussi hermétique qu'une page griffonnée de signes trop confus pour être décryptés.

Mais pour Jérôme, Charlotte apprenait non sans mal, non sans résistance, à vivre l'instant qui passe, sans souci de sa durée. Pour lui, elle se mêlait au monde qui était le leur et dont ils dépendaient bon gré mal gré ; elle en acceptait les usages. Pour lui, elle bâillonnait sa raison, ses élans d'indépendance, son horreur de l'incertitude et du mensonge.

D'ailleurs, était-ce bien mentir que de s'efforcer de cacher sa passion aux indiscrets ? Était-ce mentir que d'entourer ses rendez-vous d'un mystère qui en augmentait plutôt l'intensité, le prix ?

Tous deux se voyaient quotidiennement aux Tuileries, au Luxembourg, au Cours, chez Renard, lors des fêtes données au Palais-Royal, dans les environs de Paris : à Limours chez Monsieur, à Saint-Maur chez M. le Prince. Les lois sociales étaient ainsi faites qu'ils se devaient à leur rang et surtout à leurs protecteurs. Mais évitant les endroits à la mode, dès qu'ils en avaient la possibilité, ils se rencontraient aussi dans les églises, les théâtres, les promenades plus populaires, tels le Cours Saint-Antoine et le mail de l'Arsenal, pour le plaisir d'être enfin seuls, de pouvoir rester main dans la main, silencieux, ou au contraire, de parler sans cesse, pressés de tout savoir l'un de l'autre. En ces moments-là, leur désir mugissait comme un océan sauvage qu'ils écoutaient fascinés, sûrs

205

de s'y jeter bientôt. Et en effet, un billet de Jérôme ne tardait pas à prier Charlotte de le rejoindre rue de Tournon. Trouvant toujours quelque bon prétexte, elle quittait alors les Tuileries et son animation luxueuse, franchissait la Seine dans un carrosse de louage et filait le retrouver. Il faisait nuit noire ou bien l'aube pointait. Parfois c'était en milieu de jour. L'heure n'avait pas d'importance. Ils étaient toujours prêts à revivre, en le magnifiant chaque fois, l'enivrement de leur première étreinte. Un miracle qui les laissait confondus, éblouis.

Amour magique, amour insondable... Charlotte en découvrait les contradictions, essayait d'en déchiffrer l'énigme. L'amour était l'extase qui les submergeait, les anéantissait comme l'eût fait une mortelle lame de fond, dont ils ressortaient pourtant régénérés, plus ardents encore. L'amour était également oubli et connaissance : l'oubli de tout ce qui n'était pas Jérôme, son corps, ses yeux où affleurait son âme orgueilleuse et tendre ; et la connaissance de ce qu'elle-même, Charlotte, était maintenant, une femme capable d'impudeur, de soumission, une femme qui ne craignait pas de descendre dans les plus vertigineux abîmes, crépitant de flammes terrifiantes et cependant si pures. Car le véritable amour était douleur et joie, mort et renaissance, comme le reflet terrestre de l'immense amour divin. Là, sans doute, résidait son secret. Dans la pensée de Charlotte, la comparaison n'avait rien de sacrilège. Ce n'était pas le hasard qui les avait unis dès la première seconde mais bien une volonté toute-puissante dont le tableau de Bellini prouvait l'existence, incontestablement.

— Nous n'avons pas à chercher le pourquoi, lui disait Jérôme. Tu es celle qui me manquait, voilà tout. Celle qui guérit des absences, des douleurs, même les plus grandes. Viens, viens, aimons-nous encore.

Inlassablement, il l'entraînait dans le désordre infini des sens. Et tout cela, ces égarements, ces propos fous, cette déraison, était devenu, pour la sage Charlotte, un breuvage

206

grisant dont elle ne pouvait plus se passer au mépris de ses conséquences.

Paris aussi se grisait de fêtes, comme pour oublier les menaces pesant sur un royaume divisé. Un soir, c'était un extravagant souper offert à la reine place Royale par Mme de Chaulnes qui, pour ce faire, mettait ses perles en gage. Un autre jour, tout le monde se rencontrait à une mascarade donnée chez le petit Monsieur. Un dimanche, on vint voir au bas de Chaillot le divertissement aquatique organisé pour le roi par M. de Souscarrière qui faisait souvent office de grand ordonnateur de fêtes. Parmi les barques fleuries, emplies d'invités, une escouade de tritons, de monstres marins, de sirènes aux voix fabuleuses, tous couverts d'écailles d'or, d'argent, d'azur et de vert, se mirent à s'ébattre autour d'un Neptune à la barbe turquoise. Un système ingénieux de vessies gonflées d'air, accrochées à leurs queues taillées dans des clisses de bois, empêchait les nageurs de couler. Pour finir, une baleine énorme vomit tout à coup des jeunes gens à demi nus qui, sous les bravos, plongèrent, pirouettèrent dans la rivière, comme de vrais poissons.

Un autre dimanche, eut lieu la première course de chevaux suivant une mode venue d'Angleterre, avec paris importants et des bêtes préparées tout exprès, selon une méthode pratiquée aussi outre-Manche. Exclusivement nourris de pain, d'anis, de fèves à la place de leur habituelle ration d'avoine, les chevaux avaient été gavés d'œufs frais dans les jours précédant l'épreuve. Celle-ci se déroula au bois de Boulogne, le départ et l'arrivée se faisant à la barrière de La Muette avec un parcours poussé loin sur le chemin de Saint-Cloud. Les deux cavaliers en compétition portaient un habit surprenant, très étroit, leurs cheveux relevés et maintenus sous un petit bonnet. Le plus mince avait glissé du plomb dans ses poches afin d'égaler le poids de son concurrent. Les gens de Cour suivirent cette course originale, mêlés aux artisans et aux bourgeois, tous unis par la même curiosité bon enfant, toujours prêts à accueillir une nouveauté, qu'elle soit innocente ou périlleuse.

Pendant ce temps, les plus violentes discussions secouaient le Parlement. L'envie de meurtre était dans les airs. Fort des amabilités et des promesses de la reine, soutenu par nombre de magistrats, le Coadjuteur s'acharnait sur Louis de Condé, rêvant de voir une dague lui percer le cœur. Une échauffourée entre leurs partisans respectifs faillit tourner au carnage lors d'une réunion matinale. Coincé entre les deux battants d'une porte, Gondi échappa de peu au poignard de La Rochefoucauld. Pour calmer les esprits, la reine signa une déclaration reconnaissant Mazarin coupable, tout en confirmant son bannissement.

Pour Anne, l'heure approchait de remettre l'État entre les mains de son fils. La proclamation de sa majorité, tant attendue, éclairerait peut-être l'inimaginable imbroglio qu'était présentement la scène politique. De toutes les fêtes, cette proclamation fut de loin la plus belle, la plus émouvante et la plus chargée d'illusions.

— Nous ne pourrions être mieux placés ! s'écria avec satisfaction Mademoiselle, après un coup d'œil à la fenêtre.

Toute une façade de l'Hôtel de Schomberg, où la princesse venait d'arriver, donnait en effet sur l'entrée du Palais-Royal. Bien avant l'aube, le cortège qui devait accompagner le roi au Parlement avait commencé à se former. Sur tout le parcours qu'ils emprunteraient bientôt, un cordon de gardes s'employait à contenir la foule déjà massée de la rue Saint-Honoré à l'Ile de la Cité, en passant par la rue de la Ferronnerie, le Châtelet, le pont Notre-Dame. Tout le reste de la ville était désert. Des « échafauds », dressés un peu partout, étaient vite devenus grappes humaines malgré le prix à payer pour y avoir une place. Certaines fenêtres avaient également été louées à prix d'or ; on en avait même agrandi plusieurs afin qu'un maximum de spectateurs pût s'y installer. Les plus hardis d'entre eux avaient grimpé jusqu'aux toits. Les uns et les autres s'interpellaient, Parisiens mais aussi provinciaux, étrangers venus d'Allemagne ou d'Angleterre qui tous mêlaient leurs voix diverses. Un joyeux brouhaha digne de Babel courait dans la brise. Ce jeudi de septembre s'annonçait exceptionnellement radieux. L'air n'était qu'un frémissement d'émotion, d'excitation, de plaisir, comme pour un jour de noces.

Mademoiselle n'était pas la seule à avoir accepté l'invitation de la maréchale de Schomberg. L'Hôtel s'était peu à peu rempli d'hôtes prestigieux : la reine d'Angleterre, son fils le duc d'York et sa fille Henriette, une enfant contrefaite mais charmante ; Anne de Gonzague, Princesse Palatine ; la duchesse et Mlle de Chevreuse ; d'autres encore parmi lesquelles Mmes de Frontenac, de Bréauté, de Fiesque et de Barradas, les amies de Mademoiselle, qui avait aussi amené l'une de ses petites sœurs, Marguerite-Louise d'Orléans, âgée de six ans. Un bonhomme rondelet, vêtu bourgeoisement de serge noire, s'était faufilé parmi les froufrous et les éventails, son œil malicieux en éveil. Il s'agissait du poète Jean Loret, le plus curieux, le plus au fait des gazetiers de France. Chaque semaine, ponctuellement, il rédigeait en vers, à l'intention de l'une de ses bienfaitrices, Marie de Longueville, un compte rendu des événements ; et sous sa plume, potins mondains, nouvelles graves, devenaient un régal pour l'esprit.

Mme de Schomberg, quant à elle, n'était autre que Marie de Hautefort, jadis dame d'honneur dévouée à la reine, longtemps aimée par le roi Louis XIII. N'ayant pas caché son antipathie pour Mazarin, son franc-parler l'avait jetée en disgrâce, comme beaucoup d'autres que la reine avait sacrifiés au ministre. Son mariage avec le maréchal de Schomberg avait heureusement adouci sa peine.

A neuf heures, ses invités étaient aux fenêtres pour voir enfin le cortège se mettre en marche.

Au premier appel des trompettes, les pigeons s'étaient enfuis des cheminées du Palais-Royal ; les chevaux avaient secoué leurs harnais, leurs sabots avaient frappé le pavé. Propageant leurs bruits joyeux de rue en rue, le long fleuve magnificent prit son cours.

LE VENT SE LÈVE

La régence s'achevait ; la France avait maintenant un maître à l'incontestable autorité, un garçon de treize ans affranchi de toutes les tutelles. Il était bon de le rappeler en cette période de turbulences. Pour lui, rien ne devait être trop grandiose, trop raffiné. La tenue irréprochable des hommes, la valeur des montures, l'éclat des parures, leur prix souvent faramineux, célébraient le jeune monarque à l'aura divine.

Derrière les trompettes et les guides des livrées royales, apparurent d'abord huit cents gentilshommes, la fleur de la noblesse, tous habillés de moire ou de taffetas changeant, panaches frissonnants, bijoux en abondance, perles, or et argent jetés à foison sur les baudriers et les caparaçons. La plupart de ceux qui lestement poussaient leurs chevaux à la crinière frisée, à la queue tressée de rubans, avaient pour ce seul jour accumulé les dettes, voire croqué leur patrimoine. Bah ! Ils n'en étaient que plus fiers et plus insouciants, tel René de Barradas somptueusement équipé, dont l'une des terres d'Épernay avait permis l'achat de ce cheval anglais harnaché de brocart, de cette fine serge à deux envers, noire et verte soutachée d'argent, de cette agrafe de diamants, retenant sur l'épaule une écharpe de dentelle. René leva les yeux vers les fenêtres de l'Hôtel de Schomberg. Certain d'être vu de Charlotte, souriant, il lui fit un signe de tête qu'elle fit semblant de ne pas remarquer.

Suivirent les compagnies, chacune précédée de son chef, les chevau-légers de la reine, commandés par M. de Saint-Mesgrin — la séduction même ! —, les chevau-légers du roi, avec M. d'Olonne en feuille-morte et écarlate ; le Grand Prévôt, seul à cheval devant sa compagnie d'archers à pied. Toujours très populaires, les Cent-Suisses défilèrent ensuite, pertuisane au bras, dans leur antique habit à crevés et taillades. M. de Diebach, à leur tête, fit l'unanimité par sa stature germanique prise dans un pourpoint aux tons de flammes.

On ne savait qui admirer, qui adorer le plus dans ce déluge de couleurs et de sons. Tous les grands dignitaires, les maréchaux de France, les chevaliers de l'Ordre, s'avancèrent à leur tour, le comte d'Harcourt, Grand Écuyer du roi, portant le glaive de Sa Majesté, tous reconnus, désignés par leur nom, applaudis. Charlotte distingua son père, le maréchal d'Ivreville et son légendaire panache en plumes d'autruche rouges.

Puis la rumeur s'éleva, plus haut encore, comme une action de grâces, enflée d'une ferveur simultanée, unanime. Des gardes à pied, des gentilshommes de la vieille Garde écossaise, des pages en bleu et rouge, des hérauts d'armes en cotte violette, le bâton à fleurs de lys en main, venaient d'apparaître rangés en un quadrilatère parfait, laissant au milieu le champ libre à celui tant attendu par une foule soudain transportée.

Le bel enfant ! C'était leur roi, un être de lumière aux longs cheveux blonds, entièrement vêtu d'or, l'image parfaite de la grâce et de la majesté ! C'était leur roi monté sur un barbe isabelle qu'il faisait avec aisance danser et volter à sa guise. Le roi, leur espérance ! Personne ne put contenir ses larmes. A travers elles, la silhouette juvénile, étincelante de Louis XIV prit des contours surnaturels. Il était " l'envoyé céleste, celui capable d'affronter la Bête, d'éteindre le feu des funestes querelles ".

— Vive le roi ! Vive le roi !

En réponse, Louis soulevait son chapeau avec sa courtoisie innée, s'éloignait lentement, vision parfaite, inoubliable...

Suivaient les princes, les ducs, les pairs, les plus grands noms du pays, avant de céder le pas à l'équipage d'Anne d'Autriche, Monsieur à une portière, le petit Monsieur poudré, enrubanné, à une autre, et toute la Cour, les dames, les filles de la reine, Floriane d'Ivreville et Adrien dans le carrosse de la duchesse d'Orléans, les officiers, la compagnie des gens d'armes : la source que la foule aurait voulu intarissable continuait. Si près du Paradis, nul n'avait encore envie de retoucher terre.

Autour de Charlotte aussi on s'était enthousiasmé, tout en évaluant le prix de chaque équipement, critiquant ou louant tel ou tel autre. Jean Loret, malgré son émerveillement, eut pourtant un commentaire préoccupé :

— " Que Dieu nous ait en sa miséricorde ! Lui Seul peut combattre Saturne, cette sombre planète à la trop maligne influence. Je crains qu'un mortel embrasement ne menace notre pays. "

Charlotte, qui entendit le poète, partagea la soudaine gravité de l'assistance. L'astre royal n'avait pu, en effet, écarter toutes les ombres, une surtout, la plus menaçante. Une absence avait terni le lustre du cortège. Persuadé que sa liberté était en jeu, Louis de Condé n'était pas venu !

Le matin même, le comte de Venoy avait apporté à Sa Majesté une lettre d'excuses de la part de M. le Prince, retiré dans son château de Saint-Maur. Le roi ne l'avait pas ouverte. Il n'était pas prêt non plus à pardonner cet inqualifiable manquement.

★

★ ★

Puis ce fut le temps des séparations. René, le premier, se fit annoncer un matin aux Tuileries.

Du sommet de l'escalier — cet escalier de pierre blanche à la balustre de cuivre ciselé, si aérien qu'il semblait ne tenir que par miracle et vouloir s'élever jusqu'au dôme incurvé tout là-haut —, Charlotte regarda son mari grimper les marches avec entrain derrière l'un des valets de pied de Mademoiselle.

Son mari... Il ne l'était plus que de nom et lui-même l'avait compris. Leurs rapports s'étaient bornés depuis des semaines à des propos sans importance échangés en public lors de rencontres inévitables, à la Cour ou ailleurs.

Probablement comme tout le monde, René ne soupçonnait-il rien. Mais quelles qu'en fussent les raisons — indifférence, paresse, stratégie obscure —, son attitude avait été

212

jusqu'ici parfaite. En le voyant débordant de bonne humeur, Charlotte ne put retenir un vieil élan d'autrefois, un geste de sympathie. Cependant ses premiers mots remirent très vite les choses à leur place.

— Je viens prendre congé. Comme je vous l'avais annoncé, je pars à Brühl aujourd'hui même.

Sur le palier où ils se trouvaient, se croisaient les pages et les chambrières. Charlotte entraîna René dans une grande salle déserte à cette heure, le « magasin des Antiques », renfermant une collection de statues, de bustes, de vases et de médailles, grecs ou romains, un fabuleux trésor sur lequel Barradas jeta un coup d'œil négligent.

— Mmm... Joli, tout ça...

Il n'était pas homme à se passionner pour des vieilleries. Le présent seul l'intéressait et le présent, c'était Charlotte, bien plus belle que toutes ces froides déesses de marbre, dans sa robe de soie à grandes fleurs jaunes. Il imaginait son corps, souple, tiède, le devinait différent de naguère. Son attitude, sa grâce même étaient autres, en effet.

« Il » l'a changée, « il » l'a embellie, se dit-il, brûlant envers Venoy d'une haine dont il ne se serait jamais cru capable.

Il savait tout. Sans vergogne, il avait espionné Charlotte, surpris ses rendez-vous. Et il n'avait rien dit, rien fait, lâchement, pour ne pas faire d'elle son ennemie, car envers et contre tout, il espérait encore. De quelle magie usait-elle donc pour l'enchaîner ainsi, pour lui faire supporter le pire, toute idée d'honneur abolie ? Il allait partir la souffrance dans l'âme mais en cherchant quand même des raisons de ne pas sombrer.

Charlotte s'était finalement laissée leurrer par les apparences, comme la plupart des femmes. Une tête de séducteur, des airs de mystère dans un habit à la mode et hop ! même la plus sérieuse était prise au piège. Mais le moment viendrait où l'erreur lui apparaîtrait. Car cet homme ne pouvait la rendre heureuse et la comprendre aussi bien que lui, René.

213

En égoïste, il devait l'étouffer, contraindre sa nature, profiter de son inexpérience. Charlotte n'était pas du genre à supporter tout cela longtemps.

D'ailleurs, bientôt Venoy s'en irait lui aussi rejoindre M. le Prince et les traîtres qui venaient de pactiser avec l'Espagne, " cette nation basanée, déloyale et cupide " ! Un jour prochain, ils seraient tous écrasés pour de bon, broyés par la guerre que René appelait ardemment. Au désir de servir son roi, à l'admiration que lui inspirait le Cardinal, s'ajoutait ce besoin éperdu de revanche sur un rival trop heureux.

— Ainsi, vous avez choisi définitivement votre camp ? lui demanda Charlotte sans se douter de sa fureur.

— " Mon choix est celui d'un homme de cœur et de foi. Toute autre attitude serait celle d'un barbare, d'un perverti. "

— La loi a déclaré Mazarin criminel et vous vous obstinez à le soutenir. N'est-ce pas là justement une perversion ?

— Cette déclaration ne vaut rien, se moqua René. Le roi s'est empressé de rassurer, par écrit, Son Éminence.

— Le roi n'est qu'un enfant mal conseillé, mal entouré, observa-t-elle.

— Le serait-il mieux avec Condé et sa clique de petits-maîtres et d'Espagnols ?

— M. le Prince est le plus remarquable des hommes. On n'a pourtant pas cessé de l'outrager.

— " Si on ne l'en empêche, il finira par aller se faire sacrer à Reims ! "

— Il a bien trop d'honneur pour cela. Mais évidemment la reine et son âme damnée ne le peuvent concevoir.

— Comme vous le défendez bien, Charlotte ! s'écria René.

Malgré lui, sa voix s'était teintée de reproche. En plaidant pour Condé, c'était évidemment à Venoy qu'elle songeait !

Dressée entre deux vasques de porphyre, sous le soleil matinal qui dansait au travers des fenêtres, elle était superbe, sensuelle, rayonnante d'un amour qui ne lui était pas destiné. Il ne put s'empêcher de la toucher, sa main effleurant la courbe de son épaule et les mèches qui s'y déroulaient en torsades.

214

— Ne nous chamaillons pas, reprit-il en souriant. Notre séparation risque d'être longue. Je ne veux pas gâcher cet instant. Laissez-moi vous admirer un peu. Vous êtes belle. Je suis fier de vous.

Soudain, ces façons, ces mots, bouleversèrent Charlotte. Ils révélaient ce qu'elle n'avait pas toujours réellement cru, la passion, l'admiration que René lui portait et qu'elle n'avait plus le droit d'accepter.

— Non, non ! Vous ne devez pas ! Il faut que je vous dise...

Aussitôt, il arrêta l'aveu esquissé :

— Rien ! Ne dites rien sinon : « Bon voyage ! Que le Ciel vous garde et vous ramène bientôt », ce qu'enfin une femme doit souhaiter à son mari voyageur.

— Votre femme, René ? Mais celle que vous avez épousée n'est plus depuis longtemps, murmura-t-elle en le fixant de ses grands yeux voilés de tristesse.

Il fallait qu'il comprenne, qu'il accepte son échec et se résigne ! Une dispute, une scène, tout aurait été préférable à cette tendre obstination.

— Pour moi, tu seras toujours ma femme. Ma Charlotte, ma petite amazone... Je ne te dis pas adieu mais au revoir. Un jour, je reviendrai te chercher, lorsque la guerre sera finie.

— Il n'y aura pas de guerre sauf si vous la voulez vraiment.

Il l'attira contre lui, l'embrassa longuement, follement, retrouvant avec un vertige son parfum d'herbes et de fleurs sauvages dont il se saoula avant de la relâcher.

Sans rien ajouter, de crainte de se trahir, très vite il quitta la salle.

Fin septembre, ce fut Charlotte qui se rendit à l'Hôtel d'Ivreville enfin remis à neuf, pour saluer sa mère qui partait à Fontainebleau. Officiellement, la Cour ne devait y effectuer qu'un petit séjour d'agrément. En fait, Floriane ne cacha pas à sa fille que Leurs Majestés comptaient ensuite se rendre rapidement à Bourges, fief des Condé, où la duchesse de Longueville avait réuni son conseil de guerre, avant de pousser dans le Sud-Ouest. L'Anjou, le Poitou, l'Aunis et la Saintonge avaient en effet pris fait et cause pour M. le Prince. Ce dernier, accueilli à Bordeaux avec une joie frénétique de la part du peuple, tentait de faire alliance avec les jurats et le Parlement de Guyenne.

L'armée royale, environ quatre mille hommes, se tenait prête à partir, avec parmi ses principaux chefs le maréchal d'Ivreville. Tous se partageaient un courage, un appétit de gloire poussés jusqu'à la démesure.

Après des banalités puis un silence plutôt embarrassé de la part de Floriane, celle-ci se décida à dire ce qu'elle avait sur le cœur. Depuis que Charlotte habitait chez Mademoiselle, elle n'en avait plus jamais eu l'occasion. « Elle m'évite », pensait-elle. Mais aujourd'hui, l'heure était grave. Il fallait tenter de l'arracher à l'ambiance frondeuse des Tuileries, l'éloigner de Venoy. Car si le monde restait encore aveugle, Floriane avait immédiatement deviné la liaison de sa fille.

— Charlotte, viens avec moi ! lança-t-elle sans plus hésiter. Ta place est parmi la Cour. Je suis confidente de la reine, ton frère est l'ami d'enfance du roi, ton père est l'un de ses meilleurs officiers, ainsi que ton mari, Charlotte, ton mari ! Tu sais où se trouve ton devoir.

— Parfaitement. J'aime le roi tout autant que vous.

— Eh bien...

— Eh bien, chère maman, toute discussion est donc superflue, rétorqua Charlotte.

Pour mettre un terme à l'entretien, elle appela son frère qui justement revenait d'une leçon de manège. Adrien se suspendit à son cou.

— J'ai demandé à père de me prendre pour enseigne dans son régiment, lui annonça-t-il avec un air de défi.

— C'est une plaisanterie ! Tu es trop jeune.

— Bien sûr, Adrien a le temps de faire la guerre, fit précipitamment Floriane que le sujet rendait nerveuse.

— La guerre, encore ! Vous n'avez que ce mot en tête : il n'y aura pas lieu de se battre ! affirma Charlotte. Je sais que M. d'Orléans, la Princesse Palatine, entre autres, tentent de nouvelles négociations. Il suffirait de bien traiter avec M. le Prince.

— Tu rêves !

— Non, j'espère, répondit Charlotte, impatiente maintenant de les quitter tous deux.

Elle se sentait subitement étrangère au sein de sa propre famille, dans la maison qui avait été pourtant la sienne.

— Souviens-toi que nous t'aimons, lui murmura Floriane en retenant ses larmes.

Petite folle qui choisissait l'amour ! Mais aussi, comment ne pas la comprendre ?...

Tout ému, Adrien renchérit sur le pas de la porte, avec sa voix encore un peu fluette :

— Oui, Lotte. Nous t'aimons. Tu devrais venir avec nous.

Sans lui répondre, Charlotte fit partir son carrosse. Curieusement, elle aussi avait soudain envie de pleurer.

Jérôme de Venoy fut le dernier à s'en aller. Il s'était attardé dans le but de rassembler le plus grand nombre de partisans à la cause de Condé, en particulier d'obtenir le soutien de Gaston d'Orléans. Mais Monsieur refusait de se rendre complice de désordres et ne parlait que de se retirer chez lui, à Blois, sans plus se mêler de rien. En vérité, bien que ne désirant rien d'autre que servir M. le Prince, Jérôme recula, tant qu'il lui fut possible, le moment de s'éloigner de celle qui était toute sa vie.

Pour leur dernière rencontre, il choisit d'offrir à Charlotte un « cadeau » en dehors de Paris, plus précisément à Saint-Cloud, charmant village planté de vignes, étagé sur une colline que baignait la Seine. Un « cadeau » était un repas organisé à la campagne pour des amis, pour une maîtresse. En la circonstance, l'hôte louait généralement une demeure de plaisance dont les alentours de la ville regorgeaient, ou bien retenait l'un de ces nombreux cabarets aux chambres enfouies sous la verdure, fleurant à la fois la sève des arbres et le fumet des sauces. Celui de la Durier, à Saint-Cloud, était digne de grands seigneurs, cher mais de qualité irréprochable, une « maison de récréation » qui devait tout à la personnalité de son avenante et généreuse patronne.

D'un premier mari depuis longtemps disparu, la Durier n'avait conservé que le nom. Du second on ne savait qu'une chose : confiné derrière ses casseroles, il cuisinait divinement. Un seul homme avait en fait compté dans la vie de cette ancienne vivandière des armées de Louis XIII, un gentilhomme, François de Saint-Preuil, son amant, décapité en 1641 par ordre de Richelieu. Lui devant sa fortune, éprise de lui passionnément, la Durier avait gravi l'échafaud juste après le coup fatal pour recueillir dans un drap mortuaire la tête de son bien-aimé.

— Serais-tu capable d'un pareil geste ? demanda Jérôme qui venait de raconter cette belle et tragique aventure à Charlotte.

Avant de lui répondre, elle contempla intensément son visage, ses longs cheveux noirs, son cou renversé sur l'oreiller de lin, l'imaginant martyrisé par le bourreau. Puis elle appuya ses lèvres à la naissance de son épaule.

— Oui, j'en serais capable. Je t'offrirais aussi un splendide service funèbre. Mais je n'ouvrirais pas de cabaret.

— Je m'en doute ! fit Jérôme en riant. Que ferais-tu donc ?

— Je mourrais bien vite pour te rejoindre.

Il se retourna et la regarda à son tour, allongée, nue contre lui, les paupières à demi abaissées sur ses prunelles d'or, la peau irisée par la lumière des bougies, si tranquille en apparence alors qu'il savait bien qu'un doigt égaré sur son corps, un baiser vif comme une morsure, suffiraient à transformer en coulée de lave incandescente la parfaite figurine d'albâtre. La réponse de Charlotte ne le surprit pas. Il aurait dit de même. Rien n'était capable de les séparer longtemps.

Ils avaient refermé la fenêtre sur la nuit d'automne, mais la chambre gardait les odeurs que les vendanges récentes avaient laissées dans le village, odeurs de fruits et de ceps auxquelles s'ajoutaient maintenant les relents de cuves où fermentait le raisin. Un feu brûlait dans la cheminée de pierre. Sur la table, les plats d'argent conservaient les reliefs du repas : huîtres, bisque d'écrevisses, pigeonneaux, petits pains mollets et noix confites, dont ils avaient assez vite abandonné les saveurs pour s'aimer, sans souci du temps. A tout autre parfum, à tout autre goût, Jérôme préférait ceux qu'il cueillait sur la peau de Charlotte, dans la profondeur de sa bouche, de sa chair fondante. La nuit leur appartenait.

Ensuite viendrait le temps de la guerre avec sa moisson de gloire, pensait-il, impatient, l'occasion d'éliminer Barradas, de vaincre ou de mourir. Mais dans tous les cas, l'amour serait triomphant.

Charlotte aussi pensait à la guerre mais en revanche, elle restait certaine qu'elle ne se ferait pas comme si les événements ne pouvaient que se conformer à son bon vouloir. L'absence de Jérôme n'allait pas être longue. La Cour saurait bien se rouvrir à M. le Prince. René finirait par s'effacer, entreprendre seul le périple de ses rêves. Elle-même n'avait plus besoin d'espaces nouveaux pour se sentir exister. Ce qui lui était donné chaque jour depuis qu'elle avait retrouvé Jérôme, ce qu'elle découvrait soudée à lui au rythme accordé de leur corps, valaient toutes les contrées du monde.

Lorsqu'il partit, le lendemain, il emporta, comme un trophée, une écharpe de soie jaune, frangée de noir, brodée d'un grand « C », imprégnée d'un parfum unique, celui de Charlotte.

★
★ ★

Le temps... Jules Mazarin avait toujours compté avec lui. Savoir attendre, prévoir, semer au vent du futur une idée, un projet, une alliance, comme autant de graines qui lentement germaient, mûrissaient avant de lui donner leurs fruits : telle était sa méthode, l'un des principaux facteurs de sa réussite. Le temps était son irremplaçable allié. Pourtant, en cette fin d'année 1651, cet allié paraissait bien pesant au Cardinal. L'impatience lui donnait la fièvre. Du haut du château épiscopal de Huy* où il était arrivé à la mi-octobre, il ne cessait de regarder en direction de la France.

Il n'attendait plus qu'un ordre du roi pour y revenir et cet ordre tardait parce que là-bas ses adversaires ne désarmaient pas. Lui-même était prêt. Grâce à de gros emprunts, grâce à ses petites réserves de pierres précieuses et aux diamants de la reine, il avait pu constituer une troupe d'Allemands, de Suédois qui avaient ceint l'écharpe verte ; le vert, sa couleur. De leur côté, le roi et sa mère lui envoyaient des régiments. Il n'ignorait pas que son retour — de même que le retour de sa famille, de sa nièce Laure devenue duchesse de Mercœur ! — déchaînerait contre lui tous les orages. Mais il fallait cette fois-ci en finir. La guerre était devenue un mal nécessaire et qu'importait le moyen quand on voulait la victoire ! Il n'en pouvait plus de craindre à chaque heure qu'un autre ne le remplace. Il avait haï Gondi d'avoir l'audience amicale de la reine. Le crédit de Lionne, celui de la Vieuville, l'avaient fait trembler. Maintenant c'était Châteauneuf, son successeur dans sa charge de Premier ministre, un vieillard encore alerte qu'Anne écoutait, croyait-il, avec bienveillance. Et le Prince Thomas de Savoie, ce bon lourdaud, tout dévoué à la couronne... Mazarin n'en dormait plus. Il devait rentrer, le plus vite possible. Nul autre que lui ne pouvait aider le roi à affermir son autorité.

Une fois de plus, il caressa des yeux l'horizon brouillé de pluie, bien au-delà des courbes de la Meuse. Eût-il été aussi angoissé s'il n'y avait eu que l'ambition, le goût du lucre et du pouvoir pour le tenailler ainsi ? Eût-il été aussi impatient

---

* Belgique.

de reprendre en main les Affaires d'un pays si ce pays n'avait pas été la France ? Non, bien sûr. Car la France était sa patrie d'élection ; son amour pour elle avait toujours gouverné son cœur. Un jour, cet amour avait rejailli sur Louis, son cher filleul. Et sur Anne, également.

Dans sa poche, contre sa poitrine, crissait la dernière lettre de la reine au petit sceau de cire frappé d'un « chiffre énigmatique » dont la signification n'était connue que d'eux seuls, tout comme les mots, les nombres, les signes qui émaillaient mystérieusement leur correspondance. Dans ses lettres, Anne lui affirmait sa passion, évoquait des souvenirs intimes, toujours en langage codé, se plaignait des affres de sa trop longue absence. Pour y mettre un terme, elle aussi préférait risquer un conflit civil. Mazarin ne doutait donc pas de ses sentiments mais il la savait vulnérable, tellement femme ! Il n'était que temps de la retrouver.

Depuis quelques semaines, les bruits les plus ridicules circulaient dans Paris : Mazarin avait franchi clandestinement la frontière ; il était entré dans la ville ; il s'y cachait, fomentant un mauvais coup. Certains l'avaient vu. Un ivrogne jura même sur tous les diables que le Cardinal se dissimulait au Val-de-Grâce, parmi les bénédictines dont il avait emprunté l'habit.

Monsieur, plus populaire que jamais depuis qu'un fils lui était né, s'évertuait à calmer les esprits, non sans grand mérite. Ne voulant ni rompre avec la Cour ni soutenir M. le Prince, encore moins accepter Mazarin, conscient des horreurs d'une guerre fratricide, refusant de créer un quatrième parti comme le lui conseillait le Coadjuteur, Gaston d'Orléans vivait une situation très incommode. Plus que jamais la goutte et la colique le jetaient au fond de son lit.

Fin décembre éclata la nouvelle tant redoutée, cette fois-ci de source incontestable : Mazarin était arrivé à Sedan la veille de Noël, à la tête de huit mille hommes, en clamant qu'il accourait délivrer le roi. Mais le délivrer de quoi, de qui,

Grand Dieu ? Et qu'avait-on besoin de lui dont la présence ne ferait que remettre le feu aux poudres ? Au moment où, dans le Sud-Ouest, les Royalistes parvenaient à dominer les rebelles, où les derniers soubresauts de la Fronde étaient condamnés à s'apaiser d'eux-mêmes ?

Le Parlement de Paris mit aussitôt la tête du Cardinal à prix et pour en payer la rançon, vendit les précieux ouvrages de sa bibliothèque, ses meubles, ses tapisseries, tout ce que le coquin avait collectionné grâce à ses rapines. Mais les mesures s'arrêtèrent là. Empêtrés dans leur couardise, soucieux de ne point trop déplaire au roi, les prudents Messieurs refusèrent les crédits permettant de lever une armée. Sans personne pour freiner son élan, le Cardinal put donc aisément franchir la Loire en janvier et le vingt-neuf du même mois, arriver à Poitiers, où la famille royale l'accueillit avec des transports d'émotion. En un tournemain, le scélérat avait retrouvé toute son influence, toute sa puissance !

Pour Gaston d'Orléans, il ne restait donc plus d'autre alternative que de s'allier à M. le Prince. La mort dans l'âme, il rappela ses propres troupes et celles du petit duc de Valois, son fils, cantonnées en Picardie. Elles portaient l'écharpe à leur couleur, le bleu. Beaufort en prit la tête. De son côté, Nemours ramenait de Flandres quelques régiments restés à Condé, leurs officiers arborant la couleur isabelle chère aux partisans du Prince, plus un fort contingent d'Espagnols à l'écharpe rouge.

Dans le camp adverse, le roi conservait tous ses maréchaux bientôt rejoints par deux rebelles repentis, grassement récompensés par Mazarin : le duc de Bouillon et son frère Henri de Turenne, ce dernier déçu par la perverse Anne-Geneviève. Pour eux l'écharpe était blanche, blanche comme les lys du royaume pris dans la tourmente.

Paris aussi avait son armée, une milice de petits bourgeois trop contents de jouer les bravaches sous leurs cuirasses et leurs morions. Ils s'en venaient prendre leur tour de garde aux portes en se gargarisant d'un vocabulaire de soldats, toujours un peu entre deux vins, aussi difficiles à tenir que la tourbe des séditieux remontée du ruisseau à la moindre occasion.

L'entrée en France de Mazarin ne manqua pas d'entraîner de la part des uns et des autres un nouveau déchaînement de violences à l'encontre de ses sympathisants. Ainsi que nombre de demeures, l'Hôtel de Barradas fut pillé sans que Charlotte, prévenue trop tard, ne pût intervenir. Personnellement, elle n'avait pas à redouter d'être importunée de nouveau car on la savait sous la protection de Mademoiselle, l'enfant chérie des Parisiens. Mais deux jours plus tard, ce fut au tour de l'Hôtel d'Ivreville d'être assailli par la populace. Cette fois-ci, Charlotte eut le temps d'informer Monsieur qui envoya sur place un détachement de ses Gardes tandis qu'elle-même traversait la Seine à la hâte avec les domestiques de Mademoiselle. Comme bien souvent, parmi les émeutiers se trouvait un ramassis nauséabond de mariniers, de cureurs de puits ou de gadoue, ce que Paris comptait de plus vil. Ils furent aisément dispersés ou arrêtés par les Gardes de Monsieur, abandonnant la presque totalité de leur butin dans la cour de l'Hôtel, non sans y avoir fait certaines dégradations.

Hélas ! Une porte arrachée, une fenêtre brisée, ce n'était rien ! Pas plus que la perte de quelques chandeliers, d'une tenture ou d'un muid de Bourgogne. Charlotte eût volontiers donné tous les meubles de la maison et davantage encore pour ne pas avoir à pleurer la mort de Jean La Musette. Le bon, le fidèle La Musette qui avait bercé son enfance de chansons, victime des pillards en essayant de défendre le bien de ses maîtres, le ventre traversé d'un épieu !

★
★ ★

LE VENT SE LÈVE

L'hiver avait été long sans Jérôme, malgré ses lettres. Tentée un moment de retourner à Ivreville, Charlotte avait dû y renoncer en apprenant que sa belle-famille s'y était réfugiée lorsque les armées de tous bords avaient pénétré en Anjou où se trouvait le domaine de Floriane. Au moins, la Normandie restait plus calme, prudemment menée par le duc de Longueville que la prison avait échaudé. Les nouvelles de son fils régulièrement envoyées par Ermelinde et Gabrielle de Barradas étant excellentes, rien n'attirait Charlotte dans sa maison si fâcheusement envahie. Chez Mademoiselle, elle avait fini par se plaire, y vivant à sa guise, se mêlant aux réunions lorsque bon lui semblait.

Un après-midi de mars, Anne Marie Louise de Montpensier, son grand nez rougi par les pleurs, leva un regard embué sur ses amies assises en cercle autour d'elle.

— "Je crains que ce voyage à Orléans ne nous mène à rien", soupira-t-elle avec lassitude.

L'hiver avait été très éprouvant pour elle aussi. En dépit d'une fluxion tenace, assez gênante, et d'une angine prolongée, Mademoiselle n'avait pratiquement pas manqué un bal, un souper, un petit jeu, tout ce qui s'était succédé à un rythme trépidant entre deux délibérations politiques. En l'absence de la reine et étant donné la fragilité, l'humeur chagrine de Madame, c'était toujours aux Tuileries plutôt qu'au Luxembourg que la Cour se récréait. Mademoiselle aimait d'ailleurs beaucoup jouer les hôtesses dans l'intérêt de son père, recevoir Gondi, les Conseillers, les envoyés du roi, des Princes, être au fait de tout. La période du Carnaval n'avait été qu'un enchaînement de folies, en particulier lorsque M. de Nemours avait ramené ces officiers étrangers, infatigables, qu'il avait fallu distraire. En même temps, s'était poursuivie sa propre quête matrimoniale. Ayant définitivement écarté l'Empereur d'Allemagne qui avait eu la grossièreté de lui préférer la fille du duc de Mantoue, Mademoiselle avait un moment renoué avec Charles d'Angleterre avant de

224

revenir à son but de toujours : épouser son cousin le roi de France. Toutes sortes de gens la poussaient soit vers l'un, soit vers l'autre, selon leurs intérêts particuliers. Leurs prétentions étant devenues intolérables, un beau jour, Mademoiselle avait eu la sagesse de tout envoyer promener. Sur ces entrefaites, le retour de Mazarin, qu'elle savait opposé à son mariage avec le roi, l'avait beaucoup affectée. Enfin, le carême s'achevait. C'était une saison où les gens se sentaient fragilisés, travaillés en profondeur par l'arrivée du printemps, Mademoiselle comme les autres. Fidèle à ses habitudes, elle avait prévu de passer la Semaine sainte au Carmel de Saint-Denis, en compagnie de ses dames, une occasion de prendre du repos et une distance salutaire avec le monde agité. Mais voici que son père compromettait ses pieux projets en lui demandant de se rendre à sa place à Orléans, afin d'empêcher la Cour d'entrer dans la ville !

L'heure était grave. Dans son alcôve garnie de stuc où flamboyaient ses chiffres en lettres d'or, Mademoiselle avait réuni ses plus sûres amies afin de leur exposer les faits et leur demander conseil.

Mazarin avait décidé le roi à revenir à Paris. Mis à part Bordeaux, toujours occupée par Condé et les siens, les places fortes s'étaient toutes rendues, la dernière en date étant Angers que le duc de Rohan n'avait pas su conserver aux Princes. Après avoir quitté Poitiers, la Cour avait séjourné à Tours puis, au grand déplaisir de Gaston, s'était installée dans sa chère demeure de Blois, projetant maintenant de faire étape à Orléans, capitale de son apanage !

Fort heureusement, jusqu'à présent, le maire et le Conseil de cette ville s'y refusaient et l'avaient signifié sans ambages à René de Barradas, l'envoyé de Mazarin. Tous voulaient bien recevoir le roi et la reine mais pas le Cardinal, réaction logique d'une municipalité hostile au ministre, dévouée à Monsieur qui s'était toujours montré généreux. Néanmoins, M. de Fiesque, le mari de Gilonne, était revenu d'Orléans inquiet. Son gouverneur de Sourdis semblait peu sûr. De plus, on pouvait tout craindre de ses habitants qui avaient eu souvent, par le passé, une position ambiguë à l'égard du pouvoir. Il était donc nécessaire que Monsieur fût sur place pour consolider ses soutiens dans la fière cité. Placée comme elle l'était au coude de la Loire — la plus grande des grandes rivières de France —, centre d'échanges fluviaux, de négoce, entre l'Est et l'Ouest, entre le Nord et l'Espagne, Orléans était un point stratégique commercial et militaire des plus importants. De l'imaginer soumise au Cardinal, mettait Gaston dans les transes sans pour autant le décider à s'y rendre lui-même. Gondi ne cessait de lui souffler que quitter Paris en ce moment serait imprudent, ce qui, du reste, était exact. Accablé, Gaston hésitait, rêvant de secrète thébaïde mais soucieux de son honneur, maudissant l'Italien qui l'avait brouillé avec la reine. Puis soudain il avait eu l'idée de se faire représenter par sa fille aînée d'où le désarroi, pour ne pas dire la panique, de cette dernière.

Après avoir rappelé la situation à ses amies, Mademoiselle répéta dans un reniflement pathétique :

— Cela ne mènera à rien. Je ne peux tout de même pas fermer la ville au roi !

— Non, oh non ! s'écria Marie de Bréauté, la plus timorée du groupe.

— Au roi non, mais au Cardinal ? fit Anne de Frontenac, plus hardie que les autres.

— C'est à Monsieur d'en prendre la responsabilité ! protesta Gilonne de Fiesque. C'est lui qui doit aller à Orléans. Mon mari a bien insisté là-dessus.

Entre les mains nerveuses de Mademoiselle, son petit mouchoir de dentelle n'était plus qu'un morceau de charpie :

— Vous rendez-vous compte, mesdames ? Je voudrais obéir à mon père. Je soutiens ardemment M. le Prince. Mais le roi est mon cousin ! Vous savez les doux projets qu'il m'inspire. S'opposer à le recevoir les ruinerait à coup sûr.

— Je ne le pense pas.

Charlotte de Barradas avait parlé haut et clair. Mademoiselle, qui avait beaucoup de considération pour ses avis, la pressa de s'expliquer.

— Qui songe à s'opposer au roi ? reprit Charlotte posément. Personne en ce pays. Mais l'occasion vous est donnée, Mademoiselle, de lui montrer votre sens de l'honneur, votre détermination, votre zèle à le bien servir en luttant, en avantgarde, contre son mauvais ange. Ne laissez pas passer cette chance. Et songez à ceux qui comptent sur vous, en particulier à M. le Prince.

Depuis que Mademoiselle avait fait la paix avec Condé lors de son retour de prison, elle faisait grand cas de son estime. Son évocation la fit se ressaisir un peu, ce que voyant, Charlotte continua :

— En outre, n'oubliez pas que messieurs de Beaufort et Nemours sont regroupés avec leurs régiments près d'Orléans. Ils ont besoin d'un modèle, de vous enfin ! car seuls le prestige et la personnalité de Votre Altesse peuvent maintenir entre eux une harmonie trop souvent défaillante.

— Très juste, fit Anne de Frontenac en entendant évoquer la mésentente — pour d'obscures raisons de préséance — de deux hommes pourtant proches parents, Beaufort étant, en effet, le frère de madame de Nemours.

Flattée par le brillant portrait que Charlotte, peu complimenteuse d'habitude, venait de brosser d'elle, Mademoiselle se sentit subitement toute revigorée.

— Il est vrai qu'une princesse doit être un exemple.

— Vous contribuerez à mettre le Cardinal en échec à l'égard d'un grand capitaine, assura Charlotte. Victorieuse, vous serez alors en mesure de négocier et la couronne de France sera le prix de votre soumission.

Dans son fauteuil tapissé de damas bleu, Mademoiselle se redressa, le visage transfiguré par des visions de gloire. Charlotte tenait le seul langage propre à lui rendre son esprit d'entreprise et son orgueilleuse énergie.

— Chère amie, sans vous, je me laissais aller honteusement. Soyez remerciée. Oui, nous devons leur faire voir, à tous, ce dont est capable une femme de ma naissance, la petite-fille d'Henri IV, de si illustre mémoire ! Mon père sera content de moi. Je lui garderai sa ville. Charlotte, vous m'assisterez dans cette mission. Et que celles qui le désirent m'accompagnent ! Un chef de guerre a besoin d'officiers : je vous nomme donc maréchales de camp.

Le terme enthousiasma les jeunes femmes. Vue sous cet angle, l'aventure se profilait à présent, parée de couleurs très excitantes. Convaincues par l'éloquence de Charlotte, elles lui firent mille petites manifestations d'amitié. Sachant ses parents pour le parti de la Cour, son mari spécialement attaché au Cardinal, Mademoiselle était très sensible à son dévouement. Avec sa candeur coutumière, elle s'écria :

— C'est M. de Barradas qui sera surpris de vous voir occuper une ville dans laquelle lui-même ne pourra entrer.

— Je voudrais bien jouer semblable tour à mon époux, avoua Anne de Frontenac, malheureusement mariée, contre l'avis de son père d'ailleurs, à un homme extravagant.

Sous son sourire moqueur, Charlotte brûlait en fait de ressentiment. Oui, que René soit surpris, furieux, humilié ! Quelle revanche elle aurait là ! Car plus aucun scrupule ne la retenait. En aidant activement Mazarin à recruter des soldats en Allemagne, en ceignant l'écharpe verte, René avait achevé de se déshonorer à ses yeux. Son inconscience, l'inconscience de ses parents avaient causé la mort de La Musette. Cela non plus, elle ne pouvait le leur pardonner.

Elle avait bien compté sur l'invitation de Mademoiselle, espérant ainsi revoir plus vite Jérôme. Dans sa dernière lettre, il lui annonçait leur départ imminent de Guyenne. A Bordeaux, une faction, la plus dure, toute pétrie d'idées républicaines, tenait le pouvoir. Réunie sous des ormes plantés le long des remparts, près du Fort du Hâ, elle avait pris le doux nom de « l'Ormée », seule poésie d'un parti de brutes qui faisaient la loi sans appel, avec cruauté. Parmi elles, se remarquait un garçon boucher, un triste sire appelé Dureteste que Charlotte connaissait bien. C'était sur ces gens-là que s'appuyait maintenant la duchesse de Longueville abandonnée par Venoy, par Turenne, par Nemours, par La Rochefoucauld, livrée à la jalousie maladive du petit Conti. La si raffinée Anne-Geneviève ! Louis de Condé aussi voulait la fuir, préférant rejoindre Gaston d'Orléans à Paris, afin de mieux unir leurs efforts. Au passage, il voulait donner vigueur et cohésion à ses troupes du bord de la Loire. Charlotte y serait. Déjà, elle était prête à galoper à leur rencontre.

★
★ ★

Il y eut un monde fou en ce lundi après-midi vingt-cinq mars 1652 pour voir Mademoiselle et ses dames quitter en grand arroi le Palais du Luxembourg.

Depuis sept heures du matin, elles étaient sur le pied de guerre pour assister d'abord à la première messe, si nécessaire à l'aube d'un important voyage, pour achever ensuite leurs préparatifs, avant de dîner chez Monsieur. L'ambiance générale était à l'enjouement.

Comme d'habitude, au moment où le maître d'hôtel vint annoncer que l'on pouvait passer à table, Madame fut saisie d'un besoin pressant, ce dont se moqua Mademoiselle.

— Marguerite, m'amour, allez. Nous ne dînerons pas sans vous, promit Gaston qui, pour sa part, supportait les petits travers de sa femme avec une infinie indulgence.

Un peu plus tard, le repas terminé, Mademoiselle voulut voir son demi-frère, le duc de Valois, dont les régiments s'apprêtaient à pourfendre les « mazarins ». L'orgueil de Gaston, la raison de ses luttes, n'étaient qu'un enfant souffreteux qui ne parlait ni ne marchait encore, à près de vingt mois.

« Il n'y a que Dieu qui puisse soulager ses maux », soupira Marguerite d'Orléans avec un fatalisme qui exaspérait sa belle-fille.

Attristée par le visage pâlot du petit prince, Mademoiselle

229

se laissa entraîner bien volontiers dans le grand cabinet de musique de Madame, par l'un des familiers du Luxembourg, le marquis de Vilaine. Le gentilhomme, féru d'astrologie, auteur de savants ouvrages sur le sujet comme le *Centilogue de Ptolémée*, lui annonça que son horoscope pour les jours à venir était excellent.

— Vous ferez des choses extraordinaires. En particulier, " tout ce que vous entreprendrez mercredi vingt-sept mars sera un succès. "

— Et ensuite ?

— Ensuite... Hum... répondit Vilaine avec hésitation. Vous accomplirez encore des exploits qui passeront à la postérité. Vous rencontrerez aussi l'amour.

— Est-ce vraiment indispensable ? murmura Mademoiselle. « L'amour me paraît, à certains égards, un sentiment indigne d'une âme bien née. »

A demi convaincue, elle nota tout de même la prédiction dans son agenda. Puis, à leur tour, ses amies vinrent questionner le marquis. Pour elles aussi, d'après les calculs, l'aventure, la gloire, l'amour devaient être au rendez-vous. Mais disant ces mots, Vilaine regardait plus particulièrement Charlotte, la seule qui affichait franchement son scepticisme.

— Soyez prudente, madame, lui souffla-t-il d'une voix oppressée. Défiez-vous de Sylvain.

— Navrée, marquis ! Je ne connais personne de ce nom-là, ironisa la jeune femme.

Sur le pas de la porte, Monsieur sifflotait un air nostalgique. Songeait-il à sa propre jeunesse, fracassante d'intrigues et de chevauchées ? Mademoiselle l'embrassa avec tendresse.

— Vous n'avez rien à craindre, mon papa, puisque les astres m'aideront à glaner des lauriers en votre nom.

— Je n'ai qu'une consigne à vous donner ma fille et vous la répète : " Il faut absolument empêcher, sous quelque prétexte que ce soit, que notre armée passe la Loire et ne soit ainsi coupée de Paris. "

— Vous serez obéi.

230

DES LAURIERS POUR L'AMOUR

Il était environ trois heures. Le duc de Rohan, le comte de Fiesque, s'impatientaient près des carrosses. Monsieur avait ajouté aux domestiques de Mademoiselle une escorte composée de deux exempts, de six de ses Gardes et de six Suisses, sous la conduite du lieutenant Pradine. La foule, massée dans la cour et devant le portail, salua joyeusement le départ des belles Frondeuses que beaucoup auraient voulu accompagner, telles Isabelle-Angélique et Mme de Nemours, toutes deux pour le même motif : retrouver Charles-Amédée de Nemours, dit le Joli, à la fois amant de l'une et mari de l'autre ! Mademoiselle n'avait pas voulu céder à leurs prières, prévoyant les complications qu'engendrerait leur présence simultanée.

D'autres en revanche, trouvaient cette équipée grotesque, le Coadjuteur et ses amis par exemple. Mais depuis qu'à Rome, le pape avait fait enfin de Gondi un nouveau Cardinal, ce dernier avait perdu son pouvoir sur les Parisiens où le peuple l'accusait de s'être vendu au parti de la Cour. De toute manière, Mademoiselle était bien trop joyeuse et imbue de sa mission pour se laisser assombrir par des fâcheux. Dans son habit de velours gris soutaché d'or, elle salua tout le monde avant de monter en carrosse, suivie de ses maréchales : Anne en bleu « mourant », Gilonne en rouge, Marie en vert, Charlotte en jaune et noir. Elles étaient splendides sous leurs larges feutres emplumés. Des cris, des applaudissements, des bénédictions, les suivirent longtemps au travers des rues, jusqu'à la porte Saint-Jacques. Le soleil éclaboussait la route d'Orléans.

★
★ ★

Dieu, quel spectacle saisissant que de découvrir, dans l'étendue de la plaine, rangés en ordre de bataille, cinq cents cavaliers en bel uniforme, leurs armes, les passements de

231

leurs justaucorps, les harnais de leurs chevaux tout scintillants sous les rayons printaniers ! Comment ne pas se sentir une âme d'héroïne lorsque ces mêmes hommes vous saluaient, prêts sur un simple signal de votre part à courir joyeusement au combat pour y faire des prodiges ?

Dès le second jour, après une courte nuit à Châtres*, les jeunes femmes avaient retrouvé Beaufort, puis Nemours et tous les officiers des régiments français ou étrangers, transportés de joie à les voir. Bientôt leur équipage n'avança plus que porté, semblait-il, par le flot ondoyant des chevau-légers, des gardes et des gendarmes. Et lorsque leur carrosse ayant rompu un essieu, elles décidèrent de monter à cheval, ce fut du délire au sein de l'escorte.

— " Il faudra bien vous accoutumer à entendre parler affaires et guerre car nous ne ferons plus rien sans vos ordres ", annonça galamment le duc de Nemours.

Cette fois-ci, il ne s'agirait plus de conversations mondaines, de digressions sur la conduite d'armées invisibles. Les dames ne seraient plus traitées avec ce brin de condescendance propre à l'autre sexe.

Enthousiasmées, les cavalières se mirent à rire, un peu grisées par l'air où l'odeur de toutes les montures échauffées ne parvenait pas à supplanter un parfum de violettes. Le vent courant légèrement sur les vastes étendues de la Beauce en avait recueilli toutes les senteurs de saison. Il agitait, pour le plaisir des yeux, les pennons et les étendards, les plumes des chapeaux, les écharpes aux vives couleurs. Il emportait, confondus et joyeux, les notes alertes des fifres et les rires des jeunes femmes.

Tout en feignant d'écouter les compliments de Beaufort, Charlotte laissait un sentiment nouveau de puissance la saisir. Elle était radieuse et remarquait combien Mademoiselle l'était aussi, presque belle, les joues rosies sans plus aucune des traces de petite vérole — quatre-vingts boutons exactement —, qui longtemps l'avaient désavantagée.

---

* Arpajon.

DES LAURIERS POUR L'AMOUR

Charlotte pensait que la guerre, du moins telle qu'elle apparaissait aujourd'hui, dans la grandeur de la parade, la dévotion de ces centaines d'officiers plus fringants les uns que les autres, dans l'esprit de révolte qui les animait tous, avait des effets bien proches des joies amoureuses. La pensée de Jérôme s'ajoutant soudain à l'émotion de jouer les soldats souleva en elle une bouffée d'impatient désir. Que n'était-il présent pour l'admirer lui aussi !

Leur seconde étape fut à Toury où tout de même, il y eut quelques vifs échanges entre Mademoiselle et les ducs. Nemours voulait ergoter sur certains points ; Rohan prétendait « faire le capable » alors qu'on savait qu'il n'était que bon danseur et nullement guerrier ; Beaufort affirmait avoir un nouvel ordre de Monsieur.

— " Vous pouvez le jeter au feu ! " lui intima la princesse, décidée à ne pas se laisser manœuvrer.

Le calme revint ; ces messieurs lui jurèrent obéissance, mais très tôt le lendemain, elle les quittait avec ses maréchales, ses écuyers et un fort détachement de gendarmes, pressée d'atteindre son but.

A Artenay, devant la principale hostellerie du bourg, un chambellan de Monsieur, le marquis de Flamarens qui revenait d'Orléans, fit arrêter l'équipage. Tout le monde se retrouva devant une collation tandis que Flamarens leur donnait des nouvelles de la ville, des nouvelles très contrariantes : après délibérations, la municipalité, bien que navrée, déchirée, avait décidé de ne recevoir ni le roi ni Mademoiselle.

— De Sourdis, le gouverneur, n'a plus aucun pouvoir et les Orléanais veulent éviter tout incident entre les deux factions, expliqua le marquis. Ils vous supplient donc de vous retirer dans quelque maison proche, d'y faire la malade et de ne réapparaître que lorsque le roi sera loin.

Les dames s'entre-regardèrent : la belle équipée devait donc s'arrêter là tout bêtement, par la faute de bourgeois craintifs ?

— C'est insensé ! s'écria Anne de Frontenac.

— Qu'en pensez-vous, M. de Flamarens ? demanda Mademoiselle.

— Vous n'avez pas le choix, répondit-il. Il faut vous effacer et attendre. Ce ne sera pas long d'ailleurs. Le roi ira probablement à Sully à la fin de la semaine.

— Et vous, mesdames, votre opinion ?

— C'est la sagesse, en effet, dit Marie, secrètement soulagée, soutenue par Léon de Fiesque.

Mais Gilonne, Anne et Charlotte pas plus que Mademoiselle n'entendaient renoncer aussi vite.

— Il faut aller à Orléans, insista Charlotte. La persévérance finira bien par l'emporter. Si vous y entrez, "votre présence fortifiera les partisans de Monsieur tout en incitant les autres à changer d'avis".

— Il est vrai que « lorsqu'une personne de ma qualité s'expose, reconnut Anne Marie Louise de Montpensier sans fausse modestie, cela anime terriblement les peuples. Ils se soumettent toujours de gré ou de force à ceux qui ont un peu de résolution ».

Inquiets, ses écuyers, Léon de Fiesque et Flamarens voulurent la faire revenir à plus de prudence. Peine perdue !

— Mais si l'on vous arrête !

— "Je ne crains rien. On me donnera tout le respect dû à ma naissance. Je ne songe qu'au service de Monsieur", fit-elle avec superbe.

Voyant la mine du marquis de Flamarens, au demeurant un fort beau brun, partagée entre l'effroi et l'admiration, Charlotte se moqua de lui :

— Vous n'y pouvez rien, mon cher. Ce que femme veut...

— N'oubliez pas non plus la volonté du zodiaque, ajouta Mademoiselle en riant elle aussi. Nous sommes le mercredi vingt-sept mars, jour qui doit m'être faste. M. de Vilaine l'a prédit.

Leur gaieté gagna Antoine-Agésilan de Flamarens :

234

— A moi, il a prédit que je mourrai jeune et la corde au cou. Faut-il donc le croire ?*

Plus résolue, plus pressée que jamais, Mademoiselle donna le signal du départ puis, à un quart de lieue d'Orléans, laissa les troupes qui l'accompagnaient, jugeant inutile d'effrayer les habitants par une arrivée de conquérante.

En chemin, on retrouva le lieutenant Pradine, envoyé en avant-garde, qui s'en revenait tout affolé :

— Votre Altesse court vers un très grave échec ! Les échevins vont vous fermer les portes au nez. De grâce, n'avancez plus ! Les ministres du Conseil, le garde des Sceaux et... votre mari, madame, ajouta le brave garçon en s'adressant à Charlotte, sont là-bas et parlementent. Ils insistent pour être reçus, au nom du roi. Vous n'avez aucune chance.

— Raison de plus pour y aller, rétorqua Mademoiselle.

A onze heures, la ville apparut, à la fois solide et gracieuse dans sa ceinture de remparts, coiffée de tours et de clochers reflétés dans la Loire entre deux nuages.

Avec assurance, la princesse se présenta à la porte Banier hermétiquement close. Fidèle à sa décision, Orléans ne s'ouvrit point !

Trois heures plus tard, l'ennui avait gagné le carrosse princier. Une douce somnolence avait même fini par engourdir les jeunes femmes lorsque, soudain, elles furent réveillées par un envoyé du gouverneur. Enfin, on allait s'occuper d'elles !

Déjà triomphantes, elles s'ébrouèrent pour, malheureusement, vite déchanter : ce n'était que des confitures que leur offrait le brave de Sourdis, par ailleurs totalement impuissant. Mais leur déception n'allant pas jusqu'à détruire toute notion de gourmandise, à deux pas de la porte, Mademoiselle et sa suite trouvèrent « le Port du Salut », une méchante auberge où les confitures arrosées d'un vin de l'Orléanais leur rendirent rapidement une pleine vitalité.

Cependant, les habitants de la ville, au courant de la pré-

_____
* La pendaison était réservée aux roturiers.

235

sence de l'illustre visiteuse, avaient peu à peu envahi les remparts :

— Vive le roi ! Vivent les Princes ! Et point de Mazarin !

Sans écouter les conseils de son entourage, Anne Marie Louise de Montpensier s'avança dans les fossés pour recueillir des vivats qui lui allèrent droit au cœur. Le peuple l'aimait. Elle l'avait toujours su. Quel bonheur !

— Bonnes gens, courez à l'Hôtel de Ville me faire ouvrir la porte !

Mais personne ne broncha.

Il faisait un temps magnifique. Au sortir de l'auberge, Charlotte s'attarda un moment. Un peu plus loin coulait la Loire. Entre le port de la Poterne en amont et celui de Recouvrance en aval, et bien qu'en ce temps de troubles le commerce fût considérablement diminué, sans les cuirs de Cordoue et les laines d'Espagne naguère envoyés par Nantes, les huiles expédiées de Provence, les bateaux étaient encore nombreux amarrés sur la grève ou portés par la rivière. Poussés par le vent de galerne venu de l'ouest, les chalands et les toues, leurs voiles déployées, remontaient le courant, chargés de sel ou de poissons séchés.

Depuis que Pradine lui avait appris que René était dans les parages, probablement à l'opposé de la ville, dans la même situation que la sienne mais agissant au nom du Cardinal, Charlotte était plongée dans un abîme de réflexions.

Et s'il réussissait à convaincre ces damnés échevins de se faire ouvrir la ville ? Quelle humiliation serait pour Mademoiselle le triomphe de l'ennemi ! Une humiliation qui rejaillirait, avec ses dangereuses conséquences, sur Monsieur, sur le Prince et ses amis, sur Jérôme ! Une humiliation qu'elle-même, Charlotte, ressentirait cruellement puisqu'elle était en grande partie responsable de cette expédition.

René savait-il déjà qu'ils se retrouvaient tous deux rivaux devant la cité rétive ? A la pensée qu'il pouvait surgir soudain, la moquerie aux lèvres, pour lui annoncer son succès, Charlotte voyait rouge. Non ! la victoire ne serait pas pour

236

DES LAURIERS POUR L'AMOUR

lui ! Un moyen devait bien exister pour parvenir à leurs fins ;
si l'autorité, l'amabilité, demeuraient vaines, un peu d'astuce,
peut-être, leur suffirait ?

Sur l'eau, sur le port, les bateliers parlaient fort, sifflaient,
chantaient, apparemment sans contraintes, maîtres de la
Loire, elle-même toute-puissante, régnant sans partage sur le
destin d'Orléans. Longuement, Charlotte détailla l'harmonieux paysage puis soudain, s'arrachant à sa contemplation,
courut rejoindre Mademoiselle.

— Madame de Barradas ! s'écria Léon de Fiesque en la
voyant venir. Essayez de calmer notre amie sinon nous fini-
rons tous dans les cachots de cette maudite ville !

Encouragée par les clameurs de sympathie lancées par les
Orléanais, Mademoiselle avait marché jusqu'à la porte sui-
vante. Excitée, menaçante, elle apostrophait la Garde rangée
en haie d'honneur au sommet de la muraille.

— Je vous somme de m'ouvrir !

— Mais nous n'avons pas les clefs, s'excusa l'officier de
service.

— Alors rompez la porte ! Je vous l'ordonne ou il vous en
cuira. C'est à moi que vous devez obéir. Je suis la fille de
votre maître. Ah ! La peste soit de ces entêtés !

Charlotte, qui maintenant l'avait rejointe, glissa en douceur un bras sous le sien et lui expliqua, dans le creux de
l'oreille, le plan qui lui était venu à l'esprit en contemplant la
Loire. Le visage de la princesse s'éclaira.

— Oui, pourquoi pas ? Les bateliers sont, certes, une
« gent indocile » mais j'ai toujours su parler au petit peuple,
même le plus grossier. Oui, oui... Charlotte, votre idée est
extraordinaire, digne des plus grands chefs !

Plus justement, c'était une idée de femme obstinée, où la
ruse et l'impertinence le disputaient à l'audace, une idée folle
qui fut aussitôt mise à exécution.

Sur le conseil de Charlotte, Mademoiselle renvoya ses
écuyers sans tenir compte de leur inquiétude et rassembla ses
maréchales.

237

— Mesdames, nous allons stupéfier l'univers ! leur annonça-t-elle en toute simplicité.

Rudes, indépendants, plus souvent sur l'eau que sur la terre et donc réfractaires aux lois communes, il est vrai que les bateliers formaient un monde à part, souvent redouté. Mais il est vrai, aussi, que Mademoiselle, en véritable grande dame, savait trouver les mots capables de toucher pareilles créatures. Ces hommes ne purent résister à de bonnes paroles accompagnées de si exquises manières. Subjugués par des sourires étourdissants, des effluves rares s'échappant de robes soyeuses, alléchés par plus de cent cinquante pistoles adroitement distribuées, jubilant à la perspective de narguer le maire et les échevins, ils acceptèrent sans barguigner la proposition.

Charlotte leur indiqua la partie des remparts qui avait retenu son attention.

— La Porte Brûlée ? Belle dame, dans moins d'une heure elle est à vous !

C'était une tour ancienne directement bâtie sur la rivière et donc uniquement accessible en barque. Des traînées de mousse, une gangue de vase noirâtre, couvraient sa partie inférieure léchée par la Loire, même aux périodes de basses eaux. Une vieille échelle aux nombreux barreaux rompus, accrochée à la muraille, permettait d'atteindre, à mi-hauteur, un encorbellement étroit où se dessinait une porte ronde, fermée, dans un état de forte décrépitude.

Il fallut tout de même de gros efforts aux bateliers pour en venir à bout. Pendant ce temps, en face, sur l'autre rive, les jeunes femmes les encourageaient du geste et de la voix, postées sur un talus envahi par les ronces et les aubépines. L'aventure devenait terriblement palpitante, suspendue là-haut à la diligence de ces hommes hâlés comme des Égyptiens, en équilibre sur le rebord, qui s'acharnaient contre le gros vantail de bois et de fer.

Atterrée à la pensée de bientôt devoir escalader cette

muraille, la délicate Marie de Bréauté jurait comme un porte-faix, pour la grande joie de ses amies.

— Et de quoi avons-nous l'air, sacredieu ! Nous sommes en loques, gémit-elle. Que Satan vous emporte, Charlotte, vous et vos idées saugrenues !

— A la guerre, comme à la guerre ! rétorqua Mademoiselle un peu décoiffée, sa robe lacérée par les épines, ses chaussures maculées de vase et de boue, bref, dans le même état que les autres.

— Plus vite, mes braves, plus vite ! criaient-elles tour à tour.

En elles, renaissaient de lointaines ardeurs belliqueuses. Leurs propos réveillaient de vieux échos, les clameurs de leurs ancêtres bataillant sous leurs armures, ici même, contre l'Anglais. Dans le ciel clair et changeant, semblaient frémir les ombres de Jeanne d'Arc et de ses capitaines.

— L'esprit de la « sainte » nous protège, je le sens, murmurait Mademoiselle, au comble de l'exaltation. Ah ! M. de Vilaine a dit vrai ! Cela va être extraordinaire.

Plus prosaïque et l'œil aux aguets, Charlotte redoutait toujours de voir apparaître René. Aussi fut-elle soulagée lorsque les bateliers leur firent signe que la voie était libre.

Agitant son panache au-dessus de ses boucles blondes, Anne Marie Louise de Montpensier rallia ses troupes comme l'avait fait, jadis, le plus populaire de ses aïeux :

— Allons, mesdames ! Sus, sus à Orléans !

Digne petite-fille du roi Henri, pucelle aussi vaillante que Jeanne, le moment était venu pour elle de marcher sur leurs traces sublimes, d'ajouter aux siècles un exploit prodigieux. Pour ceux qui en furent les témoins — toute la foule accourue maintenant le long de la berge, les habitants massés de ce côté-ci des remparts —, rien ne put jamais surpasser la vision insolite, admirable, renversante, de ces précieuses lancées à l'assaut d'une ville. On les vit traverser d'un pas téméraire le pont de bateaux jeté sur la Loire, escalader l'échelle vermoulue dans un envol de jupons, prendre pied sans trembler sur la couche de fiente qui recouvrait la partie extérieure de la muraille, se laisser guider par les bateliers, décidément très galants, jusqu'à la porte à demi éventrée. Deux barres de fer insérées au travers n'avaient pas permis d'y pratiquer une large ouverture mais un simple trou dans lequel ces dames se glissèrent l'une après l'autre, tête la première, le séant poussé par de grosses mains obligeantes.

— Vive le roi ! Vivent les Princes ! Et point de Mazarin !

Dès qu'apparut le visage joyeux de Mademoiselle à l'intérieur de la cité, on battit le tambour ; les officiers en haie d'honneur tirèrent l'épée tandis que criaient ses partisans venus lui faire un triomphe.

— "Vous serez bien aise de vous pouvoir vanter de m'avoir fait entrer", dit-elle, toute crottée mais fort dignement, au capitaine qui la recevait.

Charlotte fut la dernière à franchir la porte. Auparavant, elle s'accorda quelques secondes, juste le temps de regarder en bas, sans aucun vertige, la rivière d'un vert sombre et miroitant, les galets gris ou blonds de la grève, le talus épineux sur lequel, il y a un instant, elles étaient encore juchées. Le temps surtout de reconnaître, parmi les curieux, René de Barradas qu'elle salua d'un grand geste moqueur et triomphant avant de s'engouffrer à son tour dans la brèche.

★
★ ★

Le drap étouffa son cri. Elle ouvrit les yeux, attendit que son cœur affolé reprît un rythme normal. Tout dormait dans la maison. La nuit était encore noire. Il pleuvait doucement.

Peu à peu le cauchemar s'évanouit mais non l'angoisse qu'il avait fait naître. Charlotte tremblait. Elle avait vu des ruisseaux de sang, des flammes aussi hautes que des tours, des hommes s'entre-tuer au milieu de cadavres. Et tout cela dans un étrange silence. Derrière les terribles images, seule une voix avait gémi : « Charlotte, Charlotte... » Jérôme l'avait appelée. Sans le voir, elle l'avait deviné blessé, seul, perdu.

Les mains jointes sur la poitrine, immobile dans la position d'un gisant de pierre, Charlotte se raisonna. Ce n'était qu'un mauvais rêve. Elle n'avait rien à craindre pour Jérôme. Il était auprès de M. le Prince à Lorris en Gâtinais, un bourg distant d'Orléans d'une douzaine de lieues. Après une chevauchée incroyable à travers la France, sous des livrées de domestiques, ils avaient pu rejoindre leur armée, à point pour rétablir entre Nemours et Beaufort un semblant d'amitié utile à la bonne tenue des troupes ; à point pour reprendre Montargis sans coup férir et couper ainsi à la Cour, la route de Fontainebleau. L'exploit de Mademoiselle et de ses maréchales, le rôle de Charlotte dans cette affaire, connus, admirés par tout le pays, les avaient emplis d'émerveillement. Jérôme lui avait écrit une lettre vibrante d'éloges et d'amour. Bientôt ils seraient réunis.

Condé voulait en effet venir à Orléans, symbole d'une rébellion victorieuse et ce, malgré l'hostilité de Sourdis, la désapprobation de l'évêque, Alphonse d'Elbène, l'hésitation des Messieurs de la Ville. Mademoiselle avait dû déployer des trésors d'opiniâtreté pour leur faire changer d'avis. La veille au soir, elle avait enfin réussi à arracher leur accord. Dans la matinée, le courrier partirait pour Lorris. Dans deux jours, tout au plus, Jérôme serait ici.

Afin d'oublier l'impression pénible laissée par son rêve, Charlotte imagina ce que serait ce moment après une séparation de six mois. Puis le sommeil revint.

Mais du fond des ténèbres, s'éleva de nouveau la plainte lancinante et désolée. Jérôme était en danger ; il avait besoin d'elle ! Rien ne put cette fois, à son réveil, détruire cette conviction.

Charlotte n'avait pas pour habitude de se perdre en de stériles atermoiements. Après une rapide réflexion, elle fit sa toilette, s'habilla et se rendit chez Mademoiselle alors que celle-ci n'était pas encore levée. Il était à peine six heures.

La tâche qu'elles remplissaient à Orléans depuis une dizaine de jours ne leur permettait guère de se prélasser. Les autorités n'avaient pas accepté leur présence de gaieté de cœur et beaucoup de temps se passait en réunions et en discussions. Mademoiselle avait pris une grande part aux conseils de guerre houleux tenus par les ducs hors la ville. Très sensible aux souffrances, elle s'était aussi préoccupée de réparer les torts causés dans le Blésois par le passage des soldats de Mazarin.

Sur son ordre, tous les courriers frayant dans les parages étaient interceptés pour être soigneusement épluchés par ces dames, ce qui offrait d'ailleurs à celles-ci une appréciable distraction. Excepté les billets de marchands sans intérêt, elles découvraient en effet dans ces monceaux de lettres des secrets politiques, les petites trahisons des uns et des autres, des poulets ridicules qui les faisaient pouffer de rire.

Régner en maîtresse absolue sur une ville et sa campagne, au nom d'un père qu'elle chérissait, plaisait donc à Mademoiselle, activement aidée par ses maréchales, en particulier par Charlotte, sa meilleure conseillère, son bras droit.

— Déjà debout, ma chère ? lui dit la princesse, le bonnet de nuit un peu de guingois sur ses nattes blondes. Et il pleut toujours. Dommage ! bâilla-t-elle. J'avais prévu une partie de quilles dans le jardin.

Charlotte la salua non sans remarquer, sur la table hérissée de plumes d'oie et de canivets, la lettre cachetée, adressée au Prince, que Mademoiselle avait écrite hier en rentrant de l'Hôtel de Ville, avant de se coucher. D'emblée, elle exposa son projet :

— Je me propose de porter votre message à M. le Prince.

Pas une de ses amies ne s'était vraiment habituée aux façons un peu abruptes de Charlotte, à ses décisions imprévisibles, Mademoiselle encore moins que les autres. A peine sortie des limbes nocturnes, elle fut toute déroutée.

— Comment ? Mais... pour quelle raison ?

Elle allait avoir vingt-cinq ans ; cependant sa candeur, sa

spontanéité, ses pudibonderies étaient celles d'une très jeune fille. Charlotte ne pouvait lui dire la vérité sans heurter profondément son caractère ingénu.

— Pour quelle raison ? répéta Mademoiselle. Je ne sais si je dois vous y autoriser. Vous prendriez là un gros risque, Charlotte, avec des chemins aussi peu sûrs jusqu'à Lorris. Je comptais envoyer Pradine, tout seul.

— Rien n'est plus risqué que de chevaucher en solitaire dans une région en partie contrôlée par les « mazarins ». Si votre lettre tombait entre ses mains, le Cardinal connaîtrait l'intention de M. le Prince de venir ici et pourrait donc facilement lui tendre un guet-apens. Pradine peut se faire prendre tandis qu'une femme dont le nom est connu à la Cour, voyageant ostensiblement sous bonne escorte, n'a rien à craindre et va où elle le veut.

— C'est possible, oui, fit Mademoiselle ébranlée par ses arguments. Et nous devons évidemment penser avant tout à la sauvegarde de M. le Prince. Pourtant...

— Alors c'est accordé ? demanda Charlotte sans la laisser trop réfléchir, sachant fort bien user de son ascendant sur elle et par ailleurs toute prête à se passer de sa permission.

— C'est accordé, mon amie. Mais soyez prudente tout de même.

Une heure plus tard, un carrosse quittait Orléans par la porte de Bourgogne. En tête, chevauchaient Pradine et douze soldats de la Garde de Monsieur. A l'intérieur, près de Charlotte, se trouvaient Préfontaine, l'un des écuyers de Mademoiselle, un vieil homme aux longs cheveux blancs et une jeune servante nommée Andrée. En dépit de la pluie battante, d'une route défoncée, les chevaux allaient bon train, suivant les ordres.

La voix ne s'était pas tue, au contraire. Charlotte la devinait plus pressante qui transformait son amour en tourment, l'attirait vers l'inconnu. Mais soutenue par son inflexible volonté, pas un instant elle ne trembla.

IV
« Les misères de la guerre »

(Avril 1652 - Juillet 1652)

> « *Ô que la Parque carnassière*
> *mettra de gens sur la poussière !* »
>
> Jean LORET

COMME tout paraissait étrange ! D'abord le voyage lui-même, uniquement déterminé par un mystérieux appel au secours, une prémonition ; mais aussi le paysage, les intempéries, les heures qui n'en finissaient plus.

De grandes rafales pluvieuses flagellaient sans discontinuer l'épais caisson du carrosse, emportaient les cris des gardes, les hennissements des chevaux couverts de boue jusqu'au poitrail. Une faible lumière enrobait de gris un pays malmené par les trop nombreux mouvements d'équipages, de troupes et de convois. Pour éviter Jargeau et Châteauneuf que tenaient les Royaux, Pradine avait emprunté un chemin de forêt, interminable et sombre, d'une désespérante monotonie. Les bois ne semblaient s'ouvrir qu'à grand-peine devant eux mais en revanche, Charlotte vit en se retournant qu'ils avaient l'air de se replier sur leur passage avec une hâte inquiétante, comme pour les couper du reste du monde.

Ils n'avaient fait qu'une rencontre, celle d'une escouade de chevau-légers du roi et selon les prévisions de la jeune femme, leur propre escorte n'avait pas été inquiétée, le nom de Barradas, un passeport signé de Mademoiselle, lui ayant aussitôt garanti la bienveillance de l'officier qui l'avait contrôlée. Le gentilhomme avait même poussé la galanterie jusqu'à rendre hommage à Charlotte, à propos de l'escalade réussie d'Orléans. Pour sa part, il se rendait à Gien où la Cour était entrée le premier avril. Il avait fait également une vague allusion à un affrontement qui venait d'avoir lieu plus au sud, mais ses confidences en étaient restées là. Chacun avait suivi sa route.

Un affrontement... Le mot n'avait pas quitté, depuis, l'esprit de Charlotte. Tandis que dormaient profondément, malgré les soubresauts, le vieux Préfontaine et Andrée, qu'elle-même sentait l'humidité la pénétrer insidieusement sous son manteau de drap, elle ne cessait de s'interroger, plus angoissée à chaque tour de roues : qu'allait-elle trouver, qu'allait-elle apprendre à Lorris ?

Il faisait nuit noire lorsqu'ils en aperçurent les lumières au débouché de la forêt. Connaissant le bourg pour y avoir porté des lettres au Prince une semaine plus tôt, Pradine s'arrêta devant une maison cossue crénelée de jolies lucarnes, dans laquelle il entra pour annoncer la visiteuse. Réveillé en sursaut, Préfontaine ouvrit la portière et descendit de carrosse. Il pleuvait toujours.

Des ombres passaient devant les fenêtres éclairées. L'une d'elles était peut-être celle de Jérôme ? Incapable d'attendre plus longtemps, Charlotte fit signe à l'écuyer et sortit à son tour. Au même moment, le marquis de Flamarens apparut sur le seuil et se précipita à sa rencontre :

— Madame de Barradas ! Vraiment, si je m'attendais à vous voir. Entrez vite ! Vous êtes déjà toute mouillée.

Il l'entraîna vers la maison. L'instant suivant, elle se retrouvait près d'un bon feu, dans une grande pièce au plafond de bois peint de fleurs. Des gentilshommes y étaient occupés à ranger des papiers dans des cassettes de voyage. Des coffres fermés, tout prêts à être emportés, étaient alignés au milieu de la pièce qui, en dépit de sa chaleur, avait comme un air d'abandon.

— Monsieur le Prince est-il ici ? demanda Charlotte sans montrer son appréhension. J'ai un message à lui remettre de la part de Mademoiselle.

— Monsieur le Prince ? Vous ne savez donc pas ? Mais non, bien sûr, comment le pourriez-vous si vous avez quitté Orléans ce matin ! A l'heure qu'il est, M. le Prince est sur la route de Paris. Il est parti peu après le combat.

— Quel combat, M. de Flamarens ?

Il remarqua combien le regard fixé sur lui avec tant d'insistance était anxieux et par là même plus beau encore, d'un ton ardent semblable aux flammes et aux bûches mêlées dans l'âtre. Au risque de s'y brûler, le marquis de Flamarens se laissa capturer quelques secondes par son éclat.

— Le combat qui vient d'avoir lieu à Bléneau, répondit-il enfin.

Sans la faire languir davantage, le plus précisément possible, devinant que pour elle chaque détail compterait, il fit le récit de ce qui s'était passé ces derniers jours.

Précédant de peu la Cour, l'armée royale s'était étirée sur la rive droite de la Loire, une partie se cantonnant à Briare sous les ordres de Turenne, une autre en amont, dirigée par le maréchal d'Hocquincourt qui avait également éparpillé plusieurs de ses quartiers en pleine terre, du côté de Bléneau. La reine, par méfiance envers Turenne, avait commis une faute en divisant le commandement militaire. Condé s'en était rapidement aperçu, comprenant tout le parti qu'il pouvait tirer de cette situation, de la dissémination des troupes royales, de la vanité notoire d'Hocquincourt. Tout jouait en sa faveur. Il avait avec lui sept mille fantassins, cinq mille cavaliers. En face, les effectifs ne dépassaient pas, au total, neuf mille hommes. Comme un aigle, il avait fondu sur la proie la plus faible.

Le six avril, au crépuscule, le Prince avait attaqué victorieusement devant Bléneau trois régiments de dragons et un quartier de « cravattes »*. Hocquincourt avait à peine eu le

---

* Croates.

temps de se remettre de sa surprise, que son infanterie avait été à son tour en partie écrasée, le reste se réfugiant dans la petite ville. De leur côté, ses cavaliers n'avaient rien pu faire contre les merveilles accomplies par M. le Prince et les siens.

Flamarens, captivé par son propre récit, oubliait son interlocutrice pour revivre ces heures épiques, si proches, auxquelles lui aussi avait participé. Il revoyait le rougeoiement des quartiers en feu, les corps à corps sauvages, entendait l'infernal vacarme de la mitraille, les ordres hurlés dans la nuit, les cris d'hommes ou de bêtes touchés à mort.

— M. le Prince a eu sa monture tuée sous lui mais bien sûr, rien ne pouvait l'arrêter, murmura-t-il avec la ferveur admirative que tous vouaient à ce chef d'exception.

Sa victoire avait été écrasante. Son armée avait fait main basse sur les munitions, sur trois mille chevaux et le bagage d'Hocquincourt. Mais dans l'euphorie et malgré les consignes des officiers, les soldats avaient aussi pillé les fermes, les hameaux, les villages d'alentour. Leur butin n'avait cessé de s'alourdir. Trop, peut-être. Lorsqu'il avait fallu se retourner sur Turenne, une partie des troupes de Condé, ivres de saccage, en avait été empêchée.

Car Turenne était venu à la rescousse, lui qui formait le dernier rempart devant la Cour. A Gien, le roi, la reine en larmes, le Cardinal, avaient cédé à la panique et commencé à préparer leur fuite malgré les exhortations au calme du maréchal d'Ivreville.

— "Un roi ne doit pas fuir", avait également estimé Turenne, résolu à tenir tête à M. le Prince, son ancien ami.

Le soleil s'était levé sur ses hommes. Moins nombreux que les Frondeurs, ils avaient été, en revanche, disposés de telle sorte que la cavalerie de Condé, contrainte de s'engager le long d'un mince défilé, entre un bois et un étang, s'était présentée comme une cible idéale au tir de l'adversaire. Deux cents cavaliers étaient tombés avant que le Prince n'eût fait intervenir ses canons. Lorsque chacun, enfin, s'était retiré, rien de décisif n'avait été accompli.

— On ne peut donc parler de victoire de M. de Turenne, soupira Flamarens sans exprimer ouvertement sa déception. Mais il est bien certain que la Cour lui doit beaucoup. Pourtant il eût suffi de si peu de chose ! Bien dirigé par des hommes de la région, M. le Prince eût aisément gagné Gien et fait plier le Cardinal. Pourquoi a-t-il préféré interrompre sa poussée, rejoindre Paris ? Était-il las ?

Oui, pourquoi n'avait-il pas profité de l'avantage qui lui restait malgré tout ? Avait-il eu peur, lui qui était la vaillance même, de se retrouver devant son petit roi vaincu ?

— Pourquoi, selon vous, marquis ? demanda avidement Charlotte qui depuis longtemps n'avait qu'un nom en tête mais ne voulait le prononcer.

Mon Dieu, parmi tant d'hommes fauchés, se trouvait-il aussi celui qu'elle aimait ? Le visage de Flamarens reflétait tout le chagrin amer des lendemains de combat, lorsqu'on dénombre les compagnons perdus.

— Je vous ai dit combien l'affrontement a été rude. Ah, madame, que de souffrances autour de nous ! M. de Nemours a été grièvement atteint à la hanche. Il est maintenant soigné à Montargis. Mais pour beaucoup d'autres, ce fut sans espoir. M. le Prince en a éprouvé un profond chagrin, une sorte d'abattement, aggravé surtout par la perte de son ami, le comte de Venoy, disparu à Bléneau.

— Le comte de Venoy est donc mort ?

La voix de Charlotte était à peine altérée. Flamarens n'aurait d'ailleurs pas été surpris si son intérêt avait été plus vif car Venoy était un homme unanimement estimé.

— Mort ? Sans doute. Je l'ai vu moi-même encerclé par des écharpes vertes. Il était magnifique, madame, se battant comme un preux. Et puis...

Il s'interrompit, toute la scène devant les yeux.

— Continuez, monsieur, s'il vous plaît.

Antoine-Agésilan de Flamarens était trop sensible pour cette fois s'y tromper. Charlotte l'intéressait plus qu'aucune autre femme ne l'avait fait encore. Il sut deviner l'émotion dissimulée sous son attitude impassible et comprit qu'elle venait d'encaisser un coup extrêmement cruel, tout en essayant avec courage de ne pas se trahir. La certitude d'avoir en face de lui une amante désespérée éclairait soudain tout un pan d'événements donc il avait été le témoin. Devait-il se taire ou, au contraire, raconter ce qu'il avait vu lors du combat de Bléneau ?

Parmi les cavaliers que Venoy avait affrontés avec tant de fougue, s'était trouvé René de Barradas. Dans la nuit, dans le désordre indescriptible de la bataille, il était toujours possible, bien sûr, de s'illusionner, de mal évaluer les faits. Mais en voyant Venoy et Barradas très vite dressés l'un contre l'autre, Flamarens avait eu l'impression qu'un combat singulier les opposait, gladiateurs dans l'arène, chevaliers en lice prêts au jugement de Dieu : impression étrange et par ailleurs fugitive. L'attention de Flamarens, ferraillant lui-même de son côté, avait été presque aussitôt détournée des deux hommes. Plus tard, il avait appris qu'au petit jour, on avait relevé Barradas pour le transporter au château de Bléneau afin de soigner ses blessures, superficielles selon toute apparence. Quant à Venoy, on ne l'avait pas retrouvé.

« Le cœur de cette femme était donc la raison de ce duel impitoyable », pensait Flamarens en se taisant toujours.

Une main agrippa la sienne ; des ongles s'y incrustèrent. Un visage se rapprocha du sien, pâle et hostile.

— Que savez-vous ? Parlez ! Mais parlez donc ! lui souffla Charlotte d'une manière telle qu'il ne put hésiter plus longtemps.

Il lui fit alors un rapport sobre, dénué de toute allusion personnelle, puis termina en évoquant les recherches entreprises pour retrouver Jérôme de Venoy.

— Croyez, madame, qu'elles ont été menées avec le plus grand soin. M. le Prince a fait ratisser les lieux, Bléneau, les bords du Loing, la campagne, les bois tout autour. Il s'est même adressé au maréchal d'Hocquincourt, à M. de Turenne. En vain. Nous en avons conclu que le comte de

Venoy a dû tomber dans l'un des nombreux étangs de la région, à moins qu'il n'ait été emporté par le courant de la rivière. M. de Barradas nous a dit l'avoir touché, mais blessé lui-même, très vite inconscient, il n'a pu se souvenir de rien d'autre. Il en a donné sa parole au Prince.

La suspecter eût été la dernière chose que se fût permis Flamarens. Charlotte, non plus, n'eut pas l'air de la remettre en cause. Ce que le marquis ne lui avait pas raconté, elle l'imaginait sans mal. Jérôme et René s'étaient battus pour elle, jusqu'au bout de leurs forces, sans doute terrassés en même temps. Que s'était-il passé ensuite ? Où Jérôme avait-il été entraîné, pour quelle raison ? Elle saurait bien le découvrir en se jetant sur ses traces.

Il n'était pas mort puisqu'il l'avait appelée. Il n'était pas mort mais gisait quelque part, incapable de bouger, affaibli, usant sa dernière vigueur à lui envoyer son message. Si elle l'avait pu, elle serait partie sur-le-champ, vibrante d'impatience et d'espoir. Flamarens fut tout étonné devant tant d'animation, de rayonnement soudains. Il crut s'être trompé. Peut-être était-ce le soulagement de savoir son mari sauf qui lui redonnait des couleurs ? Les femmes étaient insaisissables, tournant toujours aux quatre vents. Il se sentit brutalement accablé, un peu ridicule, sans comprendre pourquoi.

— Sans doute, voudrez-vous regagner Orléans dès demain ? reprit-il avec effort. Moi-même, je pars très tôt sur Paris où m'attend Monsieur. Je ne suis revenu à Lorris que pour y récupérer les papiers et les effets qu'avaient laissés messieurs de Beaufort et Nemours. Je crains de ne pouvoir vous héberger dans cette maison qui fut la leur ces derniers jours. Le désordre est trop grand. Il y a à Lorris une hostellerie tout à fait convenable, juste en face d'ici. Je vous y mènerai. Accepterez-vous que nous soupions ensemble, madame ?

Charlotte refusa, prétextant la fatigue, mais se laissa conduire par Flamarens jusqu'à l'hostellerie en question où la rejoignirent les gens de sa suite. Là, elle remercia sincèrement le gentilhomme puis se retira avec Andrée dans une petite chambre où l'hôte leur monta une soupe chaude et un chapon. Dehors la pluie continuait à frapper les toits. Elle ruisselait le long des chenaux, s'écoulait dans de gros tonneaux avec un bruit de torrent furieux. La pluie qui effaçait tout, écrasait les corps inanimés sur les champs de bataille pour mieux les diluer au plus profond de la terre... Où était Jérôme dans cette tourmente ? Saurait-il lui résister ?

Par un curieux hasard, Charlotte se trouvait dans le pays natal de Guillaume de Lorris, l'un des auteurs du *Roman de la Rose*. Naguère, elle avait fait ses délices de ce long poème médiéval ; aujourd'hui, elle y retrouvait bien des reflets de sa propre situation. Tout comme Guillaume, elle avait fait un rêve visionnaire. Le poète s'était mis en quête de sa dame ; elle-même recherchait son amant. Comme le sien, son propre chemin s'annonçait hérissé d'obstacles, mais elle aussi saurait bien en triompher et dans une nature complice, transfigurée par le printemps, atteindre son but. « *Voici le Roman de la Rose où l'art d'Amour est tout enclos...* »

En ce temps-là, on savait envelopper chaque sentiment d'un raffinement courtois ; on savait aussi se battre pour mériter son bonheur. L'image de deux hommes, croisant le fer en son nom, hantait Charlotte. Les ombres bientôt triomphantes du sommeil l'emportaient dans un tourbillon de pensées intenses. Sa folle inquiétude, étayée par l'espoir aussi fou de pouvoir rejoindre Jérôme, son soulagement sincère de savoir René hors de danger, ne l'empêchaient pas de goûter à l'orgueil d'être aimée pareillement. A la manière de jadis, deux hommes s'étaient battus pour elle. Cependant, seul l'un des chevaliers portait ses couleurs, l'écharpe noir et or qu'une nuit d'amour avait consacrée.

Elle fut debout la première dans une aube blafarde et humide, avant que la petite église Notre-Dame eût éveillé le bourg. Sous sa fenêtre, elle entendit chanter un oiseau, notes d'insouciance après le déluge de la veille. Bientôt le soleil poindrait. Comme un soutien ami, il suivrait Charlotte au cours de ce nouveau voyage dont elle avait déjà pensé chaque détail.

D'abord, elle écrivit à Mademoiselle puis s'assura du départ de Flamarens. Pour cela, elle envoya Andrée, encore à moitié endormie, aux renseignements. La jeune fille revint vite lui annoncer qu'en effet, Flamarens et les officiers qui étaient avec lui hier, venaient de quitter Lorris. Convoquant alors Pradine, Charlotte lui ordonna de retourner à Orléans porter un message à Mademoiselle, lui laissant entendre qu'elle devait demeurer ici pour le service des Princes. Deux hommes ainsi que Préfontaine et Andrée resteraient avec elle.

Dans la lettre destinée à la princesse, Charlotte, un peu plus explicite, disait avoir appris que M. de Venoy se trouvait malade et malencontreusement coupé des siens après le grave affrontement de Bléneau. Elle confiait son intention de se rendre auprès de lui afin de l'aider à rejoindre M. le Prince, sans autres précisions, mais sachant bien que le nom de Condé suffirait à Mademoiselle pour justifier une conduite par ailleurs obscure.

Une fois le lieutenant parti sans trop manifester d'étonnement, la jeune femme rassembla tout le monde, appela l'hôtelier, donna des ordres aux uns et aux autres, fit tant et tant avec cet air d'autorité souveraine devant lequel chacun ne pouvait que s'exécuter, qu'en milieu de matinée elle était prête à son tour à se mettre en route. Andrée avait pour consigne de l'attendre à Lorris avec le cocher et son équipage. Estimant avec justesse que pour battre la campagne, un carrosse et une femme de chambre seraient trop encombrants, elle avait décidé que seuls Préfontaine et les deux gardes l'aideraient à rechercher puis à ramener Jérôme. Ces gardes avaient troqué leur uniforme contre de simples vêtements de drap. Elle-même portait un habit masculin, un large chapeau qui lui mangeait le visage, une épée à la ceinture. Tous quatre étaient armés de pistolets, montés sur des chevaux robustes ainsi que le jeune garçon qui les accompagnait. Il se nommait Martin. Né dans le village, mais habitué à suivre son père rémouleur dans toute la région, il était le guide que l'hôtelier avait trouvé sur la demande de Charlotte. Une sixième monture fermait le cortège, sur laquelle avaient été chargés des couvertures, des sacs bourrés de provisions, de linge, de vêtements, d'un choix de médicaments — baumes, potions, plantes — et de charpie.

Comme Charlotte l'avait souhaité, il faisait beau. La grande forêt bruissante exhalait ses souffles de terreau et de sève. Satisfaite de sa petite troupe, la cavalière piqua des deux sans plus attendre.

★
★ ★

Sous la conduite de Martin, ils marchèrent des heures, apparemment sans direction précise. Le garçon les entraînait d'un chemin à un autre, coupait parfois une prairie, une terre labourée, se faufilait le long d'un sentier à peine dessiné sur une étendue buissonneuse, comme s'il avait voulu les égarer. Il n'en était rien, bien sûr. La courbe du soleil, toujours au beau fixe au-dessus d'eux, suffisait à les en convaincre. Charlotte avait confiance en Martin qui semblait effectivement un familier des lieux. Loin de les retarder, ces détours leur évitaient en fait l'embourbement, l'encombrement de la route passagère, la file interminable qui remontait vers le Nord.

Sur les pas de M. le Prince, l'armée de la Fronde se rapprochait de Paris avec ordre de se regrouper à Étampes. Depuis deux jours, son flot ininterrompu noyait la campagne d'un sombre moutonnement sans visages, de chapeaux ou de casques, de cuirasses ou de « buffles » délavés par la pluie, la poussière et la boue. Cavaliers ou fantassins, les hommes avançaient avec la même lenteur inexorable, traînant de lourds canons, les forges ambulantes, les chevaux, les convois d'armes, de matériel, de vivres, suivis des petits marchands et des vivandières. Charlotte et ses compagnons ne s'en approchèrent qu'une seule fois, lorsqu'ils aperçurent au loin des chariots transportant des blessés. Bien que Charlotte fût intimement persuadée que Jérôme n'était pas parmi eux, elle chargea tout de même Préfontaine d'interroger l'officier qui les menait. Il se trouva que cet homme connaissait bien le comte de Venoy. Avec regret, il ne fit que confirmer sa disparition en répétant grosso modo ce qu'avait déjà relaté Flamarens sur les circonstances du drame.

Charlotte n'accorda qu'un regard distant aux blessés gémissant sur des litières de fortune, allongés pêle-mêle sur les planches rugueuses des fardiers. Quelques-uns dormaient, abrutis par la souffrance dans leurs chiffons sanglants, pareils à de pitoyables poupées de cire. La place de Jérôme ne pouvait pas être parmi ces victimes, ces moribonds ! Charlotte ne voulait point de ce spectacle. Dans son souvenir, défilait toujours le joyeux, le pimpant régiment qui l'avait accueillie avec Mademoiselle et ses maréchales. Elle se détourna. Son petit groupe reprit la route opposée. En forçant un peu l'allure, ils seraient, au soir, en vue de Bléneau.

« Les bois retrouvent leur verdure, la terre même s'enorgueillit ; elle change sa robe entière ; herbes, fleurs de maintes couleurs diverses ; les oiseaux sont si gais... qu'il leur faut bien chanter... » Des bribes du *Roman de la Rose* revenaient encore à la mémoire de Charlotte. Tout comme Guillaume de Lorris, elle allait donc à la découverte du verger d'Amour où séjournait l'élu de son cœur.

Mais hélas, où étaient à présent les beaux jours décrits par le poète ? Le printemps n'avait fait qu'effleurer la nature, chassé par la guerre et son œuvre sauvage. A mesure qu'ils avançaient, que la réalité s'imposait peu à peu, Charlotte fut bien obligée d'oublier les visions idylliques dont elle s'obstinait à peupler ses pensées, d'accepter l'évidence. Le verger qui abritait son amour ne serait pas celui de la Rose. C'était un pays sans nom, ravagé, perdu.

Le crépuscule descendait maintenant sur des haies déracinées, des arbres à demi calcinés aux branches arrachées par les éclats de mitraille, des prés creusés profondément, des récoltes détruites dans leurs premières pousses. Çà et là s'élevaient des fumées trop épaisses pour monter d'une simple cheminée. Les hameaux avaient souffert ; la plupart n'étaient que ruines et cendres. Plus âme qui vive ne s'y trouvait mais des cadavres épars. Des rescapés se rencontraient parfois, errant sur les chemins. A tous, Charlotte posait la même question : n'avaient-ils pas vu un gentilhomme aux cheveux noirs, de l'armée de M. le Prince ? Invariablement, ils secouaient la tête, avec l'air de ne pas la comprendre, la terreur dans les yeux.

Selon Martin, Bléneau était toute proche mais il était trop tard pour continuer. Une bergerie en partie intacte, vide de ses bêtes, lui parut offrir un refuge suffisant. Charlotte accepta de s'y arrêter de mauvaise grâce, pestant contre la nuit qui interrompait sa quête. Chaque heure comptait.

Charlotte glissa doucement la main dans le sac posé près d'elle et en retira le pistolet qu'elle avait armé la veille. Du fond de la bergerie lui parvenait le sommeil bruyant de Martin, de Préfontaine et des gardes mais c'était autre chose qui l'avait alertée, des mouvements furtifs, venus du dehors, de l'endroit où ils avaient attaché leurs montures.

« On vole les chevaux ! » avait-elle aussitôt pensé.

Sans bruit, elle se leva, s'approcha de la porte, ôta la barre de bois qui la fermait puis entrouvrit le battant juste assez pour y passer la tête. Elle ne s'était pas trompée. Les hommes étaient au nombre de trois, des formes silencieuses dans la nuit claire, occupés à détacher les brides, empêcher les bêtes de hennir. Un court instant, Charlotte les observa avant d'avancer d'un pas et d'ajuster son tir. Sûre de ne pas manquer sa cible, elle fit feu sur une première silhouette.

Dans la profonde quiétude nocturne, le coup amplifié affola les chevaux, réveilla toute la petite faune blottie dans les bosquets voisins. Il réveilla également les hommes de

258

l'escorte. Un deuxième puis un troisième coup de feu claquèrent près de Charlotte, faisant mouche eux aussi.

— Bien, M. de Préfontaine, fit Charlotte à l'écuyer dont les pistolets fumaient encore.

— Madame, vous ne tirez pas mal non plus, répondit-il en s'inclinant.

Martin alluma une torche et la promena au-dessus des trois corps immobiles. En s'approchant, Charlotte découvrit leurs visages barbus, encore jeunes, leurs casaques et leurs guêtres crasseuses, leurs grosses chaussures. A leurs ceinturons, étaient accrochées des volailles, des fiasques de vin. Quelques pièces d'or avaient roulé autour d'eux.

— Des pillards en rupture de régiment, fit l'un des gardes.

— Nous en rencontrerons probablement d'autres, dit le second d'un ton soucieux.

Ils étaient inévitables, alliés, ennemis, quelle importance pour leurs victimes ? Allemands ou Suédois, Irlandais ou Flamands, Espagnols ou Croates, Polonais, Lorrains ou Français, à la solde d'un parti ou d'un autre, les « picoreurs » marquaient leur passage de balafres sanglantes infiniment longues à cicatriser.

Certains officiers sanctionnaient avec sévérité leurs débordements. La plupart fermaient les yeux, impuissants, faute d'argent, à subvenir aux besoins de leurs troupes. Un soldat mal, ou pas du tout payé, ne devait sa survie qu'à la maraude. Loin de toute discipline, de toute férule, le ventre creux et la force au poing, il laissait alors remonter la boue dont l'individu est pétri. Ni homme ni bête, il n'était plus qu'un monstre sans âme, sans cœur, sans foi, sans autre loi que celle de son instinct le plus primitif, une marionnette monstrueuse, manipulée par Satan.

Quelques jours après la bataille, Bléneau reprenait souffle, relevait ses murailles éboulées, pansait ses plaies. Nombre d'officiers blessés, intransportables, occupaient toujours le château où se présentèrent, à la première heure, Préfontaine

259

et Martin. Connaissant beaucoup de ces gentilshommes, l'écuyer put aisément obtenir d'eux tous les renseignements désirés et vite rejoindre Charlotte qui attendait avec les gardes, à un tournant du Loing. Au demeurant, les informations étaient brèves : la veille, René de Barradas avait quitté Bléneau à peu près rétabli pour retourner à Gien, et tout le monde était persuadé qu'on ne reverrait pas vivant le comte de Venoy. Préfontaine rapportait également un plan précis du champ de bataille.

— Madame, celui que vous cherchez ne peut être ici, fit l'écuyer un peu plus tard en s'approchant de Charlotte.

Comme ses compagnons, il avait compris depuis longtemps que l'intérêt des Princes n'était pas le véritable motif de leur singulier voyage. Tous les quatre avaient fini par s'attacher à la jeune femme en découvrant, sous son abord autoritaire et réservé, un caractère courageux, obstiné, passionné, un intime tourment.

Pendant près d'une heure, ils l'avaient vue arpenter l'étendue dévastée, comme une âme en peine, errant parmi les ombres. De larges fossés creusés et recouverts hâtivement par souci de salubrité renfermaient à jamais les corps des soldats retrouvés sur place. Les beaux genêts verts, aux promesses de floraison, n'étaient plus que rameaux morts, racines pourrissantes. Les oiseaux avaient fui. Débris de fer ou de cuir, hampes rompues, lambeaux d'étoffes, magma d'herbes, de terre et de sang : la lande, pour longtemps, resterait un enclos désert.

Les rayons du matin l'avaient d'abord balayée. Puis soudain, une masse grise ourlée de noir avait couru dans le ciel. Un fracas terrible avait suivi. Fine et clairsemée, une pluie de grêle s'était abattue sur toute la campagne mais Charlotte n'avait pas semblé s'en rendre compte. Préfontaine, avec douceur, avait entrepris de la raisonner.

— Souvenez-vous que M. le Prince a fait examiner chaque pouce de terrain, reprit-il.

— Je sais...

Elle n'aurait pu dire ce qu'elle avait espéré en venant hanter ces lieux. Un indice ? Une inspiration ? Une lueur assez forte pour éclairer ses pas rivés maintenant sur ce sol bosselé où s'étaient joués — et perdus — tant de destins ?

Les grêlons se mirent à tomber dru, épais comme un rideau lourd. En un instant, la terre entière blanchit, sans toutefois dégager la sérénité d'un jour de neige. Derrière le déluge marbré d'éclairs, au vacarme assourdissant, le combat paraissait encore faire rage, attisé par des hommes acharnés à s'entre-tuer éternellement. Charlotte pensa que sa vie avait été jusqu'à présent pareille à cette froide et violente tempête, traversée de fulgurants traits de feu. Une attirance morbide s'insinuait en elle. Ce rideau franchi, l'autre monde atteint, ne verrait-elle pas enfin Jérôme ?

— Venez, venez, répétait derrière elle le bon Préfontaine.

Une rafale plus forte qu'une autre lui cingla le visage : folle, folle, éloigne-toi d'ici ! Continue ta route. Va plus loin, ailleurs, là où il t'attend !

Ils repartirent, Martin en tête. Sous les sabots des chevaux, crissait l'épais tapis de grêlons jeté tout autour d'eux, à perte de vue. Ils longèrent deux ou trois étangs aux surfaces dépolies de métal puis d'un coup, la bourrasque cessa. Le soleil réapparut.

— C'est Champdeloy ! fit Martin en désignant le clocher qui s'effilait au-dessus des arbres.

Ils furent au village en quelques foulées et dès les premières maisons, noircies et béantes, ils butèrent sur des cadavres. La rue était jonchée de meubles, de vaisselle brisée, de chiens morts. D'un peu plus loin, leur parvenaient des cris, des tirs, des bruits sourds. Une explosion eut lieu, saluée de hurlements où se confondaient tant de joie et de douleur, l'une égale à l'autre, tout aussi affreuse, qu'un frisson courut sur l'échine des cinq cavaliers. Ils sortirent leurs armes, avancèrent avec prudence, à l'abri d'une palissade.

L'air frais, comme pouvait l'être un beau matin d'avril diamanté par une récente averse, s'enténébra tout à coup. La petite place du village dominée par le porche ancien de l'église, ses quelques pignons bien découpés, son abreuvoir ombragé d'un tilleul, image familière, répétée par milliers au travers du royaume, était devenue le cadre d'un spectacle d'épouvante que jamais Charlotte ne devait oublier. La guerre continuait ici à mener la sarabande. Ses masques les plus hideux avaient entrouvert les portes maudites : Champdeloy s'était transformé en antichambre de l'enfer.

Des soldats, ivres de vin comme de leur propre férocité, avaient regroupé ce qu'il restait des habitants, une trentaine d'hommes, de femmes et d'enfants hébétés, trop saturés d'horreur pour avoir encore la force de résister à leurs tourmenteurs. Ils ne pouvaient que gémir, les supplier vainement, crier lorsque la souffrance se faisait insupportable. Les femmes, les fillettes étaient forcées tour à tour. Après avoir abusé d'elles, les démons prolongeaient le jeu, l'enjolivaient. Quoi de plus inspirant que leurs « natures » déjà largement ouvertes ? On les bourrait de poudre, on y mettait une mèche, on battait le briquet. Le feu rampait entre leurs jambes et très vite, provoquait l'éclatement des corps. Ah ! l'atroce soubresaut de ces pauvres pantins déchiquetés, éparpillés devant les autres !

Aux hommes étaient réservées des trouvailles tout aussi subtiles. Les soldats les dénudaient, leur posaient un chat à même la peau puis fouettaient l'animal. Les griffes, les crocs s'incrustaient alors dans les chairs, les labouraient jusqu'au sang, arrachaient les oreilles, crevaient les yeux. Généralement, ce moyen était employé toujours avec succès, quand les picoreurs voulaient délier les langues, connaître la cachette d'un magot. Ce matin, ils utilisaient les chats uniquement pour le plaisir. Champdeloy leur avait livré tous ses biens. Son curé, pendu par les aisselles dans le plus simple appareil à une poutre de son église, battu à coups d'étrivière, les pieds, le sexe chatouillés par des pinces brûlantes, avait fini par indiquer où se trouvait son trésor, en croyant ainsi sauver ses ouailles. Maintenant, les croix, les ciboires, les reliquaires, l'ostensoir, s'empilaient avec le reste du butin, des bourses pleines d'or, des plats d'argent, des bijoux que les villageois, tout modestes qu'ils avaient l'air, possédaient en leur particulier. Des victuailles, des tonneaux de cidre ou de vin avaient été raflés de même. Avant de regagner leur régiment, réserves faites, les soldats ne demandaient qu'une provision supplémentaire de bon temps.

Ces choses-là existaient donc ? Ces abominations révélées par les réfugiés des campagnes envahies, ces récits répétés dans les salons, naguère écoutés sans attention véritable, difficiles à admettre vraiment, si troublants que l'on préférait souvent ne pas les connaître ? Charlotte avait dans la bouche un goût de fiel. Le souffle lui manquait. Le sang battait à ses tempes au point de lui brouiller la vue. Près d'elle ses compagnons restaient eux aussi pétrifiés, sauf Préfontaine qui murmura :

— Il faut partir, madame. Si ces bêtes nous aperçoivent, c'en est fait de nous. Ils sont trop nombreux.

Un cheval passa près d'eux au galop. Il traînait à l'extrémité d'une corde attachée à sa queue, un chiffon rouge, une chevelure blonde, mince forme, à peine reconnaissable, celle d'une petite fille dont les monstres avaient ainsi prolongé le martyre. Leurs rires intolérables s'amplifiaient. Dans ce cauchemar, Charlotte vit au loin un bébé se débattre entre les mains d'un soudard. Le visage rond de Pierre, son fils, auquel elle pensait si peu, traversa son esprit en déroute. Ce fut le déclic qui lui rendit son sang-froid. Elle se mit à crier, manifestant toute sa révolte et son dégoût dans un hurlement rageur. Sous son brusque coup d'éperons, son cheval se cabra, puis fila comme l'éclair, droit sur la place. Interdits, les hommes de sa suite la virent surgir au milieu de la soldatesque, arracher le bébé à son bourreau et revenir au galop le déposer à l'abri de la palissade.

— Allons, messieurs, allons ! leur lança-t-elle.

Déjà elle repartait, l'épée au poing. Ils ne purent que la suivre.

263

L'un des gardes tomba tout de suite, atteint par une balle d'arquebuse. Le second fit signe à Martin. Sautant de cheval, ils s'abritèrent derrière l'abreuvoir et se mirent à tirer sur les picoreurs qui, par chance, eurent d'abord du mal à organiser une riposte, trop soudainement dérangés dans leur démence. Les tirs de Martin et du garde en fauchèrent quelques-uns tandis que Charlotte et Préfontaine maniaient l'épée, seuls contre une bonne douzaine. Plusieurs villageois parmi les moins affaiblis esquissèrent à leur tour une défense timide puis de plus en plus énergique à l'aide de pierres, de gourdins, de barres de fer, enfin de tout ce qu'ils purent trouver.

Charlotte avait, elle aussi, mis pied à terre. Sans peur, elle se battait, consciente comme jamais elle ne l'avait encore été de sa force, de son adresse, de son acharnement à vaincre. Son père — le meilleur maître d'armes qui se pouvait rêver ! — lui avait jadis tout appris. Mais il ne lui avait pas enseigné la haine, ce sentiment froid, puissant, qui aujourd'hui guidait son bras. Son épée était si rapide, si agile, qu'elle devenait un véritable faisceau d'acier, entaillant, perçant, tranchant ici, là, des corps et des membres, arrêtant chaque fois avec une science stupéfiante les lames de ses adversaires.

Pourtant vint le moment où, blessée à l'épaule, submergée par le nombre, six ou sept furieux qui tentaient de l'encercler, elle comprit qu'elle aurait du mal à se tirer d'affaire. Après un rapide coup d'œil autour d'elle, Charlotte manœuvra si bien qu'elle put atteindre l'entrée étroite d'une ruelle, contraignant de la sorte les hommes à se présenter contre elle au maximum à deux. Cela lui réussit. Après avoir assez vite éliminé la moitié de ses assaillants, elle échappa au reste en s'engouffrant prestement dans une porte entrouverte qu'elle leur claqua au nez.

Un verrou... Un banc très lourd qu'elle traîna péniblement, cala contre le battant... Un volet, repoussé sur la fenêtre : en un tournemain, Charlotte réussit à se barricader à l'intérieur de la maison. Son épaule saignait et la faisait souffrir. Elle glissa un mouchoir sous son pourpoint, comprima fortement la blessure et reprit haleine. Dehors, ses trois poursuivants cherchaient à forcer la porte.

Dans la pièce où elle se trouvait, les picoreurs étaient passés, comme ailleurs. Tout était sens dessus dessous. Un vieillard nu, étendu devant la cheminée encore rougeoyante, avait les pieds et les chevilles carbonisés. Il était mort. Charlotte préféra détourner les yeux et vit alors un escalier de bois, aussi raide qu'une échelle, qui menait à l'étage. Elle le prit, parvint dans une chambre, se dirigea vers une fenêtre ouverte. Dans la ruelle, en bas, les soldats s'échinaient toujours contre la porte, usant d'une poutre comme d'un bélier. Charlotte remit son épée au fourreau, prit les deux pistolets glissés dans sa ceinture, visa, pressa en même temps leur détente : deux hommes s'écroulèrent. Le troisième s'enfuit en courant. Sans perdre une seconde, la jeune femme rechargea ses armes puis vint se poster à l'autre fenêtre, celle-ci donnant directement face à l'église, sur la place de Champdeloy.

Là, le tumulte semblait avoir décru. Rassemblés autour de l'abreuvoir, Préfontaine et Martin, épaulés par une poignée de villageois, continuaient à se battre. Charlotte trouva des airs de Quichotte au vieil écuyer à la maigre silhouette. Quant au jeune garçon, il virevoltait, se protégeant grâce à une barre de métal dont il se servait avec adresse. Elle n'aperçut pas ses gardes mais en revanche, constata que plusieurs soldats, ayant ramassé et hissé sur leurs chevaux quelques sacs de leur brigandage, filaient sans plus attendre. Comme ils passaient sous sa fenêtre, elle fit feu : deux d'entre eux, au moins, n'iraient pas ailleurs jouir de leurs crimes !

Le jeu finissait par lui plaire. Il avait le mérite de l'aider à surmonter son effroyable impression d'horreur. Précise, méthodique, elle maniait ses pistolets sans fébrilité et ne manquait aucune de ses cibles. Bientôt, le petit carré de résistants se retrouva seul près de l'abreuvoir. Des picoreurs, il ne resta que de grandes et noires carcasses, grâce à Dieu, désormais inoffensives.

D'abord flotta un silence profond. Les villageois ne semblaient pas encore croire à leur délivrance. Le premier qui reprit ses esprits courut aussitôt à l'église secourir l'infortuné curé. Martin s'agenouilla à côté de Préfontaine dont une blessure et surtout une immense fatigue venaient d'avoir raison. Charlotte s'apprêtait à quitter la chambre pour les rejoindre, lorsqu'une bizarre voix d'enfant chevrota :

— Vous avez tué tous ces méchants ?

C'était un petit garçon de huit ans à peine, recroquevillé contre un lit aux pentes de serge grise. Charlotte n'avait encore remarqué ni l'un ni l'autre. Elle sursauta puis répondit :

— Oui, tous. Tu n'as plus rien à craindre.

Et tandis qu'elle disait cela, elle découvrit, avec un mouvement de recul, une jeune fille allongée sur le lit, inerte, et ne comprit que trop ce qu'elle avait subi.

— C'est ma sœur. C'est eux qu'ont fait ça, fit le petit en s'essuyant les yeux.

Par la fenêtre, il avait assisté à l'arrivée providentielle de Charlotte. Mis en confiance, trop heureux de pouvoir enfin raconter à ce cavalier sa terrible épreuve, il lui en donna abondamment les détails.

— Après, y l'ont étranglée. Et à moi, y zont fait du mal aussi. Tenez, regardez !

Charlotte crut défaillir alors que le petit, en toute impudeur, baissait ses chausses pour lui montrer les preuves d'un ignoble forfait.

— Et j'peux plus parler. Ça serre dans ma gorge.

Il avait de grandes marques violâtres sur la peau.

— Tu devrais boire un peu d'eau, murmura-t-elle bouleversée. Maintenant, on va s'occuper de toi. Ça ira mieux.

Estimant qu'il serait plus décent de recouvrir la victime, elle réussit à vaincre sa répulsion et s'approcha du lit pour remonter un drap sur le pauvre corps flétri. Ce faisant, elle vit dans l'ombre briller une étoffe.

Charlotte se pencha, haletante : fluide, richement brodée,

266

c'était une soie jaune et noir, brodée d'un « C », sa propre écharpe, enroulée autour du cou de la morte !

La main encore tendue, elle suspendit son geste, incapable d'y toucher.

— Sais-tu d'où vient cette écharpe ? demanda-t-elle à l'enfant.

Il eut de nouveau les yeux pleins de larmes en croyant que le valeureux cavalier le punirait de son larcin. Car il l'avoua dans un souffle rauque : cette écharpe, il l'avait prise à un gentilhomme blessé.

— Tu dois tout me dire, petit, fit Charlotte sans impatience mais avec autorité. Je suis précisément à la recherche de ce gentilhomme.

C'était au lendemain de la bataille, au bord de l'étang du Charme. L'enfant s'y était trouvé avec plus de la moitié des habitants du village, ceux qui avaient préféré fuir, se cacher dans les bois de peur des pillards. Bien leur en avait pris ! Pourtant lui-même n'avait jamais eu très envie de les accompagner. Il ne craignait pas les soldats et puis, dans sa maison, étaient restés son grand-père et sa sœur infirme. Cet abandon lui avait pesé.

A une lieue d'ici, ils avaient tout d'abord aperçu un cheval, broutant parmi les roseaux, puis au travers de hautes herbes, un homme à demi immergé dans la vase, les mains crispées sur cette longue écharpe. Tout indiquait qu'il avait dû la lancer et réussir à l'accrocher à des racines pour se hisser en partie hors de l'eau, évitant par ce moyen une noyade certaine. Mais tant d'efforts avaient dû également l'achever. Il ne bougeait pas, mort sans doute. Cependant, l'un des habitants de Champdeloy avait décidé de s'en assurer en le ramenant sur la terre ferme. Tous s'étaient alors rendu compte qu'il vivait toujours sous le sang de ses blessures, et qu'il devait être un grand seigneur pour être aussi richement vêtu. Sans plus réfléchir, ils l'avaient étendu sur l'une de leurs charrettes, avaient pris aussi son cheval et avaient continué le chemin.

En voyant la belle écharpe, le petit garçon avait repensé à

sa sœur. Pour elle, il s'en était discrètement emparé puis était retourné à Champdeloy. Ensuite...

— Il faudra essayer d'oublier, petit, interrompit Charlotte qui n'aurait pas supporté d'écouter une seconde fois l'histoire de son calvaire.

Il lui fendait le cœur pourtant, si franc, si spontané, un peu comme Adrien l'était avec elle.

— La guerre s'est déjà éloignée d'ici. Tu retrouveras bientôt le reste de ta famille, lui dit-elle d'un ton plus doux.

Elle regarda encore la soie somptueuse, étalée dans l'ombre maudite d'un simple lit de jeune fille. Elle aussi devrait oublier toutes ces images intolérables, ne retenir que les grâces que lui accordait le destin. Jérôme était vivant !

— Viens, petit, tu me conduiras toi-même à cette forêt.

Parmi les préceptes d'honneur que le maréchal d'Ivreville avait inculqués à sa fille en même temps qu'il lui transmettait sa maîtrise des armes, il en était un que tout gentilhomme se devait de respecter : « Tu ne dois frapper un homme à terre, serait-ce ton pire ennemi. » En bas, devant la porte, des cadavres barraient le passage de l'étroite ruelle. Des cadavres ? Pas tout à fait. L'un d'eux remuait encore en geignant. Charlotte s'arrêta pour toiser le soldat de toute sa hauteur, ses yeux dorés fixés froidement sur celui qui la suppliait.

— Violeur, assassin, reptile obscène !

Avec une lenteur étudiée, elle prit son épée, la brandit au-dessus du picoreur, puis d'un geste rapide, lui transperça le bas-ventre, savourant dans une joie haineuse le hurlement sauvage qu'il poussa.

★
★ ★

Charlotte laissa Champdeloy renaître tout doucement de sa misère. Les deux gardes étaient morts. Trop mal en point

268

pour repartir, Préfontaine demeura au village. Colas, le petit garçon, monta en croupe derrière Martin. Il donnait l'impression d'avoir déjà oublié les heures noires, tout à l'enthousiasme propre à son âge, une véritable bénédiction. Au passage, il montra l'étang du Charme où Jérôme avait manqué se noyer. Plus loin, il indiqua l'étroit sentier qui, très vite, s'enfonçait dans la forêt.

— Sais-tu bien où se cachent les tiens ? lui demanda Charlotte une fois de plus.

— Oui, oui. J'y suis souvent venu ramasser des baies ou des champignons avec mes grands frères. C'est plein de grottes et de coins sombres. C'est là qu'ils sont tous.

La saison n'était pas encore assez avancée pour donner à la futaie l'aspect impénétrable qu'elle offrirait bientôt, dès sa lisière. Beaucoup de branches portaient toujours des touffes de feuilles racornies de l'automne précédent. Ailleurs ce n'étaient que des pousses tendres, d'un vert translucide. Les fougères ne dressaient pas encore leurs buissons de palmes souples et secrètes comme des tentures d'alcôve. Les ronces n'étaient que petites griffes rampantes. La forêt semblait appauvrie, démunie, sans mystère, ouverte à tous vents. Pourtant, après seulement quelques pas, l'illusion se dissipait. Oui, c'était bien là l'univers énigmatique et clos que les hommes, depuis le fond des âges, peuplaient de leurs fantasmes, abordaient avec crainte, respect, fascination. Et confiance, aussi, lorsque leur propre monde leur était devenu hostile, envahi de fauves autrement dangereux que les renards et les loups. Car le soldat déchaîné s'aventurait rarement dans les grands bois imprévisibles.

Il fallut à Charlotte et aux deux garçons une bonne heure de marche difficile entre taillis et troncs d'arbres resserrés, pour rejoindre enfin l'essentiel des villageois surgis des abris dès leur approche. Colas glissa à terre, courut vers eux ; on l'écouta un instant puis un homme s'avança, l'un de ses frères, pour saluer Charlotte et la remercier, au nom de tous, d'avoir délivré leur village.

— Où se trouve le gentilhomme que vous avez secouru ? fit-elle en coupant court.

L'air sournois, embarrassé, il lui annonça que le blessé n'était plus parmi eux.

— Il était si faible que nous l'avons mené à la Rataude.

— C'est une sorcière, une magicienne. Elle sait guérir, expliqua Colas, conscient de la déception de Charlotte.

— Où est-elle ?

— Elle vit dans une grotte, pas trop loin. Si vous voulez, je vous y emmène.

Et sans attendre sa réponse, en évitant de regarder son frère, Colas reprit sa place derrière Martin.

« Des lâches ! pensait Charlotte avec mépris, tandis qu'ils poursuivaient leur chemin. Des lâches qui ont abandonné Jérôme comme ils ont abandonné leur village et les plus faibles d'entre eux. Mon Dieu ! Comment vais-je retrouver mon pauvre amour ? »

Créature des bois aux longs cheveux couleur de feuilles mortes, aux yeux de mousse dans un visage déteint, pareil à certaines écorces pâles, le corps noueux, tordu par les tempêtes, sans âge : comme sa mère avant elle, la Rataude régnait depuis longtemps sur ce chaos d'arbres et de rochers. Tapie dans la grotte du Faune, elle y préparait ses remèdes, ses drogues étranges qu'elle échangeait contre quelques objets, de la nourriture et le plaisir sans prix de se sentir toute-puissante. Car une soif de grandeur avait toujours agité l'âme confuse de la Rataude. Autrefois sa mère lui avait parlé de château et de prince dont elle serait issue. Princesse, certainement, elle l'était. L'orgueil qui coulait dans ses veines le lui avait répété tout au long de son existence ; princesse que l'un des siens viendrait un jour rechercher. D'année en année, cette idée fixe avait été sa nourriture et son poison. Sa fin était proche. Mais voici que des villageois lui avaient amené celui qu'elle avait tant attendu, plus beau que le plus beau rêve. Dans la grotte du Faune, devant Jérôme allongé

270

sur une couche d'herbes et de branchages, la Rataude avait enfin découvert le visage de l'amour. Son prince était venu mais hélas, sur lui aussi, la mort avait commencé son funeste travail.

« Même si je parvenais à le guérir, je ne pourrais le suivre », avait-elle pensé, usée par sa passion folle.

Alors elle s'était couchée tout contre lui dans l'ombre de la grotte et avait commencé de guetter l'heure du grand départ. Lorsqu'elle sonnerait, ils seraient deux à s'en aller.

> *« Que fais-tu dans le bois plaintive tourterelle ?*
> *Je gémis, j'ai perdu ma compagne fidèle... »*

Jérôme n'était que plaies. Mille pointes d'acier semblaient fouailler ses chairs. Une fièvre diffuse le brûlait, enveloppait de brumes épaisses un souvenir à la fois douloureux et tendre qui portait un nom : Charlotte. Parfois, des visions brutales déchiraient ses ténèbres. Il se rappelait son duel avec Barradas et leur chute simultanée. Il se rappelait son cheval apeuré, lancé dans une course sans fin, et lui, sa botte prise dans un étrier, les bras repliés sur son visage, le corps rompu, traîné interminablement. Il sentait la gangue vaseuse de l'étang se refermer sur lui, si douce après ce calvaire. Ses doigts croyaient encore serrer l'écharpe qui l'avait sauvé.

« Mon amour, te reverrai-je ? Fais vite, ma Charlotte. Je sens que m'entoure déjà un univers inconnu, terrible, peuplé de monstres. L'un d'eux ne me lâche plus. En vain je le repousse. Toujours je vois son visage blafard se pencher sur le mien. Le contact de son corps ajoute à mes souffrances. Peut-être est-ce la mort tout simplement qui cherche à me prendre ? Ah ! qui que tu sois, spectre, va-t'en ! Va-t'en ! »

Le crépuscule avait vite pénétré le sous-bois. Chaque forme prenait des contours différents, changeants. Les parfums s'intensifiaient. A l'extrémité d'une clairière, près d'un ruisseau, le rocher du Faune offrait le profil gigantesque d'un homme cornu, barbu, à l'image du Diable. Un gros oiseau

271

perché dessus croassa dans un sombre battement d'ailes tandis que des silhouettes courtaudes s'enfuyaient en trottinant.

Colas chuchota :

— Y'a tout plein d'animaux apprivoisés chez la sorcière.

Ils attachèrent leurs chevaux, s'approchèrent en silence de la grotte. Charlotte souleva les pans de lierre qui en masquaient l'entrée. Des gémissements, des râles agitaient de souffles rauques l'antre noir et humide.

— Jérôme ?

Martin alluma une petite lanterne et tout se mit à danser dans son fragile halo. Soudain, Charlotte chancela en voyant au ras du sol, contre la paroi marbrée de lichens, deux êtres en guenilles, couverts de sang et de boue, se livrer à une joute monstrueuse. Ce qui lui vint à l'esprit, à cet instant, elle en eut honte aussitôt. Car elle ne mit que quelques secondes pour comprendre que ces ébats n'avaient rien de luxurieux, que Jérôme employait le restant de ses forces à lutter contre la Rataude.

— Lâche-le ! hurla-t-elle en empoignant la femme pour la rejeter loin de lui.

Mais avec une rapidité surprenante, la sorcière rampa vers elle en dardant ses yeux d'un vert noirâtre, fendus comme ceux d'un serpent.

— Il m'appartient ! cracha-t-elle.

— Laisse-le, sors d'ici ! fit Charlotte hérissée de fureur et de dégoût.

La Rataude avait empoigné sa cheville. Elle s'y accrochait, tentait de la faire tomber.

— Sors d'ici ! répéta Charlotte.

De son épée, elle lui piqua les poignets afin de lui faire lâcher prise. Sans succès. Alors elle se déchaîna, lui lança des coups de son pied libre, la fouetta de sa lame, réussissant enfin à se libérer de la répugnante créature et à la repousser toute sanglante hors de la grotte.

— Il va mourir et toi avec, haleta la Rataude. Le grand Faune me vengera. Vous êtes maudits tous les deux.

Cela s'était déroulé si vite que Martin et Colas avaient à peine eu le temps d'esquisser un geste d'entraide, paralysés par leur terreur d'offenser une magicienne.

— Veillez à ce qu'elle ne revienne pas, leur intima Charlotte en prenant la lanterne des mains de Martin.

La Rataude ne revint pas. Elle s'en alla mourir, recroquevillée sous un chêne. Charlotte l'avait déjà oubliée, elle et ses imprécations.

— Jérôme !

Agenouillée près de lui, effarée de découvrir son visage ravagé, à peine reconnaissable, elle n'osait le toucher tant il paraissait souffrir. Avait-il seulement conscience de sa présence ? Privé des soins les plus élémentaires depuis près de cinq jours, rongé par l'infection de ses plaies, épuisé, il avait gagné des régions solitaires, obscures, d'où il serait difficile de le ramener. Pourtant Charlotte restait sûre de pouvoir l'atteindre, malgré tout, par la seule puissance de son amour.

— Je suis là, murmura-t-elle, en effleurant avec précaution ses lèvres tuméfiées d'un baiser aussi léger qu'un soupir.

Puis elle se releva et rappela Colas et Martin. Il n'était pas temps de s'attendrir mais de se battre. Un homme comme Jérôme ne pouvait mourir au fond d'une tanière puante, dans la sanie, la pourriture ! La volonté de le sauver faisait oublier à Charlotte ses répugnances, son inexpérience, et sa propre fatigue. Pas une minute, elle ne perdit espoir.

★
★ ★

Il pleuvait un peu, juste assez pour agiter les arbres d'un frémissement mélodieux, pour extraire le meilleur de leurs essences ; juste assez pour donner à la petite cabane de feuilles et de branches sous laquelle s'abritaient Charlotte et Jérôme, une impression de quiétude achevée.

Les deux garçons l'avaient construite dès le premier soir.

273

Charlotte avait étendu des couvertures. Secondée par Martin, elle y avait installé le blessé qu'ils avaient longuement, délicatement palpé sans déceler d'autre fracture qu'un poignet brisé, des côtes froissées. Le reste n'était que contusions, ecchymoses, entailles suppurantes. Lavé, enduit de pommade, pansé, habillé de linge et de vêtements propres, abreuvé de potions, soigné constamment avec une infinie patience, Venoy n'avait toujours pas ouvert les yeux, ni prononcé un mot. Mais en y regardant bien, au bout de quelques jours, son front paraissait moins brûlant, son sommeil plus paisible. Charlotte sentait aujourd'hui la tourmente s'éloigner pour laisser briller haut et fort, comme un fanal, le début de sa guérison.

Plus loin, elle voyait sans effroi le profil démoniaque du grand Faune recouvert de mousse ainsi qu'un vert et court pelage. La grotte conservait maintenant la dépouille de la Rataude, au fond d'un trou que les garçons avaient creusé. La forêt avait déjà happé, digéré, son misérable souvenir.

« La forêt, notre complice, le témoin de nos premiers plaisirs, la source de nos émotions les plus profondes », pensait Charlotte.

C'était au sein de la forêt qu'elle puisait sa force, sa science, sa clairvoyance ; c'était son souffle qui lui inspirait les gestes nécessaires, qui l'éveillait au bon moment lorsque précisément Jérôme avait le plus besoin d'aide. Lui-même ne pouvait qu'être soutenu, fortifié, par les formidables courants échangés d'arbre en arbre.

La pluie continuait sa chanson qui se mêlait au bruit du ruisseau. Jamais il ne s'en était entendu de plus tendre. Elle invitait au repos, à l'oubli. Charlotte, que n'avaient pu abattre ni les angoisses, ni les veilles, ni les combats, se laissait vaincre peu à peu par cette douceur pluvieuse filtrée sous les branches. Pour une fois, elle ne chercha pas à lutter contre le sommeil mais l'attendit au contraire, et tirant sur eux la même couverture, exténuée, elle s'endormit près de Jérôme.

— Enfin, mon petit loir se réveille !

D'abord, Charlotte crut que cette voix familière appartenait encore à l'un des nombreux rêves qui avaient effleuré sa
nuit. Or, la vision des feuilles épaisses au-dessus d'elle, pico-
tées par les premiers éclats de l'aube, avait bien toutes les
apparences de la réalité.

Elle tourna la tête, rencontra un regard, et ce qu'elle put y
lire la persuada bien vite qu'en effet, elle ne dormait plus.

— Tu es guéri, murmura-t-elle après un long silence.
J'avais donc raison de croire ce miracle possible.

— Et moi j'avais raison de t'espérer, chérie.

Ils se turent, trop profondément certains de l'union
parfaite de leurs pensées pour se sentir obligés d'en dire
davantage. Ces minutes-là, tandis qu'immobiles, muets, ils
continuaient à se regarder en souriant, furent sans doute les
plus belles, les plus pures, de toutes celles qu'ils avaient auparavant vécues.

Au-dehors, des pas froissèrent soudain le sol de brindilles
et de feuilles sèches. Comme chaque matin, les garçons
venaient aux nouvelles en apportant à Charlotte de l'eau, des
plantes utilisées pour les cataplasmes, tout le nécessaire, ainsi
que des écuelles de soupe que Martin s'ingéniait à varier quotidiennement, avec les moyens du bord. Ils montrèrent un
contentement sincère devant Jérôme éveillé, souriant, et
beaucoup de fierté lorsque Charlotte les présenta comme les
meilleurs serviteurs qu'elle eût jamais eus.

— Sans eux, je n'aurais sûrement pas pu te retrouver, ni te
sauver, affirma-t-elle.

Voyant l'émotion promettre de les gagner tous, elle huma
la soupe et taquina Martin sur sa recette :

— Qu'avez-vous donc mijoté aujourd'hui, M. de Taille-
vent ?*

— Un bouillon de loches, répondit le garçon très satisfait

---

* Célèbre cuisinier du xive siècle.

de lui. Vous savez, madame, qu'en ce moment ces bestioles sont toutes jeunes et par conséquent bien tendres. Je les ai fait bouillir avec du saindoux et de l'ail sauvage. L'ail aide à la respiration et nettoie les viscères.

— C'est moi qui l'ai cueilli ! s'écria Colas.

— Hum..., fit Jérôme alors que Charlotte lui approchait des lèvres une écuelle fumante. L'odeur est bonne.

Contre toute attente, le goût l'était également. Aidé comme un enfant, il mangea la soupe de limaces, surveillé par trois paires d'yeux attendris.

— Au dîner, vous aurez de « l'escurieu »* rôti, annonça le maître queux avec emphase.

— A ce régime, je serai bientôt sur pied, plaisanta Venoy.

Mais pour cela il lui faudrait patienter encore. Déjà, il se sentait fourbu et ne put que se laisser faire sans pouvoir vraiment l'aider, lorsque Charlotte procéda à ses soins habituels.

— Tes blessures sont propres et se cicatriseront rapidement, assura-t-elle. Pour ton poignet, vois combien il est désenflé ! Puisque te voici convalescent, nous allons procéder à quelques raffinements de toilette. Martin, apporte un peu plus d'eau ; Colas, donne ce sac.

Elle fouilla dedans, sortit un plat à barbe, un rasoir et du savon.

— Et je ferai moi-même office de barbier ! fit-elle gaiement.

Sa main sûre et adroite glissa le long du visage avec légèreté, en prenant bien garde de ne pas arracher les croûtes formées sur les multiples griffures et coupures qui marquaient Jérôme.

— Tes mains m'ont redonné vie, dit-il un peu plus tard, quand les deux garçons se furent éloignés. Tous ces derniers jours, je les devinais, voletant autour de moi, semblables à des ailes. Je les sentais tisser sur ma peau une tunique enchantée d'où sourdaient des forces neuves. Sans te voir, je te savais près de moi.

_____

* Écureuil.

276

Il ne cessait de s'interrompre pour baiser les doigts de Charlotte entrecroisés aux siens.

— Maintenant, tu vas tout me raconter, sans rien omettre, n'est-ce pas ?

Tout de l'incroyable recherche qui l'avait menée du beau logis de Mademoiselle, à Orléans, jusque dans la grotte de la Rataude.

« Ainsi, songea Jérôme lorsqu'elle eut terminé, les chemins qui, une fois de plus, nous ont conduits l'un à l'autre, ont été baignés de sang, pavés d'horreur. Champdeloy a subi ce qu'a subi Boisdanil, jadis. Et l'amour, encore une fois, a réussi à échapper à ce carnage. Seigneur, en sera-t-il toujours de même ? »

Il ne lui dit rien cependant de ses pensées, ne lui montrant que son admiration éperdue, son amour et le désir qui recommençait à vivifier son corps.

— Je n'ai pas plus de vigueur qu'un chaton, fit-il en se forçant à rire. Et pourtant, regarde Charlotte, dans quel état je suis ! La sorcière, la magicienne, c'est toi !

Mais ce ton ne pouvait la tromper. Elle voyait bien que ses vieux tourments l'avaient repris. Tendrement, elle lui caressa le front, les tempes, décidée à lui rendre toute sa joie de vivre.

— Charlotte, soupira-t-il. Quelle torture ! Je ne peux même pas te prendre dans mes bras.

— Qu'importe ! chuchota-t-elle avec un sourire indéchiffrable. Oublies-tu que tu es à ma merci, que je suis maîtresse de toutes choses et qu'en bon médecin, je connais le traitement approprié à tes maux ?

Déjà ses mains, dont il venait de louer les prodiges, couraient sur sa peau. Leur jeu inventif ne tarda pas à se doubler d'un autre vagabondage, celui d'une bouche qui explorait Jérôme, s'ouvrit sur lui, moelleuse, savante, parfait écrin de son désir. Tout en restant attentive à ne pas le heurter, Charlotte le soumettait à sa loi. Détentrice de tous les pouvoirs, elle en éprouvait un merveilleux plaisir mais également un bonheur qu'elle avait craint désormais compromis.

En assouvissant bestialement leurs mâles instincts, les picoreurs de Champdeloy avaient éclaboussé de fange l'image de l'amour, l'avaient déformée jusqu'à la rendre exécrable. Mais ce matin, dans cet abri silencieux et feuillu, l'amour recouvrait sa pleine douceur, sa rareté. En l'homme aiguillonné de passion mais tout entier dépendant d'elle-même, dont elle guidait le parcours voluptueux, qui gémissait sous ses caresses en esquissant pour l'étreindre des gestes affaiblis, maladroits, Charlotte voyait l'amant idéal, à la fois viril, fragile et tendre. Elle en fut bouleversée. Son impatience s'accrut, la poussa, dans un élan souple, à s'enferrer au-dessus de lui. Bientôt, ce fut l'impétueuse amazone, chevauchant son vainqueur, qui implora grâce à son tour, et dans une plainte étouffée, reconnut enfin son amoureuse défaite.

Avant la fin avril, la forêt se tapissa de jonquilles ; les tiges ténues du muguet se courbèrent sous le poids de grains verts, pourtant minuscules, qui, un beau jour, s'entrouvrirent pour répandre leur parfum. Entre les arbres, passaient biches et faons, aussi vifs, aussi insaisissables que des farfadets. Mais on pouvait les surprendre au petit matin, s'abreuvant au ruisseau. Le renard, le chien, le sanglier apprivoisés de la Rataude, avaient rôdé quelque temps autour du Grand Faune, avant de disparaître vers d'autres profondeurs. En revanche, l'entour de la cabane avait attiré tous les oiseaux. La nuit, Charlotte et Jérôme entendaient dans leur sommeil une effraie ponctuer chaque heure de ses appels mélancoliques.

Toute la grandeur et la sérénité des lieux semblaient n'avoir été créées que pour eux seuls. Même la présence dévouée, certes, de Martin et de Colas avait moins de réalité à leurs yeux que cet immense domaine, enfermé sous la carène renversée des branches. Ils s'aimaient. Jérôme se rétablissait vite. Duels courtois à l'épée, promenades à cheval au-delà de l'orée des bois, longues étreintes dont ils ne se lassaient jamais : les jours avaient atteint la perfection. Charlotte parvenait à oublier que leur équilibre était précaire.

Jérôme lui raconta ses récentes aventures vécues avec Condé, lorsque celui-ci avait quitté Agen, incognito, à la fin mars, pour rejoindre ses troupes dans le Gâtinais.

— Une course démente ! Songe, chérie, plus de cent vingt lieues en six jours, à travers des contrées désertes, inhospitalières. M. le Prince, M. de La Rochefoucauld, son fils, le petit Guitaut et moi-même étions censés être les domestiques de notre ami, M. de Lévis. Personne ne pouvait nous reconnaître sous nos souquenilles de laquais. Pourtant M. le Prince a bien failli attirer les soupçons quand il lui a fallu seller son barbe devant un aubergiste un peu trop curieux. Figure-toi, Charlotte, que nous nous sommes aperçus que M. le Prince ne savait pas sangler un cheval ! Son éducation si poussée avait négligé cet enseignement ! Un autre jour, il s'est essayé à plumer un poulet. Le duvet s'envolait partout. Une catastrophe ! Nous étions morts de rire. Vois-tu, M. le Prince a un humour espiègle que beaucoup ignorent, en tout cas ceux qui ne ressentent que son ironie. Rien ne peut entamer sa bonne humeur, son courage quand le danger le presse, que le temps lui est compté, lorsqu'il est entouré d'amis sûrs, loin des paperasses et des ruses de cabinet. Nous avons failli nous noyer, manqué nous perdre cent fois. Mais toujours en nous amusant. Ce furent... oui, ce furent des moments très heureux, acheva-t-il en attirant Charlotte contre son épaule.

M. le Prince a dit... M. le Prince a fait... Son œil allumé laissait transparaître toute son affection, son admiration pour cet homme, en effet hors du commun. Tout en riant à certaines anecdotes spirituellement évoquées par Jérôme, Charlotte découvrait mieux son inébranlable attachement à Condé. L'ignorer, s'y opposer, ne mèneraient à rien. Ce serait donc à elle de faire en sorte, à l'avenir, que cet attachement et leur propre bonheur ne se contrarient pas.

— Il faudrait avertir M. le Prince.

Ce fut elle qui se décida à parler la première. Tout à l'heure, lorsque après une longue chevauchée Jérôme s'était déclaré tout à fait remis, elle avait aussitôt senti ce nom revenir entre eux comme une ombre. Jusqu'à cet instant, leur retour au monde extérieur n'avait été qu'une perspective inévitable mais encore imprécise. Maintenant, il fallait y faire face.

— J'allais justement te le dire, répondit Venoy sans chercher à feindre un quelconque désintérêt.

— Le mieux serait de confier à Mademoiselle le soin de le prévenir. Car jamais un paysan de Champdeloy ne pourra atteindre Paris, proposa Charlotte sans exprimer toute sa pensée.

Mademoiselle serait si fière d'annoncer à Condé que M. de Venoy était retrouvé sain et sauf et ce, grâce à l'une de ses maréchales et amies, autant dire grâce à elle-même, Anne Marie Louise de Montpensier, toujours animée d'un zèle affectueux, sans bornes, envers son noble cousin ! On pouvait bien accorder cette satisfaction à Mademoiselle qui devait languir dans l'ignorance de ce qu'était devenue Charlotte. Toutefois si cette dernière daignait reconnaître avoir agi avec une certaine désinvolture vis-à-vis de son illustre protectrice, elle n'en éprouvait pas le moindre sentiment de culpabilité, tant il lui paraissait normal que Jérôme fût son unique souci.

— Tu as raison, approuva-t-il. Et comme, bien entendu, il pensait à la même chose que Charlotte, il conclut d'une voix moqueuse : A ton avis, qui des deux sera le plus heureux, de M. le Prince en apprenant la nouvelle de ma résurrection, ou de Mademoiselle en la lui envoyant ?

Mais elle n'avait nulle envie de rire :

— Alors, demain ? souffla-t-elle avec gravité.

— Oui, demain...

Ainsi, la nuit qui commençait à draper leur retraite, serait leur dernière nuit de liberté, de splendeur primitive. Malgré la chaleur de Jérôme sur sa poitrine nue, malgré le trait de feu qui la déchirait toute, jusqu'à la faire trembler d'extase, Charlotte avait froid ce soir, en pensant à tout ce qui, dans quelques heures, ne serait qu'un souvenir ébloui.

Elle n'eut pourtant pas un soupir, pas un regard en arrière lorsque le lendemain, ils quittèrent la forêt. A Champdeloy, ils retrouvèrent Préfontaine hébergé à la cure où il avait été soigné par des villageoises en même temps que le vieux prêtre. Le soulagement de l'écuyer en voyant revenir Charlotte accompagnée de Jérôme n'eut d'égal que son admiration et ses regrets de n'avoir pu la seconder jusqu'au bout.

— Ne soyez pas déçu, M. de Préfontaine. Votre tâche n'est d'ailleurs pas finie puisqu'il nous faut maintenant rejoindre Mademoiselle.

Charlotte venait de terminer sa lettre. Sans parler particulièrement de son rôle, elle n'y cachait rien, néanmoins, des difficultés qu'elle avait connues dans cette contrée isolée par la guerre et informait la princesse que M. de Venoy et elle-même attendraient ses ordres à Lorris.

Ce fut Martin qui se chargea du message, prenant à francs étriers la direction d'Orléans. Quant à Colas, au moment de se séparer de Charlotte, il fondit en larmes, la suppliant de le garder à son service, ce qu'elle accepta, étant évident que ses frères ne faisaient rien pour s'opposer à ce désir, trop contents, au fond, de s'en débarrasser.

Ils arrivèrent à Lorris le lendemain soir. La jeune Andrée y était encore, de même que le cocher, tous deux ayant travaillé un peu à l'auberge pour tromper leur inaction. Charlotte et Jérôme n'eurent pas à espérer longtemps une réponse d'Orléans. Deux jours plus tard, Martin, à son tour, revenait à Lorris avec le lieutenant Pradine et ses hommes. Mademoiselle, qui se préparait à retourner à Paris, avait pressé Martin de questions ; elle avait tremblé, pleuré, applaudi à son récit, ses maréchales aussi troublées, aussi étonnées qu'elle par les exploits de Charlotte. Puis elle avait griffonné une lettre, bourrée de fautes selon sa manière, pour donner rendez-vous à l'héroïne et à M. de Venoy, le plus tôt possible à Étampes.

Mademoiselle précisait aussi qu'elle envoyait sur l'heure un courrier auprès de M. le Prince qui certainement allait éprouver, tout comme elle, la plus grande joie de sa vie !

Sa lettre enthousiaste et brouillonne avait apporté un peu du souffle vigoureux, désordonné, impatient, si particulier aux Princes. Il fallait s'y résoudre : le calme profond des bois, la solitude à deux, appartenaient bien au passé. Charlotte ne doutait pas que Jérôme le regrettât lui aussi, mais elle savait qu'il avait hâte maintenant de rejoindre Louis de Condé. Pour lui, tout était encore à entreprendre, à conquérir. Elle, au contraire, se demandait avec un découragement qui ne lui était pas habituel, si tout n'était pas achevé déjà, de ses luttes comme de ses victoires, et s'il ne lui fallait pas refermer à Lorris le *Roman de la Rose*, sans en connaître la fin.

Le vendredi trois mai, leur carrosse parvint en vue d'Étampes, où les attendait le comte de Kinski à la tête d'un escadron d'Allemands, pour les conduire jusqu'aux portes de la ville. Mademoiselle venait juste d'y arriver. Son accueil fut très amical. Charlotte était certainement la seule personne au monde, à l'exception de Condé, à lui en imposer, bien que l'orgueilleuse fille eût préféré mourir plutôt qu'avouer cette faiblesse. Elle écouta avec ravissement l'écuyer Préfontaine lui confirmer les révélations de Martin et lui détailler l'extraordinaire conduite de madame de Barradas. Tout ce que faisait sa maréchale était décidément original, admirable. Même sa liaison maintenant évidente avec M. de Venoy et que Mademoiselle eût blâmée chez une autre, revêtait un caractère exceptionnel et romanesque. Quand une femme de la trempe de Charlotte avait, hélas, pour époux un « mazarin », il était naturel, excusable, que son cœur choisisse un homme plus digne de ses qualités. Et M. de Venoy l'était, si beau, si accompli, songez : l'ami intime de M. le Prince !

Pour célébrer leurs retrouvailles, Mademoiselle entraîna avant dîner tout le monde à la messe, en l'église des Capucins. Un cortège de tambours, de trompettes et de timbales escortait la princesse dès qu'elle faisait un pas dehors. Les officiers rivalisaient de prévenances. L'après-midi, fut organisée une promenade à cheval pour inspecter l'armée et apercevoir au loin les avant-postes de l'ennemi campé à Châtres. Là-bas, Turenne et Hocquincourt se préparaient à réengager les hostilités. Pourtant ils ne manquèrent pas d'envoyer à Mademoiselle les passeports dont elle avait besoin pour franchir leurs lignes. Ces laissez-passer arrivèrent le soir même avec un billet aimable de ces messieurs.

« La guerre a donc repris toute sa noble apparence, constatait Charlotte à part soi ; son bel habit damasquiné, cuirassé de lumière. Mais moi je sais que son envers est crasseux et nauséabond, comme la casaque d'un picoreur. »

Personne, autour d'elle, n'avait l'air d'y penser. Le retour de Mademoiselle à Paris prenait des allures de marche triomphale dans laquelle Charlotte et Jérôme tenaient les meilleures places. Après Étampes, Châtres et Longjumeau, Bourg-la-Reine leur fit fête avec un comité d'accueil prestigieux. Les ducs de Beaufort, de Rohan, de La Rochefoucauld, mesdames de Sully, d'Épernon, de Châtillon, des gens de qualité et des jolies femmes, tous les attendaient, mais surtout, il y avait là, parmi eux, M. le Prince. Dans son pourpoint noir, son maigre visage semblait plus hâlé, ses yeux plus bleus encore, si brillants ! Il complimenta Mademoiselle avec émotion, salua ses maréchales, remercia tout spécialement Charlotte puis enfin donna à son cher Venoy une longue accolade, sans pouvoir davantage retenir ses pleurs.

La route de Paris était jalonnée d'équipages. La foule avait franchi les remparts pour former sur plus d'une lieue une haie riante et bavarde. Même le duc de Nemours, encore faible pourtant, s'était déplacé en chaise pour voir ses amis. Personne ne se lassait de contempler les héros. Après la visite à Monsieur et Madame, au Luxembourg, Condé persuada Mademoiselle de se rendre au Cours-la-Reine, afin de contenter tous ceux qui voulaient encore l'applaudir, gambader derrière son carrosse, la féliciter de son entrée à Orléans.

— Quel beau jour ! Ah ! Quel beau jour, répétait Anne Marie Louise, radieuse. Que je suis donc aise de revoir ma ville ! Et comme M. le Prince a bonne mine et paraît satisfait ! Vous l'avez remarqué, mesdames ? disait-elle à ses maréchales qui, elles aussi, avaient leur part de popularité.

Charlotte surtout. Les nouvelles se répandent vite. On connaissait déjà ses aventures. Pris d'engouement pour cette vaillante guerrière, chacun voulait l'admirer de près, apercevoir également le comte de Venoy, assis à côté de Condé, dans le grand carrosse noir.

— Charlotte, regardez comme on vous aime vous aussi ! s'écriait Mademoiselle, nullement jalouse du succès de sa protégée.

Charlotte souriait, impassible, un peu lointaine. Le souvenir de la forêt de Champdeloy habitait son cœur. C'était son murmure qu'elle entendait et non les vivats échauffant l'air printanier du Cours-la-Reine.

> « *Dix mille amours, dix mille charmes,*
> *... La suivaient ainsi pas à pas.*
> *... Et ce fut avec cette escorte*
> *Moitié charmante et moitié forte...*
> *... Que la belle entra dans Paris.* »

Dans sa gazette, Jean Loret ne manqua pas d'évoquer, en même temps que le retour de Mademoiselle, l'apparition de Charlotte, tout auréolée de séduction et de mystère. Ses vers spirituels, légers, ne cherchaient, bien sûr, qu'à divertir. Mais à la Cour, repliée maintenant au château de Saint-Germain, ils navrèrent les proches de la jeune femme, atteignant d'une façon particulièrement cruelle René de Barradas.

La dernière vision qu'il conservait d'elle, vision dont il tirait en même temps tout le chagrin et le ravissement du monde, était celle d'une silhouette hardie, vêtue de jaune d'or, brillant en haut d'une vieille échelle sur les remparts d'Orléans. Elle était donc capable de tout, son audacieuse, de franchir les murailles, d'exterminer des soudards, de réussir là où l'espoir était pourtant banni.

— Et tout ça pour quoi, pour qui ? Pour un autre ! grondait René, affolé de jalousie et de haine envers son rival triomphant, mais toujours, malgré tout, épris de Charlotte.

Il s'obstinait donc à refuser un esclandre, en dépit du mépris qu'il s'inspirait lui-même et guettait l'occasion que la guerre ne manquerait pas à nouveau de lui offrir.

Son combat contre Venoy n'était que suspendu. Tôt ou tard, il reprendrait jusqu'à ce que l'un d'entre eux disparaisse et que l'autre garde enfin, pour lui seul, l'incomparable aimée.

★
★ ★

Qu'était donc devenu Paris, ce lieu sans rival de bonheur et d'abondance, la merveille que tous les siècles avaient chantée ? Paris, cette perle fabuleuse, sertie, comme dans un émail précieux, de villages et de vignes, de plaines et de collines, de forêts et de cours d'eau ? Accablée par la disette, la ville était métamorphosée par la présence constante de la milice et des gens de guerre, par l'arrivée dans ses murs des réfugiés fuyant les troupes du roi ou des Princes, par l'insolence grandissante de la canaille.

« Ces vagabonds, ces fainéants, ces coquins, ces âmes bourrues », pestait Loret, prompts à lancer des pierres avec leurs petites frondes, à se servir du feu et de la paille, dévalisant les maisons, s'amusant à libérer des prisonniers et traînant toujours en quête de mauvais coups.

Le lieu de prédilection de ces filous était le Pont-Neuf où ils attaquaient les carrosses, même en plein jour. Ils en faisaient descendre les occupants, les délestaient de leur bourse, de leurs bijoux, de leurs manteaux et de leurs rabats de dentelle. Ils démontaient les voitures, emportaient les plus belles pièces. Ils avaient tous les toupets. Terrorisées, leurs victimes se voyaient menacées d'être jetées dans la Seine si elles ne criaient pas : « Vive le Roi ! Vivent les Princes ! Et point de Mazarin ! » Avec un plaisir salace, les fripouilles obligeaient les femmes, particulièrement les dévotes et les jeunes filles, à répéter quelque obscénité.

— « Foutre du Mazarin ! » lançaient-elles, trop heureuses lorsqu'elles pouvaient s'en tirer aussi facilement.

Nombre d'entre elles, soupçonnées de pactiser avec la Cour, étaient importunées, pourchassées par des furieux. De leur côté, les petits-bourgeois, postés aux portes, harcelaient souvent ceux qui voulaient sortir de Paris. Il n'était pas rare que des laquais, en voulant défendre leurs maîtres, fussent tués par ceux-là mêmes qui gardaient la ville.

La déraison guettait bien des esprits sensibles au soleil, aux effets du vin, égarés par l'incertitude, l'incohérence d'événements qu'ils auraient tant voulu maîtriser.

Les villageois grossissaient le nombre déjà impressionnant des meurt-de-faim. On comptait par milliers les pauvres hères, dormant dans leurs chariots près de leurs bêtes affamées, réfugiés sous le porche des églises, grouillant dans les repaires de voleurs ou d'insalubres taudis. Des bébés mouraient, accrochés au sein tari de leurs mères.

La famine, la chaleur, le manque d'hygiène aidant, les malades augmentaient dans les hôpitaux vite surpeuplés. Couchés à sept dans le même lit, il en mourait bien une centaine chaque jour. Leurs vêtements que les religieuses entassaient à la « pouillerie », revendus ensuite tout chargés de miasmes et de saletés à d'autres indigents, maintenaient le cycle infernal.

Quelques paroisses s'étaient organisées pour accueillir spécialement les villageoises afin de les soustraire aux bonnes âmes qui ne cherchaient, sous couvert de les aider, qu'à profiter de leur détresse, de l'extrême jeunesse de la plupart d'entre elles.

Beaucoup de religieuses étaient également apparues ces dernières semaines. On en croisait partout, à pied, en carrosse, l'air un peu perdu, plus pâles que cire sous leurs voiles ou leurs cornettes. Elles aussi avaient fui la violence et la faim. Longtemps dans les campagnes, les cloches de leurs monastères avaient été signe de vie. Jusqu'au moment où leurs réserves de farine s'étaient taries, où leurs cloîtres avaient été, à leur tour, envahis par les hordes déchaînées, « pis que des Turcs », devait dire la Mère Angélique Arnauld, abbesse de Port-Royal-des-Champs. Combien de ces pieuses filles avaient-elles péri, renversées par les barbares devant le crucifix ?

Des chariots ramenaient les morts et les blessés de M. le Prince après les escarmouches quotidiennes. Pauvre Paris ! Les cris des séditieux, les décharges de mousquets et le roulement incessant des tambours, avaient supplanté les airs de musette et les naïves chansons des rues. Des boutiques fermaient faute de marchandises. Le beurre, les œufs et la viande voyaient leurs prix s'enfler. Chaque jour on guettait avec impatience l'arrivée des charrettes chargées du pain de Gonesse*, symbole pour les Parisiens de la liberté et du bien vivre. Manquer de ce pain blanc, croustillant — le meilleur ! —, valait pour eux les pires catastrophes. Soucieux de ne pas accabler la ville, le roi envoyait, le matin, ses gardes protéger les convois, de Gonesse à Paris. Évidemment, tous ne pouvaient se l'offrir.

"*Declina pauperi aurem tuam et redde debitum tuum...* Ouvre l'oreille à la voix du pauvre et paye-lui ta dette. Messieurs et mesdames, voici pour les riches l'occasion de s'ouvrir les chemins du Ciel. Si vous abandonnez les pauvres, Dieu vous châtiera comme des larrons et des meurtriers ! "

Du haut de leurs chaires, les curés exhortaient les fidèles au partage.

Des « Magasins charitables » avaient été ouverts par des prêtres et des paroissiens aisés, dans le but de récolter des dons et d'envoyer aux campagnes agonisantes vivres, vêtements, meubles, nouveaux objets sacrés pour les autels en ruine.

---

* Département du Val-d'Oise.

" Il n'est que de dilater son cœur. Jésus-Christ jugera selon les œuvres. Il a faim avec les affamés, soif avec ceux qui sont altérés, il est nu avec ceux qui n'ont point d'habillement. Chers Parisiens, il n'y a pas un Lazare à vos portes, il y en a cent mille, pleins d'ulcères, tremblants, malades... "

Les temps de calamités avaient toujours, en contrepartie, soulevé des élans admirables allant souvent jusqu'au sacrifice de soi. Devant l'œuvre accomplie par des civils et par quantité de religieux, les missionnaires de M. Vincent, les sœurs de la Charité, des capucins, des jacobins, les évêques de certains diocèses, on ne pouvait que rendre grâce au Seigneur qui allumait de telles vocations.

" Si un prompt secours n'y est pas apporté, la campagne ne sera bientôt plus qu'un désert ", soupirait le vieux président Molé.

Nourris de bêtes crevées, de souris, de son trempé d'eau, les habitants n'étaient que fantômes désespérés, longs à s'éteindre, consumés par le plus lent des supplices, la faim. Les cadavres corrompaient l'air, restaient mêlés aux survivants, exposés aux loups et aux chiens. Les « aéreux » s'employaient à faire le tri, nettoyaient, enterraient les corps.

Plus de récoltes, plus de moissons, des vignes saccagées, les moulins immobiles ou livrés aux flammes, voilà à quoi se réduisait la verte couronne de Paris : à d'effrayants parages où l'air sentait la mort.

Tout le monde était fatigué d'une guerre civile qui, depuis quatre ans bientôt, n'apportait rien mais détruisait tout, au bénéfice de l'Espagne. La France était-elle donc réellement « ce peuple de fols » dont se moquaient les étrangers, un pays incapable d'utiliser sagement la force et les dons qu'il recelait ? Il fallait s'accommoder avec la Cour. Tout aurait été simple si le Mazarin avait consenti à partir !

Tout aurait été encore plus simple si les Princes et les Corps de la ville avaient été unis au lieu de se jalouser les uns les autres, de se suspecter, de ne penser qu'à leur intérêt personnel.

Monsieur, malgré ses mines, se défiait de Condé ; le Parlement de même, où beaucoup reprochaient au Prince d'avoir, à Bléneau, porté les armes contre le roi. Le peuple était ce qu'il serait toujours, si inconstant que s'appuyer sur lui relevait de l'inconscience. Certains esprits clairvoyants, sachant combien le vent tournait vite en politique, poussaient M. le Prince à traiter avec la Cour.

— Si on ne fait la paix maintenant, le parti est perdu, dit Charlotte au cours d'un dîner chez Renard, auquel assistaient les intimes de Mademoiselle et de Condé.

Tous avaient pris l'habitude de ses déclarations à l'emporte-pièce. Cette fois-ci, elle fut appuyée par le duc de Nemours. Alors que Mademoiselle protestait que ce n'était pas à M. le Prince de proposer la paix mais bien à la Cour, si affaiblie, si contestée, Nemours renchérit :

— Madame de Barradas a raison. N'attendons pas de n'être plus les maîtres pour négocier. Si vous voulez être reine de France, ma chère, il faut agir maintenant, avec vos lauriers d'Orléans encore tout frais sur la tête.

Condé, se tournant vers Mademoiselle, précisa :

— Si nous nous accommodons avec la Cour, vous serez comprise dans le traité. Je veux vous voir reine, croyez-le bien.

Il n'était pas lui-même hostile à la paix. Au contraire, il la voulait plus que tout autre, écœuré par cette guerre. Son rôle était de conseiller le petit roi, non de le combattre. Éloigner la reine et le Cardinal, les responsables du cataclysme, traiter avec l'Espagne, obtenir pour Conti, Nemours, La Rochefoucauld, tous ceux qui l'avaient servi, des titres et des récompenses : ses prétentions étaient nettes. A ce prix seulement, il poserait les armes.

— Si vous le voulez, j'entreprendrai moi-même les négociations, proposa Isabelle-Angélique en roucoulant près de Condé sans se soucier des airs malheureux de Nemours.

— J'accepte, ma cousine. Vous serez une charmante ambassadrice et le Mazarin n'aura qu'à bien se tenir.

Madame de Châtillon chargée de leurs intérêts ! Mademoiselle était furieuse. De son côté, Charlotte regardait Jérôme. Il était le seul avec Anne Marie Louise à ne pas avoir attrapé cette « maladie des négociations » et il n'était pas malaisé d'en deviner la cause. Leurs amours, hélas, ne pouvaient qu'être facilitées dans une époque de bouleversements et de conflits. Pourtant, lui aussi aurait eu intérêt à traiter avec la Cour. M. le Prince ne l'avait pas oublié puisqu'il exigeait pour lui le titre de gouverneur de Bourgogne.

La mort toute récente de son père faisait en effet de Jérôme le nouveau duc de Boisdanil, pair de France, sixième du lignage, le seigneur du plus grand fief bourguignon. Mais ce poste de gouverneur, pensait-il, entraînerait une séparation d'avec Charlotte qu'il ne voulait même pas envisager.

— Jérôme, la guerre doit cesser, lui murmura-t-elle un peu plus tard lorsque, par la belle nuit d'été, ils remontaient tous à pied les jardins des Tuileries. N'empêche pas M. le Prince de se réconcilier avec la Cour. Quoi qu'il advienne, où tu iras, j'irai aussi.

— Charlotte, tu sais ce que signifierait un retour de la Cour maintenant ?

— Oui, n'ayons pas peur de le dire. Cela signifierait le retour de mon mari, répondit-elle calmement. J'y ai réfléchi. Je suis sûre de pouvoir parvenir avec lui à une courtoise transaction même si pour cela je dois être convaincue d'adultère. Je lui laisserai mon fils, la moitié de ma dot...

— Et jamais tu ne pourrais être légalement ma femme ? Ah ! Tais-toi, tais-toi ! s'exclama-t-il en s'efforçant de ne pas élever la voix, de ne pas attirer l'attention de leurs amis.

Il ne se rendait même pas compte qu'il broyait douloureusement la main de Charlotte.

— Qu'importe, Jérôme, si nous ne sommes pas séparés ! chuchota-t-elle avec tendresse et patience.

Elle s'imaginait très bien dans une petite maison non loin de chez lui, vivant à la fois indépendante et toute à sa disposition, une existence en somme telle qu'elle l'avait toujours souhaitée.

LES MISÈRES DE LA GUERRE

— Il m'importe à moi de te faire duchesse de Boisdanil !
Je t'ai connue autrement soucieuse de ta réputation.

Charlotte préféra renoncer pour le moment à lui rappeler
qu'elle n'était plus l'inflexible jeune fille de naguère mais une
amoureuse affranchie de tout. Dans l'obscurité grandissante,
elle laissa Jérôme lui prendre la taille, la serrer passionnément contre lui. Un découragement sournois rôdait en elle.

Les parterres fleuris renvoyaient leurs parfums encore gor-
gés de chaleur. A petite distance, les violons suivaient leur
groupe en enchaînant des sérénades. Devant Charlotte et
Jérôme, Isabelle-Angélique ondoyait, enlacée par Condé et
Nemours. La Rochefoucauld avait entrepris une conversation
animée avec Anne de Frontenac. Flamarens amusait Mademoiselle et ses amies. Sur le Pont-Neuf roulaient des tambours,
alertant la milice que devait se commettre quelque désordre,
tandis que brillaient encore les chandelles de Renard, que des
Hôtels en fête étincelaient de tous leurs feux.

Le Paris accablé, soucieux, n'en avait pas perdu pour
autant son goût légendaire du plaisir et de la frivolité. Plus
les misères étaient grandes, plus s'étourdissaient ceux qui le
pouvaient. Tout prenait un aspect de démesure, d'inconsé-
quence et de folie en cet été 1652. Une certaine France allait
disparaître mais personne ne s'en doutait encore, surtout pas
ceux qui avaient allumé les gigantesques flammes qui l'em-
brasaient.

★
★ ★

Turenne avait envahi Étampes, fait quantité de prisonniers
puis s'était approché peu à peu de Paris. A quelques lieues,
les hommes de Condé avaient pris position à Saint-Cloud,
Meudon et Suresnes. Dans son cabaret encerclé par la soldatesque, déserté par sa galante clientèle, la Durier était
morte de chagrin.

Comme si la présence de toutes ces troupes était insuffisante, une autre était venue s'installer dans les parages de la capitale. Officiellement composée d'environ six mille soldats, cette armée comptait bien, en fait, plus de vingt mille personnes formant un monstrueux, un carnavalesque défilé. Fantassins irlandais soufflant dans leurs cornemuses, musiciens, prostituées — des gourgandines professionnelles ou de pauvres filles enrôlées de force par les reîtres —, créatures souvent flanquées d'une marmaille en guenilles, troupeaux de vaches et de moutons par milliers, chariots de blé, de vin et de bien d'autres rapineries, constituaient un ensemble aussi redoutable qu'hétéroclite. Cette armée qui agissait partout en terrain conquis, au grand dam des populations, appartenait à Charles IV, duc de Lorraine.

Le cheveu châtain, raide comme sa moustache, coiffé d'un chapeau gris à la flamande, malproprement vêtu d'un habit également gris, démodé, sous un buffle trop long, cet extravagant personnage était le frère de la duchesse d'Orléans. Son arrivée enchanta non seulement sa sœur, mais tous les Parisiens, persuadés qu'il serait pour eux l'allié idéal, celui qui amènerait enfin la paix désirée. Si l'on monta prudemment quelques barricades faubourg Saint-Antoine afin d'empêcher ses soldats d'entrer dans la ville, le peuple ne manqua pas d'allumer de grands feux, de s'amuser en son honneur. Mademoiselle le traita en ami et il fut de toutes ses soirées. Il y eut ainsi plusieurs jours euphoriques avant qu'on ne s'aperçoive que le duc, qui savait si bien faire le joli cœur et le bouffon, s'empiffrer chez Renard et se rouler comme un chien fou dans les plates-bandes, jouait en fait une partie très ambiguë et n'était pas vraiment hostile à la Cour. Autrefois dépossédé par Louis XIII de son duché, il ne rêvait que de se réinstaller à Nancy. Ses mines goguenardes cachaient en réalité un manque total de scrupules : Charles de Lorraine ne serait qu'au plus offrant !

Madame de Chevreuse, qui le connaissait bien pour avoir été sa maîtresse dans ses belles années, entreprit de le convaincre que son intérêt n'était pas d'aider les Princes. L'habile femme se vengeait ainsi de Condé et surtout servait la reine et Mazarin en échange de largesses dont profiteraient sa famille et son bien-aimé Laigue. Elle réussit brillamment dans cette nouvelle intrigue. Pour elle, ce devait être la dernière. A cinquante-deux ans, Mme de Chevreuse estimait en effet maintenant dépassé le temps des aventures. Charles de Lorraine partit donc, sur une ultime pitrerie, sans se soucier de la déception et de la fureur des Princes. D'autres feux de joie se rallumèrent à son passage mais cette fois-ci, le peuple criait son plaisir de se débarrasser de lui et de ses soudards.

Un nouvel espoir s'était évanoui. Personne ne savait plus qu'entreprendre pour obtenir la paix. Même Dieu semblait sourd aux prières. Pourtant, en juin, une procession comme il n'y en avait pas deux par siècle, avait réuni toute la ville dans la même ferveur. La châsse contenant les reliques de sainte Geneviève, la protectrice de Paris, celle qui jadis avait dompté Attila et ses hordes de Huns, avait été conduite en grande pompe à Notre-Dame. Elle avait été suivie par d'autres reliques conservées ordinairement dans différentes églises, le crâne de saint Paxan, les ossements de saint Marcel, de saint Benoît, de saint Honoré, de sainte Opportune. Tous les couvents et paroisses avaient été représentés par des religieux, des prêtres et des chanoines en aubes blanches, des fleurs posées sur leurs épaules. Le Parlement au complet, les échevins, la milice, des jeunes filles chargées de bouquets, et bien sûr le peuple et les Princes, avaient eu place dans le cortège. Les femmes de la Halle avaient fait un triomphe au duc de Beaufort, portant beau sa tresse blonde. Hormis quelques esprits sceptiques, la foule avait noté avec admiration l'inhabituelle dévotion de Louis de Condé, sa mine de bon apôtre humblement inclinée sur son chapelet. Après la messe entonnée par les chantres de la cathédrale, le vieil archevêque, les pieds nus comme le plus pauvre des moines, avait béni d'une main tremblante ses ouailles recueillies parmi les bannières de soie et les guirlandes de roses.

Malgré cela, rien de notable ne s'était produit. Mazarin occupait toujours la première place. Condé n'obtenait pas satisfaction. Le voyage à la Cour d'Isabelle-Angélique n'avait eu aucun résultat concret même si la belle l'avait transformé en un succès personnel.

— Je l'ai dit dès le début ! s'écria Mademoiselle, un soir à son coucher, devant ses amies. C'était folie que de confier une négociation aussi délicate à une femme qui ne pense qu'à remplir ses coffres. Madame de Châtillon nous trahit, même si devant nous " elle fait la zélée ".

— Je croirais plutôt qu'elle s'est laissé embobeliner par les mots doucereux et les fausses promesses du Cardinal. Or celui-ci ne veut évidemment pas d'un accommodement et refusera tout à M. le Prince, fit Charlotte en remettant à la chambrière les vêtements abandonnés par Mademoiselle.

Madame de Fiesque aborda un sujet qui n'était déjà plus un secret pour personne :

— N'oubliez pas aussi l'influence de son nouvel amant, ce diabolique abbé Fouquet.

— Que peut-elle donc lui trouver, Seigneur ! soupira Anne de Frontenac. Cet homme a des prunelles de glace et une mâchoire qui lui donnent l'air d'une véritable brute.

— Justement ! gloussa Marie de Bréauté en nouant le dernier ruban sur la chemise de nuit de Mademoiselle.

D'abbé, Basile Fouquet n'en avait que le titre, celui d'une abbaye champenoise dont il recevait une forte prébende. Tandis que son frère Nicolas s'occupait de finances, Basile était le chef de la police de Mazarin. Prêt à n'importe quelle besogne, c'était un jeune homme ambitieux, immoral et sensuel. De cette liaison, Isabelle-Angélique retirait des plaisirs pimentés et pervers, bien loin des gentillesses de Nemours et de la virilité fluctuante de Condé. Elle espérait également en obtenir profit, sans se rendre compte que le goujat la manipulait, avec la bénédiction du Cardinal.

La remarque de Marie de Bréauté fit rire ses compagnes. Chacune y alla de son commentaire malicieux et la grande chambre or et azur, ouverte sur les jardins, ressembla vite à une volière pépiante et parfumée.

— Écoutez ! s'écria brusquement Charlotte.

Étant la plus proche de la fenêtre, elle venait de percevoir, dans le lointain, bien au-delà de l'enceinte de la ville, un écho de trompettes et de tambours.

— Cela vient des quartiers de M. le Prince.

— A cette heure, c'est étrange, murmura Mademoiselle qui s'était approchée et scrutait la nuit d'un regard soucieux.

A ce moment, l'écuyer Préfontaine entra pour annoncer M. de Flamarens.

— Vous venez sans doute nous expliquer les raisons de ce remue-ménage, marquis ?

C'était effectivement le motif de sa visite. En peu de mots, Flamarens leur apprit comment M. le Prince, ayant eu vent que Turenne, aidé de nouveaux renforts, menaçait d'attaquer Saint-Cloud, avait décidé de lever le camp cette nuit même pour s'installer à l'opposé, vers Charenton. Malheureusement il lui avait été impossible de se faire ouvrir les portes de Paris. La municipalité était restée inflexible, obéissant à un ordre formel, écrit de la main du roi. Interdiction était faite de laisser pénétrer les régiments des Princes à l'intérieur de la capitale ! Gaston d'Orléans s'était, en l'occurrence, abstenu d'intervenir. La parole du roi était sacrée. Puisqu'il ne pouvait traverser la ville, Condé était donc contraint d'en faire le tour.

— Cette affaire ne me dit rien qui vaille, commenta Mademoiselle de plus en plus nerveuse. Au lieu de négocier, nous aurions dû fortifier nos troupes. M. de Turenne va nous rattraper, nous anéantir !

Flamarens, au contraire, affichait un fier optimisme.

— Sûrement pas ! Je crois même que la paix se ferait aussitôt, si par hasard les deux armées se trouvaient en présence. Il ne peut y avoir combat.

— C'est ça ! Le Mazarin s'interposerait certainement pour empêcher le désastre ! Eh bien, mon cher, ne venez pas vous plaindre demain, si vous avez une jambe cassée par une mousqueterie, ironisa Mademoiselle en finissant par sourire au jeune homme.

— Je n'aurai pas de jambe cassée et d'ailleurs, personnellement, je n'ai rien à craindre de la guerre, assura-t-il avec son inébranlable bonne humeur. Mon destin est de mourir pendu, la corde au cou. Rappelez-vous la prédiction que m'a faite M. de Vilaine.

Ce ton de plaisanterie ne dérida que modérément les jeunes femmes. L'atmosphère joyeuse de tout à l'heure avait bel et bien disparu. Les visages se faisaient plus graves à mesure que se précisaient les bruits de l'armée en marche.

Flamarens se rapprocha de Charlotte et voulut la rassurer mais elle secoua la tête.

— Ils vont se battre, je le sens, souffla-t-elle, tourmentée par des images que devinait le marquis, de même qu'il devinait les noms sous-entendus par ce « ils ».

Oui, comme à Bléneau, « ils » ne demanderaient qu'à se battre encore...

Personne n'avait le pouvoir d'apaiser Charlotte et surtout pas lui, Antoine-Agésilan de Flamarens, qui se contenta de lui serrer la main sans lui dissimuler sa tendresse.

Pendant ce temps, Préfontaine, avant de se retirer, demandait à Mademoiselle ses ordres pour le lendemain :

— Son Altesse Royale prendra-t-elle médecine ? dit-il en tirant le rideau sur la fenêtre.

— Non, Préfontaine, répondit Anne Marie Louise de Montpensier d'un air soudain inspiré. « Je ne prendrai pas demain médecine car j'ai dans la tête que demain, je ferai quelque trait imprévu aussi bien qu'à Orléans. »

Prendre médecine impliquait ensuite de garder la chambre, à proximité de sa chaise percée, le temps que la potion agisse. C'était une contrainte dont ne voulait pas Mademoiselle, mue par un très fort pressentiment.

Il ne leur restait plus, à tous, qu'à se souhaiter le bonsoir. Préfontaine reconduisit Flamarens ; les dames gagnèrent leurs chambres. Dans le grand palais des Tuileries ne brillèrent bientôt plus que de discrètes lumières disséminées à chaque étage dans leurs niches de marbre.

Charlotte occupait une grande pièce marquetée de chêne clair et tendue de « verdures », près de l'appartement de Mademoiselle. Elle y avait la même vue, portant loin sur les parterres, la porte de la Conférence, la terrasse de Renard puis le Cours que descendaient les régiments de Condé. De sa fenêtre, elle voyait les lueurs des torches et un long, un énorme serpentin noir, toujours accompagné de tambours, s'approcher, venir longer les fossés de la ville, défiler devant la porte Saint-Honoré avant de disparaître sur la droite. Tout cela avait un air de désordre perceptible malgré l'obscurité. Charlotte distingua l'avant-garde de la gendarmerie lorsqu'elle passa près des jardins, aussitôt suivie du tressautement des canons et des chariots chargés des « bagages ». Le bruit des chevaux se mêlait au piétinement de l'infanterie. On eût dit une armée en déroute.

« Que fait Jérôme en ce moment ? Peut-être est-il parmi eux ? » pensa-t-elle affligée, oppressée par la touffeur estivale que nulle brise nocturne ne venait fraîchir.

Depuis quelques semaines, ils avaient eu du mal à se retrouver seuls. Leurs rencontres avaient pris un caractère furtif, exacerbant leur désir sans vraiment le contenter. Chaque fois il fallait que Jérôme rejoignît vite Condé au Parlement, chez Monsieur ; allât avec lui hors la ville inspecter leurs quartiers ; un Condé fiévreux, plus que jamais ancré dans l'idée d'éliminer le Cardinal mais de plus en plus empêtré dans les intrigues et déchiré par sa révolte, pourtant légitime. Jérôme avait pratiquement déserté son Hôtel de la rue de Tournon pour loger à l'Hôtel de Condé ou pour dormir chez les « baigneurs ».

Ces établissements qui offraient le gîte et le couvert en plus des bains, des étuves et de toutes les commodités, étaient très prisés par les gentilshommes, heureux de s'y détendre avant ou après une chevauchée, surtout par ces journées de cani-

297

cule. La maison de Prudhomme, située dans le Marais, recevait très souvent, en particulier, la visite de M. le Prince et des siens. Cette coutume attirait bien sûr la méfiance ou les sarcasmes des femmes qui n'y étaient pas admises, du moins celles qui se respectaient. Mais Charlotte ne redoutait aucune rivale.

Une seule personne aurait pu la rendre jalouse. Cependant, parce qu'elle aussi l'admirait, et surtout pour ne pas risquer de perdre Jérôme une seconde fois, elle avait choisi de la servir loyalement : cette personne, c'était M. le Prince.

Il était près de deux heures du matin lorsque enfin elle décida d'aller se coucher. A la fenêtre voisine — celle de Mademoiselle —, elle s'était aperçue que la lumière venait seulement de s'éteindre. Anne Marie Louise, pas plus qu'elle-même, ne pouvait étouffer ses craintes.

★
★ ★

— Madame, réveillez-vous. C'est M. le duc de Boisdanil. Il est ici...

Cateau, en jupon et camisole, secouait avec douceur sa maîtresse endormie profondément.

— Quelle heure est-il ? marmotta Charlotte sans bien comprendre.

— Six heures et demie. Je suis désolé, ma chérie.

Jérôme lui avait lui-même répondu. Elle se redressa vivement, vit son visage tiré, son buffle aux grandes manches de velours noir tout poussiéreux, mais avant qu'elle ne le questionnât, il s'assit près d'elle et l'informa de ce qui se passait.

— Je suis venu prévenir Mademoiselle. Notre arrière-garde, l'un des régiments du Prince de Conti, a été attaquée avant l'aube, au pied de la colline de Montmartre. Turenne a débouché sans crier gare de la plaine de Saint-Denis. Il paraît qu'il peut maintenant disposer de douze mille hommes. Et

LES MISÈRES DE LA GUERRE

nous qui n'en n'avons pas la moitié ! fit-il d'une voix amère.
M. le Prince s'est encore présenté aux portes, celle de Saint-
Denis puis celle de Saint-Martin. La garde refuse toujours de
laisser pénétrer nos troupes dans Paris. Il m'a alors chargé
d'aller voir Monsieur, de le prier d'intervenir auprès de l'Hôtel
de Ville. J'arrive du Luxembourg : Monsieur est resté au lit. Il
se dit souffrant, ne pouvant rien faire !

— Ce n'est pas possible ! s'écria Charlotte cette fois-ci tout à
fait réveillée.

— Malheureusement si, ricana Jérôme. Monsieur est malade.
Une manière comme une autre de fuir ses responsabilités.
Et pendant ce temps nos hommes sont menacés, pressés par
les Royaux. M. le Prince a prévu de conduire nos régiments
vers le faubourg Saint-Antoine où nous pourrons plus facilement nous défendre. Il ne nous a pas promis la victoire, bien
sûr, mais du moins n'avons-nous pas l'intention de nous laisser
égorger comme du vulgaire bétail.

— N'y a-t-il donc aucune chance ? demanda Charlotte en
s'efforçant de ne pas faire transparaître son angoisse.

— Si Paris ne nous vient pas en aide : aucune ! Et surtout pas
pour M. le Prince car tu penses bien qu'il préférera mourir plutôt que de se rendre. Son séjour en prison l'a marqué à jamais.

— Tu me dis avoir informé Mademoiselle ?

— Oui. Elle va tenter de fléchir son père. Elle fera tout pour
le parti ; nous savons pouvoir compter sur elle.

Charlotte n'attendit plus pour se lever, et ordonna à sa servante de vite tout préparer pour sa toilette. Puis elle se tourna
vers Jérôme qui s'était servi un verre d'eau, d'une carafe.

— Ne veux-tu pas manger et te rafraîchir un peu ?

— Je n'ai pas le temps, répondit-il en la prenant dans ses bras
pour l'embrasser avec une sorte d'âpreté. Charlotte, il ne faut
pas abandonner M. le Prince. Jamais !

— Jamais ! murmura-t-elle. Que Dieu vous assiste !

L'instant d'après, Jérôme était reparti. Il emportait comme
un espoir, la vision d'un regard d'or, tout empli d'amour, de
fierté et de feu.

LE VENT SE LÈVE

En jupe de soie puce et justaucorps de cavalière assorti, Charlotte retrouva un peu plus tard Mademoiselle de bleu vêtue, Préfontaine et Gilonne de Fiesque elle-même prévenue par son mari qui avait accompagné Boisdanil. Anne de Frontenac venait tout juste de partir au chevet du sien, blessé à la porte Saint-Denis. Mademoiselle avait déjà commandé son carrosse qui les mena rapidement au Luxembourg.

Ce matin de juillet promettait encore une forte chaleur mais il avait un tel rayonnement, une telle blondeur caressait le fil de la rivière, ses quais, les façades blanches et les toits d'ardoise bleue, qu'on imaginait mal le drame déjà amorcé.

Quelle ne fut pas la surprise de Mademoiselle et de son escorte à leur arrivée au Palais d'Orléans, de voir Monsieur, le visage vermeil, sifflotant un air martial en haut du grand escalier.

— Je croyais vous trouver au lit ! s'exclama sa fille en montant le rejoindre. M. de Boisdanil m'a dit que vous étiez souffrant.

— "Je ne suis pas assez malade pour y être mais je le suis assez pour ne pas sortir de chez moi", rétorqua placidement Gaston.

— Il faut vous coucher ou agir. Voyons, mon papa ! Il n'y a que vous qui puissiez décider la ville à ouvrir les portes. C'est votre intérêt qui se joue tout autant que celui de M. le Prince. Allez à son secours, je vous en prie. Ils sont en danger, lui et les nôtres.

Très émue, Mademoiselle parlait vite. Elle se mit à évoquer ses amis, ceux qui l'avaient escortée en reine lors de son voyage à Orléans, tous ces officiers pleins de gaieté et de bravoure, sans que cela toutefois parût toucher son père.

Madame de Nemours qui venait d'arriver, et tremblait autant pour son frère Beaufort que pour son mari, joignit ses prières et ses larmes. Peine perdue !

— Je ne veux pas voir le peuple se soulever contre moi, expliqua Monsieur pour sa défense.

— Mais le peuple nous soutient ! protesta Mademoiselle.

300

La discussion dura plus d'une heure pendant laquelle, mains dans les poches, Gaston déambula avec nonchalance le long de ses galeries, devant ses peintures de Rubens, poursuivi par sa fille de plus en plus désespérée par son attitude.

— " Il faut croire que pour être aussi tranquille, vous avez pactisé avec la Cour ! " s'emporta-t-elle, à bout d'arguments. Allez-vous donc sacrifier M. le Prince au Mazarin ?

Aucune réponse. Pendant ce temps, deux groupes se jaugeaient, l'un pressant, celui de Mademoiselle rejoint par le duc, la duchesse de Rohan, et bien d'autres, affolés à l'idée que leurs troupes allaient être abandonnées ; le second, l'entourage narquois de Monsieur, parmi lesquels Charlotte n'eut pas de mal à reconnaître beaucoup de partisans du Coadjuteur.

— Chacun pour soi ! murmura l'un d'eux, tout près d'elle.

Les traîtres ! Paul de Gondi, maintenant Cardinal de Retz, disparu du devant de la scène, n'en continuait pas moins sournoisement son travail de sape afin de se réconcilier avec la Cour tout en détruisant Condé. Entre ses mains, Monsieur avait toujours été une pâte molle. Retz l'avait effrayé. Un œil perspicace pouvait parfaitement deviner la peur sous son apparence désinvolte.

« Quelle honte ! Un prince par ailleurs si bon, si spirituel », songeait Charlotte, partageant l'incompréhension, l'indignation de ses amis.

Alors elle n'hésita plus. Tant pis pour l'étiquette, les conventions, le respect dû à leurs Altesses Royales, père et fille ! Il ne fallait pas abandonner M. le Prince, elle l'avait promis tout à l'heure. Pour Jérôme, pour tous ceux qui se battaient bravement, brillamment, à l'exemple de leur chef, elle osa s'approcher de Gaston d'Orléans et demander à lui parler. Pris au dépourvu, subissant malgré lui l'autorité naturelle de Charlotte, Monsieur accepta et l'entraîna dans son Cabinet des Livres.

Que se passa-t-il ? Comment Charlotte de Barradas s'y prit-elle pour convaincre l'éternel hésitant, qui toute sa vie

301

avait entrepris les plus grands desseins sans jamais les achever, victime consentante de conseillers peu scrupuleux ? Personne ne le sut. Personne ne put l'entendre, tout enflammée de passion mais cependant très calme, n'ayant rien à perdre excepté celui qu'elle aimait, dire :

— Ne craignez-vous pas, Monsieur, le jugement de la postérité ? L'opprobre qui s'attachera à votre mémoire si vous laissez assassiner vos alliés ? Car il s'agira bel et bien d'un assassinat, celui de quelques milliers d'hommes broyés par la masse formidable de l'armée de Turenne. Des hommes qui ont cru en vous, qui vous sont attachés. Vous imaginez peut-être qu'après leur facile victoire, la reine et son ministre vous feront bon accueil ? Non ! Car vous êtes allé trop loin pour être épargné vous-même. Alors, que voulez-vous, Monsieur ? Serait-ce... Mon Dieu...

— Continuez, fit Gaston d'une voix blanche.

— Serait-ce que vous souhaitiez, comme le Cardinal de Retz, la disparition de M. le Prince auquel pourtant vous êtes lié par l'honneur ? M. le Prince qui seul peut délivrer le roi de Mazarin et nous ramener la paix ? Cela ne se peut, n'est-ce pas ? Vous allez l'aider ! Il y a eu déjà tant de morts ! acheva Charlotte sans perdre une seconde son exceptionnelle assurance.

Personne ne put voir Monsieur — lui ordinairement si jovial, qui aimait tant se retirer dans ce Cabinet regorgeant de merveilles, livres et objets précieux qu'il collectionnait en amateur éclairé —, personne ne put le voir soudain se voûter, blêmir, ressembler à son frère Louis XIII, tourmenté, pathétique.

« Il y a eu déjà tant de morts. » Qu'elle était affligeante, en effet, la procession de tous ces disparus, encore bien plus longue que ne le soupçonnait cette enfant audacieuse ! Victimes de guerres, du bourreau, de l'oubli, compagnons d'intrigues et de plaisir, tous ceux qu'il avait dû abandonner en route, trahir, sacrifier, malgré l'affection qu'il avait portée à la plupart d'entre eux. Lui qui détestait le mal, avait fait leur malheur, par simple lâcheté ! Sans le savoir, Charlotte venait de frapper au plus douloureux de son âme.

Sans répondre, Gaston prit un papier, une plume, et debout à sa table d'écriture, traça quelques phrases, les sabla, y apposa son cachet. Lorsqu'il leva les yeux, Charlotte s'aperçut qu'ils étaient pleins de larmes mais à son profond étonnement, elle vit sourire Monsieur :

— Autrefois, quand je conspirais contre le Grand Cardinal*, votre mère était l'un de mes plus adroits soutiens, une vraie fine mouche. Je constate que vous n'avez rien à lui envier. Puis il reprit son air triste et murmura, faisant allusion à Mazarin : " Quel dommage que les Français s'entr' égorgent pour un étranger ! "

Ce fut tout. Redressant la taille, poussant quelques notes entre ses lèvres arrondies, Gaston alla rouvrir la porte, sa lettre à la main, et s'effaça avec un respect appuyé, un peu moqueur, devant Charlotte. Dans la galerie, on les attendait avec une impatience, une curiosité dévorantes. Mademoiselle s'avança vivement vers son père.

— Voici un ordre pour l'Hôtel de Ville, déclara-t-il sans lui laisser le temps de parler. Accordez-vous avec ces Messieurs. Je vous délègue tous mes pouvoirs.

« De part Monseigneur, fils de France, oncle du roi, duc d'Orléans... » Fidèle à sa nature, Gaston ne s'était pas résolu à agir directement. Une fois de plus, il se retranchait derrière quelqu'un d'autre, en la circonstance sa fille, qui aimait tant à jouer les héroïnes. Avec une maréchale aussi intrépide et déterminée que Charlotte de Barradas, nul doute qu'elle ne réussisse à sauver Condé, même des cohortes de Lucifer !

— Vous voyez, Monsieur comprend les choses bien qu'il soit un peu lent à se décider, fit Mademoiselle lorsqu'elle fut dans son carrosse. Puis, n'y tenant plus, elle se tourna vers Charlotte : Comment avez-vous fait ?

Ses yeux bleus et candides étaient encore humides de

---

* Ainsi désignait-on Richelieu par opposition au Cardinal Mazarin.

pleurs. Profondément affectée par la faiblesse de son père, elle sauvait cependant la mise, l'aimant trop pour le critiquer en public ou tolérer un quelconque reproche à son sujet. Quelle n'eût pas été sa souffrance en apprenant la manière dont il venait d'être traité par une simple jeune femme ne possédant ni pouvoir, ni sang royal dans les veines !

« Il n'existe pas un cœur plus noble, plus désintéressé que celui de Mademoiselle », se dit Charlotte qui, pour rien au monde, n'eût voulu la blesser.

Elle préféra donc mentir, toucher le point sensible de sa protectrice comme elle savait si bien le faire :

— Il m'a suffi de rappeler à Monsieur tout ce qu'il vous devait et lui souligner votre chagrin.

— Vraiment ? Il éprouve donc de la reconnaissance à mon égard...

— Et beaucoup d'affection, acheva Charlotte, comblant d'aise la fière et tendre Mademoiselle.

— Grâce à vous, M. le Prince sera secouru. Dès que nous aurons obtenu l'accord de principe de l'Hôtel de Ville, nous nous hâterons rue Saint-Antoine.

— Cela risque d'être long encore, remarqua Charlotte avec inquiétude.

— C'est certain, ces fichus bourgeois ne savent que palabrer ! grogna la duchesse de Nemours.

Frileux, malades à l'idée de désobéir à la Cour, détestant Condé autant que Mazarin, le gouverneur de Paris, le prévôt des marchands et la plupart des échevins étaient incapables d'endosser franchement leurs responsabilités, de trancher dans le vif pour la défense de leurs opinions. Pourtant, on ne pouvait légalement se passer de leur assentiment. Certes, devant le sceau de Monsieur, ils ne refuseraient pas d'obéir à Mademoiselle, lui fourniraient des compagnies de la milice, feraient ouvrir les portes, mais après combien de parlotes, de délibérations inutiles, de temps perdu ? Chaque minute voyait s'amenuiser l'armée des Princes. Bientôt, il n'en resterait rien.

— Laissez-moi y aller maintenant, je vous en prie. Ne serait-ce que pour porter l'espoir aux nôtres !

Mademoiselle comprit tout de suite l'intention de Charlotte. Elles se regardèrent, se sourirent. Puis un ordre fut lancé :

— Holà, Préfontaine, amenez un cheval à Mme de Barradas ! M. de Rohan, vous l'accompagnerez. Nous nous retrouverons tous bientôt. Allez vite, mes amis, annoncer la bonne nouvelle à M. le Prince !

Ce qui se passa, en ce mardi deux juillet 1652, ne put s'effacer des mémoires et devait à jamais faire rêver tous les nostalgiques de l'ancienne noblesse, celle, indocile, un peu folle, qui ne connaissait que son courage et savait se battre, les yeux dans les yeux de l'ennemi, fût-il un frère, l'épée nue, sans marchander sa vie. Gens du roi ou gens du Prince, ils étaient semblables ces gentilshommes, souvent unis par des liens de famille ou d'amitié, animés de la même bravoure, de la même ivresse doublée d'élégance et de panache. N'était noble que la mort par le sang versé. Les siècles en eux n'avaient pu altérer la nature impétueuse de leurs ancêtres, ces barons orgueilleux, prodigues, assoiffés de gloire, auxquels le royaume devait son lustre et sa puissance. Pour la dernière fois, les lois de l'ancienne chevalerie prévalurent ; on oublia souvent jusqu'aux raisons profondes de cette guerre. On ne pensa qu'à l'honneur de ses armes et à bien mourir. En cela, l'affrontement qui pendant des heures se déroula dans le faubourg Saint-Antoine ne pouvait que revêtir toute la beauté, la grandeur, l'absurdité, la tristesse d'une tragédie.

Dès le début, la victoire de Turenne sembla acquise. Aux premières heures du jour, Mazarin conduisit le jeune roi près de Charonne, dans le jardin d'une maison particulière*, sorte

---

* Emplacement du cimetière du Père-Lachaise.

de petit promontoire surplombant de part et d'autre les villages de Belleville, Montreuil, Reuilly, avec en face le faubourg Saint-Antoine dominé par la Bastille et Paris, splendide derrière ses murailles, Paris où Louis XIV espérait bientôt rentrer en vainqueur. Anne d'Autriche ne les accompagnait pas. Elle était au Carmel de Saint-Denis, priant devant le Saint Sacrement pour l'heureuse issue de la guerre. Mais beaucoup de gens de Cour avaient eux aussi gagné en carrosse les hauteurs de Charonne, certains d'assister à l'écrasement définitif des Frondeurs. Un autre carrosse aux mantelets de cuir abaissés, massif et lugubre, se tenait prêt à emporter M. le Prince prisonnier vers quelque donjon d'où cette fois-ci il ne sortirait plus.

C'était oublier que cet homme n'était pas tout à fait pareil aux autres. Même ses ennemis devaient admettre ensuite qu'il y eut quelque chose de surhumain dans ce qu'il accomplit ce jour-là. Sous sa cuirasse vite bosselée de coups, criblée d'éclats de balles, dans sa chemise maculée du sang de ses compagnons, il était partout, galvanisant ses troupes, jamais pris en défaut, aussi prudent qu'audacieux. Habilement, il avait disposé son infanterie à la fois sous les halles de l'abbaye Saint-Antoine, derrière les barricades montées le mois précédent lors de l'approche des Lorrains, et sur les chemins alentour, pour mieux les faire débouler à mesure qu'avançaient les régiments de Turenne. Des charges meurtrières, d'une violence inimaginable, parvenaient chaque fois à repousser les Royaux. En tête de ses cavaliers, Condé se surpassa mais en même temps voyait avec désespoir tomber près de lui les intrépides jeunes gens qui suivaient si bien son exemple : La Rochefoucauld, le visage en sang, Nemours, le bras labouré d'une profonde blessure, le petit Guitaut, le corps traversé d'un coup de mousquet et Boisdanil... Ah ! Où était donc Jérôme de Boisdanil qu'il avait vu s'élancer, entraînant son escadron, tête nue, l'épée au poing, beau comme un archange ? Sans doute était-il déjà fauché, piétiné. Car ils étaient destinés à mourir, vaincus par le nombre, abandonnés par une ville ingrate, acculés contre un mur près d'une porte dramatiquement close !

306

Au moment même où Condé voyait leur défaite inéluctable, la foule garnissant le sommet des remparts et jusque-là spectatrice muette, saisie d'effroi, se mit à crier des mots insaisissables, étonnamment joyeux. Alors eut lieu l'incroyable, le miraculeux. La porte Saint-Antoine s'ouvrait ; un homme apparaissait entre deux rangées de gardes. C'était Rohan, venu annoncer ce qu'aucun des leurs n'espérait plus : ils étaient sauvés !

Condé galopa vers lui, sauta à terre pour l'étreindre.

— Rohan ! Par quel bonheur... ?

— Mademoiselle arrivera d'un instant à l'autre avec l'accord de l'Hôtel de Ville. Mais cela n'a pas été facile d'arracher le consentement de Monsieur.

— " Je sais depuis longtemps à quoi m'en tenir sur lui. "

— Il y a là-bas une personne à qui nous devons beaucoup, reprit Rohan, résumant le rôle mystérieux de Charlotte.

Condé l'aperçut, au seuil d'une jolie demeure à tourelle, la première de la rue Saint-Antoine. Il s'avança. Elle eut peine à le reconnaître ; la sueur, la poussière lui couvraient le visage, emmêlaient ses cheveux. Il titubait en marchant, comme un homme ivre, tenant encore son épée dont il avait perdu le fourreau. Il la tendit à Préfontaine et baisa la main de Charlotte.

— Vous avez encore alourdi la dette que j'ai envers vous, madame.

— Je ne veux que bien vous servir.

Brusquement, Condé s'appuya au mur de la maison en éclatant en sanglots.

— Pardonnez-moi. J'ai perdu tant d'amis. " C'est une telle douleur ! "

Lui qu'on accusait de cruauté, de n'aimer rien ni personne, ce héros si maître de lui à la guerre, pleurait comme un enfant. Puis, regardant Charlotte dont il percevait l'angoisse au travers de sa peine, il dit :

— Pour Boisdanil, je ne sais rien encore. Mais je vous le ramènerai.

Un bruit formidable se fit dans la rue. C'était Mademoiselle qui arrivait à grand train, excédée par les lenteurs de l'Hôtel de Ville mais brandissant triomphalement son ordre. Elle embrassa Condé, but ses remerciements amicaux comme un nectar :

— J'ai aussi des compagnies de la milice pour vous, mon cousin. Ces gens-là ne sont peut-être pas de très bons guerriers mais si le Mazarin les voit parmi nous, postés sur les remparts, il comprendra que Paris et les Princes sont unis et enragera davantage.

Tout le monde rit. Condé avait surmonté sa défaillance et donnait maintenant ses ordres pour le retrait immédiat des blessés d'abord, puis des bagages, enfin de toute l'armée, régiment après régiment, ce qui allait prendre des heures, voire la journée entière, la manœuvre devant se dérouler avec tout le calme et la dignité possibles.

Le propriétaire de la maison, un maître des comptes nommé La Croix, invita Mademoiselle, les duchesses de Nemours et de Rohan, Mme de Fiesque et Charlotte, à entrer chez lui, à s'y asseoir. Massées aux fenêtres du rez-de-chaussée, emplies d'effroi, de chagrin, elles regardèrent passer les morts et les blessés que l'on commençait déjà à ramener du faubourg. L'un des premiers fut le duc de Nemours aussitôt reconduit chez lui par sa femme. Ce fut ensuite au tour de La Rochefoucauld, effrayant à voir dans son pourpoint blanc ensanglanté, soutenu par son fils Marsillac et par Gourville. Puis on vit apparaître à cheval, aidé par un soldat, le petit Guitaut. Le protégé de M. le Prince voulut rassurer les dames, il ne fit que bafouiller tant il souffrait. D'autres malheureux ne cessaient d'affluer, étendus sur des civières, des échelles ou des planches, se traînant à pied ou se tenant à peine en selle. Certains chevauchaient, morts, portés par leur cheval qui suivait docilement le convoi. Des Allemands, des Espagnols, se plaignaient dans leur langue, implorant des secours. Ils étaient innombrables, pitoyables, particulièrement ceux qui s'essayaient à plaisanter en reconnaissant les jeunes femmes. Longtemps, celles-ci auraient en tête — la nuit surtout, au plus noir de leurs rêves — les visages torturés de tous ces hommes, pour la plupart touchés en pleine jeunesse, auxquels bien souvent elles pouvaient mettre un nom, qu'elles avaient croisés, insouciants, au Cours ou chez Renard.

Pourtant, on s'accoutume à tout, même à l'horrible. Le premier choc surmonté, Mademoiselle retrouva son sang-froid. Comme naguère à Orléans, elle s'adonna avec jubilation à son rôle, s'occupant de tout, secondée par les Parisiens qui étaient venus spontanément lui proposer leurs services. Sous ses ordres, ils dirigeaient les hommes selon leur grade, soit sur les hôpitaux, soit chez les chirurgiens ; s'occupaient à enterrer les morts, à conduire les bagages à l'abri de la Place Royale, à servir du vin à la ronde. La chaleur était devenue intenable. Les fronts ruisselaient.

— Vive le roi ! Vivent les Princes ! Et point de Mazarin !

Charlotte n'en pouvait plus de regarder défiler ce lamentable cortège, de dévisager chacun en tremblant chaque fois de découvrir Jérôme. De temps à autre, elle apercevait une connaissance, glissait un mot à l'un, donnait à boire à l'autre, étouffait un soupir en comprenant que celui-ci avait cessé de vivre.

De l'autre côté des remparts, éclataient toujours les mousqueteries. Sachant maintenant qu'il pouvait protéger les plus faibles, épargner les troupes de Monsieur et de son fils, assurer une sortie aux siennes quand il le voudrait, Condé était reparti se battre. Ainsi, personne ne pourrait lui reprocher d'avoir fait retraite en plein jour devant les mazarins.

— Charlotte !

La voix était extrêmement faible. Celui qui l'appelait gisait sur une civière portée par deux hommes, qui s'arrêtèrent devant le logis de La Croix.

— Flamarens !

Charlotte se précipita et s'agenouilla devant le jeune homme, couvert de sueur, de sang et de poussière. Elle lui

309

prit la main, effrayée par son visage violacé, boursouflé. De toute évidence, parler devait lui être très difficile :

— Boisdanil... votre mari... vers Sainte-Marguerite...

Charlotte demanda qu'on lui apportât de l'eau.

— Non, inutile, balbutia Flamarens. C'est cette corde, Charlotte, vous vous souvenez ? La corde... La prédiction de Vilaine...

Il mourut sur ces mots, alors qu'elle découvrait effectivement une corde très épaisse, nouée autour de sa gorge. Ce n'était pas un coup d'épée qui avait tué le gentilhomme. Il était mort étranglé, sans que personne ne sût jamais comment avait pu s'accomplir l'arrêt de son destin. On emporta Flamarens. Mademoiselle, qui avait également assisté à ses derniers moments, se montra tout aussi bouleversée que Charlotte.

— Sainte-Marguerite, où est-ce donc ? On ne voit rien dans cette maudite rue ! grommela-t-elle en essuyant ses larmes.

L'artère grouillante et surchauffée les retenait prisonnières, avec pour tout horizon les remparts de pierre grise et la masse écrasante de la Bastille. Charlotte fit quelques pas en direction de la porte Saint-Antoine, prête à s'y élancer, puis elle leva les yeux sur les tours de la forteresse.

— Si nous étions là-haut, nous pourrions au moins savoir ce qui se passe.

— Eh bien, allons-y, fit Mademoiselle en lui prenant le bras.

Cette décision fut si rapide, si imprévue, qu'il n'y eut que Préfontaine pour avoir le réflexe de les suivre. Parvenues à la porte de la Bastille, elles se retrouvèrent nez à nez avec M. de La Louvière, le gouverneur, déjà prévenu de leur visite.

Fébrile, plutôt embarrassé, il n'osa néanmoins refuser l'entrée à Mademoiselle. Quelques minutes plus tard, elles étaient au sommet de la Tour du Trésor et découvraient avec saisissement tout le théâtre des opérations, écrasé de soleil, sous le ciel d'un bleu intense.

Un officier de la milice disposée sur le pourtour de la forteresse leur fit apporter des lunettes d'approche et se chargea de les renseigner. D'un air navré, il leur montra une colline verdoyante où l'on distinguait des silhouettes et des carrosses.

— Le roi est là-bas. Mon Dieu, quel malheur que cette guerre ! Vous apercevrez tout le gros de son armée.

Soudain, Charlotte pensa à son père, le maréchal d'Ivreville, qui devait être parmi ces généraux sans visage, et à son petit frère, Adrien, qui ne quittait jamais le roi. Voici qu'ils se trouvaient aujourd'hui dans le camp adverse à celui qu'elle avait choisi, un choix qu'elle ne regrettait pas néanmoins, malgré l'affection qu'elle leur portait toujours. Et René...

Était-ce la hauteur des tours où l'air semblait plus pur bien que tout chargé de poudre ? Était-ce la vision différente qui en résultait, si vaste, précise comme un tableau animé, avec l'éclair des lames et des armures, les hurlements, les chevaux affolés, hennissant sous la douleur ? Avec les étendards brodés de lys, face aux bannières rouges espagnoles, frappées d'immenses croix de Saint-André ? Un tel déploiement lui parut irréel, sans rime, ni raison. « Tout ça pour un étranger », avait déploré Monsieur. Charlotte ne voulait pas la mort de René. Elle voulait que M. le Prince saluât le roi en vainqueur et en ami. Elle voulait que Jérôme sorte enfin de ce tumulte, que s'éteignent ces flammes, se taisent ces mousquets.

— C'est l'église Sainte-Marguerite, fit près d'elle l'officier en désignant une construction récente, entourée d'un vaste cimetière.

On s'y battait avec ardeur. Mais il était impossible de distinguer quelqu'un parmi ces hommes que des heures de lutte, d'efforts et de peine, rendaient tous semblables, leurs écharpes mises à part. Charlotte ne vit ni Jérôme ni René.

Ils s'étaient retrouvés pourtant ; ils s'étaient battus, séparés à nouveau, retrouvés encore. Blessés tous les deux, ils cherchaient toujours le moyen de se rejoindre, avaient toujours la force de s'affronter. Comme toute l'armée de Turenne, comme le roi et Mazarin, René avait vu avec fureur et dépit s'ouvrir la porte Saint-Antoine alors que leur victoire semblait si certaine. Retranché avec ses hommes près de l'église, il tentait de protéger des canons que voulaient reprendre des Frondeurs, dirigés par Jérôme. Aussi épuisés l'un que l'autre, d'égale valeur, les deux adversaires se battaient sans résultat concret. Pendant ce temps, Turenne avait divisé sa cavalerie en deux colonnes, l'une arrivant de Reuilly, à droite, l'autre venant de Popincourt, à gauche, afin de prendre en tenaille toute l'arrière-garde de l'armée des Princes qui bataillait encore avant de rentrer dans Paris. Rivée à sa longue-vue, Mademoiselle s'exclama :

— Charlotte ! Regardez à quelle vitesse ils approchent. Quand les nôtres s'en apercevront, il leur sera trop tard pour s'abriter.

Mais du haut du clocher de l'abbaye Saint-Antoine, Louis de Condé n'avait rien perdu de la manœuvre ennemie. Redescendant immédiatement de son poste d'observation, il fit presser ses derniers régiments et afin de protéger leur retraite, garda une trentaine d'hommes avec lui, qu'il posta au centre du faubourg.

— M. le Prince va se faire tuer ! s'écria Mademoiselle.

— Il ne sera pas le seul, murmura Préfontaine. N'est-ce pas M. de Boisdanil qui galope vers lui ?

C'était bien Jérôme. Ayant compris l'intention de Condé, le péril qu'il encourait, il avait aussitôt tout abandonné pour voler à son secours. Et c'était aussi René, que Charlotte reconnaissait maintenant, lancé sans plus réfléchir à sa poursuite, le pistolet en main, tandis que continuaient d'avancer les cavaliers de Turenne.

Encore quelques minutes et les Royaux seraient sur M. le Prince. Tout serait fini.

— Mais réagissez, sacrebleu ! Lâches que vous êtes ! jura Mademoiselle en voyant le gouverneur et la milice assister à la scène sans broncher. Ils vont se faire hacher menu.

312

Appuyée à la pierre chaude de la tour, Charlotte refusait de croire à l'inéluctable.

— Vous devez les secourir ! A quoi donc servent ces canons ? demanda-t-elle à La Louvière en lui montrant la rangée silencieuse de bombardes et de couleuvrines pourtant toutes prêtes à fonctionner.

— Comment... vous voudriez faire tirer sur les gens du roi ! bégaya le gouverneur.

— C'est l'armée du roi ! reprit l'officier de la milice tout aussi effaré.

— Peut-être ! Mais c'est M. le Prince qui va périr si nous ne faisons rien, leur répondit Mademoiselle.

Elle avait tout oublié en ce moment de ses rêves de couronne. Ne comptaient plus que son admiration éperdue pour un héros et le sentiment de sa propre grandeur. Sa voix avait les accents d'une amoureuse aux abois.

Charlotte y retrouva les échos de la sienne. Il n'y avait plus rien d'autre en effet, dans son esprit dévoré de fièvre, que la terreur et l'indignation : parce que le monde entier n'était que petitesse et veulerie, Jérôme allait mourir sous leurs yeux et avec lui un prince qui pourtant avait reçu leur parole !

— Au nom du Ciel, il faut tirer ! supplia-t-elle, les poings crispés de fureur.

Les gardes restaient bouche bée, l'air un peu stupide, regardant tour à tour le gouverneur et ces deux femmes hors d'elles-mêmes, magnifiques, qui semblaient pétries de lumière et de feu dans leurs robes de soie.

— On ne peut tirer sur l'armée de Sa Majesté, gémit encore La Louvière.

En bas, Condé et ses hommes se préparaient à recevoir l'assaut final. Alors, sans plus attendre, Charlotte arracha un flambeau de son socle et l'approcha d'un canon.

Mademoiselle mit ses mains en porte-voix :

— Je suis Anne Marie Louise de Montpensier, petite-fille de roi et je commande ici au nom de Monsieur, mon père. Je vous ordonne donc à tous de tirer. Feu !

— Feu ! répéta, résigné, le malheureux gouverneur.

Emportée par l'exaltation, Charlotte n'avait pas attendu les ordres. Un nuage énorme s'envola des tours de la Bastille. Une fois, deux fois, puis en tirs plus rapprochés, les canons tonnèrent, les boulets s'abattirent, fauchant les premières lignes des Royaux.

En face, à Charonne, tout d'abord on se méprit :

— Sire, les Parisiens se sont enfin ralliés à votre cause, jubila Mazarin, croyant à l'initiative des espions qu'il avait dans la capitale.

Mais quelqu'un vint très vite annoncer l'ahurissante, l'inimaginable réalité :

— Mademoiselle est à la Bastille. C'est elle qui fait tirer contre nous !

Turenne n'aurait pas cette fois-ci sa revanche sur Condé. Aujourd'hui, la force et le droit s'inclinaient, dominés par un sens particulier de l'honneur et de la gloire mais surtout, vaincus par la toute-puissance d'un amour fou.

Lorsque avait éclaté le premier coup de canon, Jérôme s'était retourné sur celui qui le talonnait, avait tiré et l'avait vu vaciller sur sa monture. Mais avant de s'écrouler, René de Barradas avait pu lui aussi lever son pistolet, viser, pour atteindre Jérôme à la hauteur des yeux.

V

La prédiction de Vilaine

(Juillet 1652 - Octobre 1652)

> *« Ma perte n'est que trop certaine,*
> *Et mon entreprise hautaine,*
> *Me prépare un chemin qui conduit à la mort.*
> *La mer où je m'embarque est sujette aux orages*
> *Mais aux cœurs généreux de si fameux naufrages*
> *Sont plus doux que le port. »*

Éléazar de CHANDEVILLE

« Peut-être veux-tu savoir ce qu'il est advenu de René ? Car je n'ose imaginer que tu sois dépourvue de tout sens chrétien au point de mépriser le sort d'un homme qui n'a jamais failli à ses devoirs. »

Sans ciller, Charlotte continua de lire la lettre que Floriane d'Ivreville lui avait adressée aux Tuileries, alors qu'elle se préparait à se rendre chez Jérôme.

« Ton époux a été ramené mardi soir à Saint-Denis où la reine a transformé en infirmerie la grande salle du Carmel. Il a reçu plusieurs blessures assez graves, aux jambes et à la poitrine, mais je pense qu'il s'en remettra. Bien entendu, il lui faudra un long repos. Aussi, dès qu'il sera transportable, l'enverrons-nous à Ivreville auprès de sa mère et de votre fils. Le petit Pierre, Charlotte. T'inquiètes-tu parfois de cet enfant que tu n'as pas revu depuis près d'une année ?

« Ici nous pleurons, comme vous à Paris, les victimes de cette guerre fratricide. Adrien a perdu beaucoup de ses amis. M. de Saint-Mesgrin est mort. La reine en est très peinée. Le neveu de Mazarin, le jeune Paul Mancini, est au plus mal. La gangrène aura sans doute bientôt raison de lui. Tu sais

317

combien le roi est attaché à ce brillant garçon. Sa disparition lui sera cruelle mais certainement moins que la trahison de ceux, de celles qui devraient, pourtant, être les premiers à le servir. Charlotte, tu ne seras pas étonnée d'apprendre que ton père ne veut même plus entendre prononcer ton nom. Pour ma part, je me refuse à te juger mais je prie pour que tu n'aies pas un jour à payer trop cher le choix que tu as fait. »

La jeune femme approcha la lettre d'une bougie, la brûla et en jeta les derniers fragments dans la cheminée vide. Du message sévère et attristé de Floriane, il ne resta bientôt qu'un minuscule tas de cendres, une odeur de papier brûlé, et une impression douce, laissée dans le cœur, le sentiment d'indulgence un peu agacée, un peu attendrie d'autrefois. Pauvre maman ! Croyait-elle vraiment que sa fille fût bourrelée de remords, tremblante, dans l'attente du châtiment ?

Charlotte se coiffa d'un large castor à plumes jaunes, puis épingla un petit bouquet de paille au creux de son corsage. Une fois prête, elle rejoignit son carrosse qui l'attendait dans la cour du château. D'autres bouquets de paille étaient accrochés aux portières. Le cocher en avait même mis sur le toit.

Pendant le trajet qui l'amenait à l'Hôtel de Boisdanil, elle réfléchit encore aux reproches injustifiés de Floriane. Mépriser René ? Pourquoi l'aurait-elle fait ? Au contraire, elle l'avait admiré lorsqu'il s'était jeté tout seul — avec quelle témérité ! — sur les pas de Jérôme. Cet élan avait effacé toutes ses lâchetés, toutes ses maladresses. Elle avait déjà appris que ses jours n'étaient pas en danger et en était heureuse, bien que nullement surprise. René était de ces hommes qui parvenaient toujours à se tirer d'affaire. Quant à Pierre, jamais Charlotte n'avait cessé d'échanger, à son sujet, une correspondance suivie avec Ermelinde et Gabrielle. Dernièrement, elle avait envoyé à Ivreville ce petit garçon de Champdeloy, le jeune Colas, pour le mettre au service particulier de son fils. Elle n'aurait pu faire davantage, ayant infiniment de mal à réaliser que cet enfant qu'on lui disait si beau, si vigoureux, fût sien. Il appartenait à un monde qu'elle avait rejeté, pour mieux vivre sa passion, cette noble flamme brûlant chaque jour plus haut, plus fort, à la lueur de laquelle rien n'était impossible, pas même de faire la guerre au roi. Peut-être, plus tard, lorsque les choses seraient à leur juste place, les querelles oubliées, ses parents, son père surtout, comprendraient-ils son geste ?

Rue de Seine, son équipage fut soudain arrêté par un groupe assez furieux prétendant inspecter l'intérieur du carrosse. Avec cette engeance, mieux valait rester prudent. Assis près du cocher, Martin, qui accompagnait Charlotte dans tous ses déplacements, réussit à conserver son calme.

— Vous voyez bien la paille ! Nous ne sommes pas des mazarins, dit-il en montrant leur insolite garniture.

— Ouais ! On l'espère. Qui conduis-tu ?

Un gros museau rouge s'encadra dans la portière et reconnut la jeune femme élégante, dédaigneuse, avec son petit bouquet bien en évidence sur la poitrine.

— C'est madame de Barradas, cria-t-il. Paille ! Paille ! Laissons-la passer ! On sait bien où elle va.

On applaudit. Des bravos fusèrent.

— Vive le roi ! Vivent les Princes ! Et point de Mazarin !

Entre la haie des énergumènes, le carrosse repartit lentement, salué par des rires complices. Charlotte eut l'impression d'être salie.

Dire qu'il fallait maintenant, plus que jamais, compter avec ça, ce bas peuple fort en gueule, persuadé de son importance, qui faisait régner le désordre et le meurtre dans Paris ! Ah, les beaux « chevaliers de la paille » que les Princes avaient pour soutien ! Depuis quelques jours, ce signe était indispensable à qui voulait circuler en ville à peu près tranquillement. Mademoiselle avait été la première à donner l'exemple en accrochant avec un ruban bleu le fameux petit bouquet à son éventail. Si Charlotte faisait de même, malgré son mépris de la populace, c'était pour ne pas être empêchée d'aller quotidiennement à l'Hôtel de Boisdanil.

Le triomphe de Condé le deux juillet dernier, les panaches

319

blancs des canons couronnant la Bastille, n'avaient eu, étrangement, aucune suite satisfaisante. On eût dit plutôt qu'ils avaient annoncé la fin d'une époque glorieuse. Un mauvais sort s'acharnait sur le parti des Princes.

— Union ! Union ! avait crié le peuple devant l'Hôtel de Ville, espérant voir les Messieurs, le duc d'Orléans et Condé, main dans la main, pour en finir avec la guerre.

Mais l'union n'avait pas eu lieu. La foule déçue, éméchée, avait alors mis le feu à l'Hôtel de Ville, avait tué, avait rançonné le prévôt, les échevins. Sans l'intervention courageuse de Mademoiselle et de Beaufort, un véritable massacre aurait eu lieu place de Grève. Quels en étaient les auteurs réels ? Beaucoup de gens accusaient M. le Prince, bien qu'il ne fût pourtant pas un homme de sédition. Certains de ses soldats avaient été reconnus, paraît-il, déguisés en artisans parmi les émeutiers. Cependant on avait vu aussi rôder les sbires de l'abbé Fouquet et de fait, le soupçon jeté maintenant sur Condé ne pouvait que servir Mazarin.

Le mieux, estimait Charlotte, était encore d'ignorer ces relents de caniveaux, de ne s'occuper que de Jérôme.

Lorsqu'elle pénétra dans sa chambre, il lui reprocha d'avoir tardé. Mais en l'écoutant relater l'incident de la rue de Seine, sa mauvaise humeur fit place peu à peu au désespoir.

— Comme M. le Prince, nous sommes prisonniers de la canaille, soupira-t-il. Tout s'enlise et se corrompt. Charlotte, je voudrais que cela finisse, retrouver la lumière et la liberté ! Je voudrais pouvoir te voir, toi, mon bel amour.

La chambre était entièrement dans la pénombre. Deux épaisseurs de rideaux cachaient les fenêtres. On avait laissé les portes ouvertes afin qu'un courant d'air pût circuler et Duchot avait fait mettre sur le sol de l'herbe et des fleurs fraîchement cueillies, afin d'atténuer la lourdeur de l'atmosphère. Sur son lit de satin broché gris et rouge, le duc de Boisdanil était étendu, un linge blanc posé sur le haut de son visage. Il n'avait pu échapper tout à fait au tir de Barradas. La balle, en l'effleurant, lui avait brûlé les yeux.

LA PRÉDICTION DE VILAINE

Ainsi qu'il l'avait promis à Charlotte, Condé en personne l'avait ramené du faubourg Saint-Antoine et reconduit à l'Hôtel de Boisdanil. Le plus habile chirurgien y avait été requis, le sieur Le Large, dont le diagnostic, après un long examen, avait été moins terrible qu'on ne l'avait craint en premier lieu : Jérôme recouvrerait la vue. Mais pour longtemps, il lui faudrait vivre dans l'obscurité totale. Pour le reste, les soins à lui donner étaient simples. Ils consistaient à baigner ses yeux de décoctions de plantes, hysope, fenouil, cerfeuil ; à les couvrir constamment de linges imbibés d'eau de camomille, souvent renouvelés. Charlotte venait donc tous les jours, choisissant les heures où elle savait trouver Jérôme seul. Lorsque arrivaient des amis, ou M. le Prince, elle ne s'attardait pas, préférait partir. Martin et Duchot protégeaient leur intimité en les avertissant quand survenait une visite.

Si Jérôme souffrait peu, ses autres blessures n'étant que légères, il avait le plus grand mal à supporter son infirmité et son inaction. Il ne s'apaisait qu'à l'instant où Charlotte s'annonçait, encore ne lui faisait-il grâce d'aucun retard, d'aucune absence. Il aurait voulu qu'elle fût toujours là, occupée à lui faire la lecture ou bien, comme maintenant, très proche, offerte à sa caresse aveugle.

Il ne pouvait la voir mais il pouvait la toucher, reconnaître le grain de sa peau, son parfum d'herbes sauvages foulées par l'averse. Il pouvait entendre les plaintes, les rires ou les mots que lui arrachait l'amour. Il pouvait aussi imaginer son visage transfiguré lorsque, renversée sur le lit, ses cheveux déployés aussi fins que des fils de soie, ses longues jambes d'amazone entrouvertes, elle le laissait s'enivrer de ses secrètes moiteurs.

De semaine en semaine, au fil de ce torride été, ils s'enfermèrent ainsi dans leur unique bonheur d'être ensemble, malgré tout, recréant un univers un peu flou, de volupté, de déraison. Sans cesse ils en élargissaient les frontières, repoussant chaque jour davantage le monde d'incertitudes et de menaces qui pourtant les cernait toujours.

Cette fois-ci le pays semblait bien avoir perdu le sens commun. Désemparés, mal nourris, souvent la proie de fièvres entretenues par les fortes chaleurs, les gens étaient à bout de nerfs. Les plus sages se confinaient chez eux. Certains s'abîmaient dans des orgies tapageuses. Les autres ne résistaient pas à leur besoin de violence. La ville était malade et ses poisons s'appelaient anarchie, égoïsme, luxure et vanité. Pour un rien, on sortait les armes, on frappait. Un jeune marchand épinglier, Jean Bourgeois, fut sauvagement assassiné par une compagnie de la milice des Halles, des fripiers juifs que Bourgeois avait salués avec ironie en les voyant revenir de leur tour de garde :

— " Tiens, voilà la Synagogue qui passe ! "

Paroles malheureuses ! On retrouva l'épinglier étranglé, la cervelle éparse dans le cimetière des Innocents.

Fin juillet, après des années d'inimitié, de jalousie, le duc de Beaufort tua en duel Charles-Amédée de Nemours, malgré les efforts de Gaston et de M. le Prince pour les réconcilier. Dès le lendemain, la duchesse cachait son chagrin chez les filles Sainte-Marie, tandis que Beaufort, qui n'avait pas vraiment désiré cette rencontre, parlait de se faire Chartreux en signe de repentir. Pendant quelques jours, on croisa Mme de Châtillon portant le deuil de son amant — Le Joli —, mais sous ses voiles noirs, on s'aperçut qu'elle continuait de se farder.

Une autre disparition suivit la mort de Nemours, celle, infiniment moins fracassante, du duc de Valois. « Un dévoiement fatal » terrassa le fragile demi-frère de Mademoiselle qui le pleura beaucoup. Face à la résignation toute chrétienne de Marguerite, Gaston fut très affligé. Son fils emportait ses dernières espérances, pauvre petite ombre que la Cour refusa d'ensevelir à Saint-Denis, au milieu des rois, ses aïeux.

Le malaise gagnait l'armée. Révoltes, abandons, bagarres internes : Condé avait fort à faire pour maintenir la discipline. Lui aussi était régulièrement harcelé par la fièvre, souvenir de « vapeurs fâcheuses » contractées jadis dans les

322

marais du Roussillon. Saignées et purgations n'en venaient pas à bout mais l'affaiblissaient tout au contraire.

— " Je sèche d'ennui, confia-t-il un jour à Jérôme. Et je me sens si vieux ! "

Il avait trente et un ans, avec derrière lui une existence chaotique, mêlée d'or et de boue.

La seule, avec Charlotte, à rester sur son nuage, était Mademoiselle. Dans son cas, ce n'était pas l'amour qui la portait mais le naïf et superbe contentement de sa personne. Sans doute ne serait-elle pas reine de France puisque, selon le mot de Mazarin, le canon de la Bastille « avait tué son mari ». Mais elle serait peut-être la future princesse de Condé ? On disait Claire-Clémence, enceinte de huit mois, mourante à Bordeaux. Mademoiselle croyait encore à la victoire et s'amusait toujours chez Renard, galopait au Bois de Boulogne escortée par des officiers étrangers. Elle voulait rester optimiste. Ne venait-on pas de réussir à éloigner le Cardinal ?

En effet, Mazarin avait accepté de se sacrifier au bien public ! Il était parti, quelque part vers l'Est. Évidemment, il pouvait s'agir d'une feinte mais en ayant l'air de céder enfin à la pression d'une fraction du Parlement, Mathieu Molé en tête, réunie sur son ordre à Pontoise, le roi ôtait ainsi tout obstacle à la paix générale.

Dès lors, de nombreux magistrats rallièrent leurs collègues. Retz s'empressa d'aller à la Cour recevoir son chapeau ; puis d'autres opportunistes suivirent le mouvement. Tous les jours, de nouveaux groupes s'assemblaient sur les places, dans les rues, pour réclamer le retour du roi, des bourgeois tranquilles, des artisans modérés, imités par le petit peuple retourné comme une crêpe. De leur côté, les corporations se réunissaient dans le but de préparer une délégation auprès de Louis XIV dont l'anniversaire fut salué, le cinq septembre, par des feux d'artifice. Juste avant l'automne, les habitants de Suresnes demandèrent le droit de faire leurs vendanges. Aussitôt mis en tonneaux, le vin doux fut apporté à Paris, à l'abri des soldats.

Plus personne maintenant ne voulait de l'armée des Princes, que l'imprévisible duc de Lorraine, une nouvelle fois parjure, était revenu soutenir. A cause d'eux, Dunkerque venait d'être reprise par les Espagnols ; la France avait en partie perdu la Catalogne ; Bordeaux était livrée à l'Ormée, la Provence déchirée par la guerre ; le royaume sanglant, malheureux.

— " La paix ! La paix ! "

Depuis peu, des cocardes de papier blanc fleurissaient sur les chapeaux, sur les pourpoints et les corsages.

— " La paille est rompue ! Point de Princes ! Vive le roi, notre seul souverain ! "

Après tant d'égarements, l'amour que tous avaient gardé pour le jeune Louis remontait du fond des cœurs. Les gens attendaient tout de lui, la paix, la prospérité, des heures grandioses au soleil de sa gloire.

★

★ ★

— La paille est rompue, belle dame. Acceptez donc cette fleur blanche !

Au sortir du Cours-la-Reine, un homme claudiqua près du carrosse, le bras tendu pour offrir à Charlotte un bout de papier plié en forme de corolle.

— La fleur de paix, madame. Pensez-y, reprit le boiteux qui tout à coup se mit à rire.

Il était devenu si rare d'entendre un rire qui ne fût pas d'ivrogne ou de fou, que Charlotte jeta sur l'homme un coup d'œil surpris. Elle l'avait déjà vu haranguer la foule près du Palais-Royal, l'exhorter à s'en remettre au roi. Il devait s'agir, à coup sûr, d'un agent de la Cour, à moins qu'il n'appartînt à la bande de Basile Fouquet. L'homme ne pouvait en tout cas passer inaperçu avec ses longs cheveux carotte et sa barbe de viking. Bien que vêtu modestement, en simple ouvrier, il

324

s'exprimait bien, avec un vague accent du Nord. Irritée par son impudence, Charlotte fit presser le pas à l'équipage qui fila vers les Tuileries. Un regard insistant, un sourire singulier, suivirent sa course. Le boiteux froissa la cocarde blanche ignorée par la jeune femme, secoua sa tignasse rousse, puis disparut en direction du quai, dans un tourbillon de vent.

En temps normal, Charlotte aurait oublié l'incident, ou du moins l'aurait considéré du haut de sa tour façonnée d'amour, de solitude et d'orgueil, dans laquelle, durant des semaines, elle s'était retranchée. Aujourd'hui, le rire de l'inconnu s'obstinait à la poursuivre, paraissant l'avertir de quelque chose, un événement encore imprécis mais cependant inexorable et terrible. Charlotte, qui méprisait l'irrationnel et se flattait de pouvoir toujours mener droit sa barque, même au sein des pires tempêtes, se voyait néanmoins assaillie depuis peu par des doutes, des pressentiments obscurs, de soudaines pertes de courage qu'elle combattait au prix de très gros efforts. Elle dormait mal, se réveillait lasse. Par exemple, la nuit précédente avait été bizarrement hantée par le souvenir de Flamarens et de la Rataude. Elle avait espéré que cette promenade matinale, à l'heure où peu de monde fréquentait le Cours, dissiperait son malaise. Apparemment, il n'en était rien.

« Je manque tout simplement d'air et d'exercice. Il me faudrait le souffle de la mer ou un galop hors de Paris. »

Depuis juillet, elle vivait en recluse. Mais, de toute façon, la campagne était devenue trop inhospitalière pour qu'il fût bon de s'y hasarder sans une solide escorte. Le temps n'était plus où elle pouvait y courir et se dépenser, comme ce jour où René et Adrien l'avaient entraînée à Vaugirard. Quel agréable souvenir ! Jamais plus, par la suite, elle n'avait été aussi libre, aussi insouciante que cet après-midi-là, baigné de rires et de complicité. Très vite, l'amour de Jérôme, pareil à une sombre, une splendide tornade, était venu balayer de sa vie tout ce qui lui était étranger, tout sentiment de quiétude.

Mais aussi, quels moments intenses, magiques ne lui devait-

325

elle pas ! se dit-elle aussitôt, honteuse de s'attendrir sur un passé révolu. Le futur seul devait compter, aussi difficile qu'il s'annonçât, chargé de nouvelles luttes à entreprendre, de nouveaux bonheurs à conquérir. Un instant, Charlotte essaya de voir ce que reflétait le miroir du destin. Mais l'avenir ressemblait à la surface de la Seine, telle qu'elle l'apercevait au travers des arbres, opaque, changeante, marbrée de remous indéchiffrables. Personne n'avait le pouvoir de le deviner. Personne...

« Charlotte, vous vous souvenez... La prédiction de Vilaine. »

Franchissant le temps et l'espace, une voix venait encore de la rattraper. C'était un simple chuchotement, celui d'un mourant, le dernier message de Flamarens déjà entendu cette nuit même.

La prédiction de Vilaine ! Contrairement à Mademoiselle qui ne jurait plus que par lui, Charlotte n'avait jamais pris l'astrologue au sérieux, oubliant tout de ses révélations. Pourtant, il avait bel et bien annoncé à l'avance la fin dramatique et inexpliquée de Flamarens. Qu'avait donc dit Vilaine dans le salon de musique de Madame, juste avant leur départ pour Orléans ? Charlotte avait plusieurs fois essayé de se remémorer la scène. Il avait été question d'aventure, d'amour et de gloire. Rien que de très banal, en somme, quoique toutes les jeunes femmes présentes en aient eu plus ou moins leur part, effectivement.

Se traitant de sotte, elle s'appliqua à chasser l'impression pénible attachée à sa pensée.

Octobre se drapait heureusement de longs pans de brume lents à disparaître ; le ciel restait lourd et gris ; une pluie douce au goût de bois brûlé avait remplacé le soleil que Charlotte maintenant haïssait parce qu'il blessait la vue de Jérôme. Après des mois d'obscurité, d'isolement, celui-ci pouvait enfin réhabituer ses yeux à la pâle lumière du jour. Mais tandis que s'apaisaient ses souffrances physiques, qu'une fois de plus triomphaient les forces de la jeunesse, s'annonçaient aussi de nouvelles épreuves.

LA PRÉDICTION DE VILAINE

La Fronde était vaincue. Ce qui avait fait son prestige, le renom de ses chefs, l'éclat d'actions héroïques, tout cela avait été miné, grignoté, irréparablement. On pouvait sans doute mettre la raison de cet échec sur la mésentente générale, beaucoup d'irrésolution chez les Princes, leur inaptitude aux finesses politiques. Quoi qu'il en fût, la ruse de l'ennemi l'emportait, grandement facilitée par un revirement populaire. Il était évident que l'éloignement de Mazarin n'était qu'une comédie convenant aux lâches, aux Parlementaires repentis, aux Parisiens exténués, épris de paix. Réclamé avec une impatience croissante, le roi s'apprêtait à revenir. Il apparaissait déjà comme un jeune homme autoritaire, pénétré de sa royale fonction, qui n'oublierait ni les humiliations ni les outrages. La liste s'annonçait longue de ceux condamnés à l'exil. Quant à M. le Prince, il lui était demandé de se soumettre sans condition, ce que ne pouvait bien sûr admettre un homme de sa trempe. Car derrière le roi se profilait toujours l'ombre du Cardinal, une ombre trop basse pour un noble front. Louis de Condé avait donc décidé de quitter le pays qui le rejetait, de s'en aller traiter d'égal à égal avec le roi d'Espagne, de conduire ses troupes vers d'autres victoires.

Ses troupes et ses fidèles. Jérôme de Boisdanil n'irait pas s'exiler sur ses terres de Bourgogne mais accompagnerait le Prince, son ami, sur la route des Flandres. Nul autre choix n'était concevable, malgré la douleur qu'il partageait avec Charlotte devant l'approche de leur séparation.

— Je ferai en sorte qu'elle ne soit pas longue. Je trouverai un moyen. Rien ne me fera renoncer à toi, Charlotte, tant que j'aurai un souffle de vie.

Quel air torturé avait eu Jérôme pour redire sa passion, si bien ancrée en lui qu'elle était la substance même de sa chair, de son âme !

— Moi non plus, je ne renoncerai pas, lui avait juré Charlotte en se laissant emporter par le flot noir, ensorcelant, du désir partagé.

Ils s'étaient tous deux avancés trop loin pour revenir en

327

arrière ; ils avaient trop ouvertement bravé le monde, les convenances, pour rentrer dans le rang sans abdiquer toute dignité. Être bannie par le roi en quelque province perdue ? Faire figure d'épouse vilipendée ou, qui sait, pire encore, se faire pardonner par son mari, voir René lui tendre la main tandis que ricaneraient les malveillants et les imbéciles ? Non, non, Charlotte ne tolérerait ni le blâme ni le pardon. Elle ne plierait pas. Dès que viendrait l'heure des adieux, en attendant de pouvoir retrouver Jérôme, elle retournerait au couvent Sainte-Marie car il n'existait pas d'asile plus sûr et plus glorieux pour les cœurs rebelles aux lois humaines.

« Jamais, jamais je ne plierai », répéta encore Charlotte, à mi-voix, pour elle seule, comme Martin lui ouvrait la portière devant les Tuileries.

Cette volonté lui rendait enfin toute son assurance et sa hardiesse.

La Cour d'honneur était pleine de cavaliers. Les écharpes jaunes des Lorrains, les écharpes isabelle de Condé, les rubans bleus des officiers de Mademoiselle, avaient envahi le perron, l'entrée, le grand escalier de marbre. Charlotte eut du mal à parvenir aux appartements du premier étage. Dans l'antichambre, elle trouva M. le Prince au moment où celui-ci prenait congé d'Anne Marie Louise. Charles de Lorraine était auprès d'eux. Le petit Guitaut accompagnait son maître. Jérôme était absent.

— Hélas ! sanglota Mademoiselle. Comme j'ai de peine à vous voir partir ! Paris sera si vide, si triste sans vous.

— Séchez vos larmes, ma chère cousine. "Nous reviendrons lorsque nos troupes auront pris leurs quartiers d'hiver, pour la saison des bals et des comédies ", lui promit Condé d'un ton affectueux.

Le duc de Lorraine voulut lui aussi la consoler :

— "Je m'occupe, dès à présent, de vous marier avec l'Archiduc Léopold. Le roi d'Espagne lui donnera les Pays-Bas que vous gouvernerez ensemble. Vous serez la plus heureuse personne au monde. "

LA PRÉDICTION DE VILAINE

Mais le projet ne rendit pas le sourire à Mademoiselle. Le départ de Condé était bien le signe que le rêve magnifique s'achevait. Bientôt elle connaîtrait le sort que lui réservait le roi. La perspective d'être probablement obligée de passer l'hiver à la campagne la plongeait dans la désolation.

— Madame, voulez-vous me suivre un instant ? J'ai à vous parler, glissa Condé à Charlotte.

Une porte se referma sur eux. Les bruits de l'antichambre s'estompèrent, étouffés par les tentures et les tapis moelleux de ce petit cabinet de repos. Un tableau où l'on voyait, parmi les bois, courir une chasseresse drapée de rouge, un carquois à la main, était accroché au-dessus de la cheminée éteinte. On entendait le vent mugir tout en haut du conduit. La pièce était étroite, mal éclairée. Charlotte eut l'impression qu'elle diminuait encore avec la présence du Prince.

Pour une fois, il avait abandonné son éternel justaucorps de velours râpé et le vieux manteau qui ne le quittait guère. Son habit était neuf, gris, noir et feu, brodé de fils d'or et d'argent. Ses cheveux avaient été lavés, poudrés. Amaigri après une attaque de gravelle, il paraissait néanmoins vibrant d'énergie, d'impatience à se lancer dans sa nouvelle entreprise, tout prêt à déchiqueter son vieil adversaire, le Cardinal.

L'audace au fond de ses prunelles, il contempla longuement Charlotte avant de prendre la parole :

— J'ai bien sûr menti à ma cousine, vous l'aurez compris. Nous ne serons pas de retour pour le Carnaval. Oh ! s'écriat-il, je devine ce que vous devez ressentir. C'est pour vous rassurer que je tenais à avoir cet entretien avec vous.

Condé se rapprocha de Charlotte. Elle était à peu près de sa hauteur, la taille rehaussée par son manteau noir, les cheveux tout imprégnés d'humidité auréolant son front de frisons cuivrés.

— M. de Boisdanil ne part pas avec vous ?

— Il ne vient pas à Stenay avec moi, en effet. Sa santé est encore trop fragile pour qu'il s'expose déjà aux aléas de la

329

guerre. Je l'envoie à Bruxelles auprès de l'Archiduc Léopold. Il sera mon ambassadeur aux Pays-Bas espagnols. Si les événements contraires se prolongent comme je le prévois, Bruxelles sera sans doute mon lieu de repli. J'y ferai peut-être venir mon fils et sa mère et vous y viendrez aussi, madame. J'ai tout mis au point avec Boisdanil. Nous saurons bien vous libérer. Légalement ou non ! acheva-t-il avec son rire si personnel. Il n'est de porte, même de monastère, qui puisse me résister !

Il jubilait à la pensée de pouvoir braver l'univers, de commander aux destinées de chacun. En cet instant où ses yeux bleus plongeaient dans les siens, jouant de leur emprise, Charlotte regretta que pour le profit d'un étranger ambitieux, le roi fût privé, à l'âge encore malléable de l'adolescence, d'un tel mentor, d'un tel soutien. Toutefois, fidèle à sa ligne de conduite, elle refusa d'accorder au Prince son entière soumission.

— Je sais que M. de Boisdanil n'a pas de meilleur ami que vous ; pour cela je vous resterai éternellement reconnaissante, lui dit-elle. Mais, pour ma part, je tiens à rouvrir toute seule les portes que j'aurai moi-même fermées.

Il fut décontenancé puis conquis par sa réponse :

— Vous êtes décidément aussi indomptable que la chasseresse virginale qui nous contemple, murmura-t-il en montrant le tableau au-dessus de leurs têtes. Êtes-vous aussi inaccessible ?

Il se pencha lentement, embrassa Charlotte, sans qu'elle ne fît un geste pour l'en empêcher. A sa grande confusion, elle s'aperçut qu'au contraire, elle s'apprêtait à répondre à son baiser avec la même ferveur. Alors, vivement, elle s'écarta de lui.

— Je rêvais depuis longtemps de connaître le goût de votre bouche, murmura Condé. Je comprends enfin pourquoi Jérôme ne peut se déprendre de ses sortilèges.

Sa voix était différente. Elle laissait maintenant transparaître son être le plus secret, tout un ferment de convoitise, de jalousie, d'amour, toutes ses anciennes déviances en même temps que son besoin de grandeur et de pureté. Le rouge qui était monté au visage de Charlotte ne lui avait pas échappé. Condé parut ému, satisfait de cette réponse involontaire à sa requête :

— Vous pourrez toujours compter sur mon estime. Adieu, fit-il en la saluant très bas.

Exilé Gaston d'Orléans ! Exilés Beaufort, Rohan, Viole et autres parlementaires ! Exilées Isabelle-Angélique, la duchesse de Montbazon, mesdames de Fiesque, de Bréauté, de Frontenac, de Barradas, ces dernières englobées dans la disgrâce de Mademoiselle.

La lettre tant redoutée parvint peu après le départ de M. le Prince : le roi réclamait le château des Tuileries pour le duc d'Anjou, son frère, et par conséquent priait sa cousine de se trouver un autre toit.

— " Je demeure ici depuis l'âge de huit jours ! C'est le plus agréable logement du monde ", sanglota Mademoiselle.

Étourdie par le choc, au comble du désarroi, elle courut chez Monsieur encore terré au Luxembourg. Elle espérait son hospitalité autant que son réconfort. Elle n'eut ni l'un ni l'autre. Son père lui refusa l'entrée de sa maison.

— Puis-je alors m'installer à l'Hôtel de Condé puisqu'il est vide ?

— Vous n'avez rien à y faire. Il vous faut quitter Paris.

— " Mais où voulez-vous que j'aille ? "

— " Où vous voudrez ! "

Monsieur abandonnait sa fille, l'accablait de reproches, l'accusait d'être cause de tout, ne voulait surtout pas l'entendre répéter, entre ses larmes, qu'elle n'avait agi que pour le servir.

— Allons donc ! " Vous avez été si aise de faire l'héroïne ! Et l'affaire de Saint-Antoine ? ricana-t-il. Ne croyez-vous pas qu'elle vous a bien nui à la Cour ? Alors ne venez pas vous lamenter maintenant ! "

C'en était trop. Mademoiselle se redressa, palpitante d'orgueil :

— " Je ne sais ce que c'est que d'être une héroïne. Je suis d'une naissance à ne jamais rien faire que de grandeur et de hauteur en tout ce que je mêlerai de faire. Toujours je suivrai mon inclination et mon chemin. "

Son chemin pour le moment devait l'entraîner à trois jours de voyage de sa ville chérie, vers une contrée ignorée, aux confins de la Bourgogne. Là se trouvait l'un de ses châteaux, une lugubre forteresse aux six tours reflétées dans un fossé profond, envahie par les mauvaises herbes et les courants d'air : Saint-Fargeau. Elle y parvint de nuit, accablée de chagrin, tremblante de peur, ne pouvant que pleurer avec ses amies, les jolies « maréchales », qui toutes l'avaient suivie dans son infortune.

Toutes, sauf Charlotte, préférant une retraite bien plus sévère encore, à l'ombre de la Croix, décision à laquelle Mademoiselle, malgré son chagrin, n'avait pu s'opposer.

★
★ ★

L'aube grisonnait lorsque les chevaux franchirent la porte cochère de l'Hôtel de Boisdanil pour s'engager dans les rues encore à demi assoupies. A l'intérieur du carrosse, c'était le silence. Le moindre mot eût été superflu. Tout avait été dit, les serments échangés, les paroles d'espoir inlassablement répétées par Charlotte dont les propres angoisses avaient dû s'effacer devant les tourments de Jérôme.

Loin d'avoir recouvré le plein usage de ses forces, malgré ses dires, éloigné du Prince et de l'armée, réduit au rôle sans panache d'un ambassadeur, contraint surtout de laisser derrière lui une femme adorée, Boisdanil avait l'impression d'être dépouillé des seules raisons de son existence.

Ils se taisaient donc, assis l'un contre l'autre, leurs corps

332

immobiles, épuisés par une nuit de larmes et d'ultimes plaisirs. Charlotte songeait au silence qui bientôt l'accueillerait aussi, chez les Visitandines. Différent de celui-ci, il serait paisible, ponctué de chants et de prières, habité du souffle de Dieu. Cette pensée lui fut douce. Elle allait quitter le cercle étouffant d'une passion exclusive pour s'enfermer dans un autre univers, tout aussi exigeant. Mais ce serait, malgré tout, une sorte de trêve qui lui permettrait d'abord de se retrouver elle-même, avant de régler définitivement ses rapports avec René. Alors, seulement, elle serait libre. Libre de gagner les Flandres, de se soumettre à nouveau aux règles de l'Amour.

Brutalement, l'ironie, l'amertume, se partagèrent le cœur de Charlotte. Libre ! Elle ne le serait jamais, il fallait enfin en convenir : une fois pour toutes, Jérôme l'avait enchaînée !

Or, juste à cet instant, ils se regardèrent, et face à son visage meurtri mais toujours d'une si exceptionnelle beauté, elle oublia sa fugitive révolte. Un élan la jeta contre lui.

— Halte ! Halte !

Ils avaient déjà dépassé l'Hôtel de Ville. Par la rue de la Tixanderie, leur équipage débouchait sur la petite place Baudet*. Avant la Fronde, dès le matin, s'y installaient des bouchers, de nombreux marchands de fruits et de légumes. Aujourd'hui, il n'en restait plus guère et leurs étalages n'étaient pas encore dressés. Cependant, barrant les voies, des caisses, des tréteaux avaient été jetés par terre. Le carrosse s'immobilisa.

Hors de Paris, un détachement des régiments de Condé attendait Jérôme de Boisdanil afin de l'escorter jusqu'à Bruxelles. Mais pour le moment, sa suite était réduite à quatre hommes, dont Duchot, Martin et deux valets qui entreprirent tout de suite de dégager les obstacles.

— Monsieur...

Duchot apparut soudain, l'air troublé.

— Qu'y a-t-il ? demanda Jérôme avec indifférence, tenant

* Place Baudoyer.

Charlotte dans ses bras, laissant ces quelques minutes glanées sur le temps prolonger un charme douloureux.

— C'est que, monsieur, nous croyons flairer un piège.

— Comment, un piège ? Expliquez-vous, Duchot !

— Il y a là de drôles de gens, monsieur.

Des silhouettes, effectivement, avaient surgi des ruelles avoisinantes.

— Ce sont des agents de la Cour ; autant dire des « mazarins », grommela l'intendant. Ils ont le papier.

Les nouveaux venus arboraient tous la cocarde blanche, ainsi que purent le constater Charlotte et Jérôme. Bras croisés, l'allure un peu rustre d'artisans, ils étaient cinq. Deux d'entre eux seulement portaient l'épée, dont un solide gaillard aux cheveux carotte. Charlotte reconnut le boiteux, déjà rencontré ces derniers jours.

— Duc de Boisdanil ! Auriez-vous l'obligeance de descendre ? cria l'homme.

Avec un haut-le-corps, Duchot crut bon de répondre à la place de son maître :

— Des coquins de ton espèce n'ont pas d'ordre à donner à M. le duc. Qui plus est, M. le duc accompagne une dame.

— Nous le savons, répliqua l'inconnu. Cette dame n'a rien à craindre. Puis il lança d'une voix plus forte : Boisdanil, votre épée n'a jamais évité une rencontre. La mienne vous attend.

Ces mots surprirent. Ils n'étaient pas ceux d'un maraud. Un je-ne-sais-quoi alerta Charlotte. De son côté, Jérôme parut assez intéressé pour secouer sa morgue de grand seigneur. Un mince sourire retroussa ses lèvres :

— Eh bien, allons donner à cette personne la leçon qu'elle semble désirer. Il ne faut pas t'inquiéter, mon amour. Ce sera l'affaire d'un instant.

Avec fermeté, il repoussa Charlotte non sans déposer un baiser sur chacun de ses poignets, puis il ouvrit la portière.

Son regard, protégé par le bord de son feutre, avait du mal à distinguer nettement, de loin, celui qui le provoquait.

L'homme roux s'avança avec empressement bien qu'une raideur à la jambe rendît sa démarche un peu hésitante. Duchot et Martin voulurent s'interposer. Il leva un bras :

— Veuillez dire à vos gens que cela nous concerne seuls.

Du carrosse, Charlotte les observait, plus angoissée à chaque seconde, saisie par la soudaineté, l'étrangeté de la situation. Quelque chose d'épouvantable planait au-dessus d'eux prête à s'abattre, quelque chose qu'elle devait empêcher. Elle s'élança sans attendre, mais avant qu'elle n'eût fait deux pas, une main arrêta son mouvement :

— Tu dois les laisser, Charlotte.

Médusée, elle vit près d'elle un tout jeune homme, armé d'une rapière presque trop longue pour lui, la poitrine fleurie d'un bout de papier, un adolescent dont les yeux aussi limpides qu'une source la pétrifièrent :

— Adrien !

— Nous sommes venus te chercher, Lotte, fit-il doucement.

« Nous ? » Elle se retourna. Si c'était bien Adrien, son frère, se dissimulant sous un pareil accoutrement, alors qui était là, au milieu de la place Baudet, qui, sinon René ?

— René...

René de Barradas, bien sûr, en train de se dépouiller précisément de la trop flamboyante perruque ; René qui, tout en continuant d'ignorer Charlotte, se mettait en garde, aussitôt imité par Jérôme.

— Non, non ! s'écria-t-elle. Je vous en prie, ne vous battez pas !

— Ils en ont le droit et le devoir, lui souffla son frère en la retenant encore.

Rien n'aurait pu les dissuader car rien n'avait plus d'importance pour un gentilhomme qu'une « question de point d'honneur », surtout lorsqu'une femme était en cause. Sans se tromper, on aurait pu affirmer qu'ils étaient tous les deux heureux de ce nouveau duel tant ils avaient à satisfaire de haine et de passion. Immobilisés trop longtemps par leurs blessures, ils se lançaient à l'assaut avec la hargne, la violence d'animaux sauvages, brutalement rendus à la liberté.

Chez René s'ajoutait l'espoir de laver la honte secrète qu'il éprouvait devant sa propre conduite, ses bassesses, sa dissimulation, accumulées de mois en mois, avec toujours pour seule excuse son indéfectible amour. L'intérêt du roi et de Mazarin avait bien servi ses buts personnels. Introduit clandestinement à Paris afin d'y préparer l'opinion au retour de la Cour, il en avait profité pour surveiller Charlotte, bientôt aidé par Adrien qui n'avait pu admettre la rébellion de sa sœur. Ce matin même, le cocher de Boisdanil, n'y voyant pas malice, leur avait appris que le carrosse prendrait la direction de la porte Saint-Antoine. Persuadé que sa femme suivait son amant dans sa fuite à l'étranger, Barradas s'était employé à contrecarrer le projet avant qu'ils ne fussent hors de Paris.

Dague contre dague, épée contre épée, les deux hommes se battaient bien. Autour d'eux, on s'était écarté. L'ardeur, la perfection de leurs gestes avaient modifié le décor. La banale petite place de marché s'était transformée en champ clos où se concentraient les émotions les plus vives. Le temps lui-même semblait emprunter un autre cours. Jour ou nuit ? L'heure s'était faite incertaine. Un lever de soleil dans un pan de ciel bleu venait brusquement d'être masqué par des nuées crépusculaires. Le vent s'engouffrait dans les venelles, agitant au passage les enseignes de fer. Accrochées aux maisons, elles étaient nombreuses, de toutes les couleurs, ornées d'images, de lettres multiformes, de rébus. Seule façon, alors, d'indiquer une adresse, les enseignes mettaient dans chaque ville une note fantaisiste et joyeuse. Ce matin, elles oscillaient en grinçant, leurs rutilances fondues dans la grisaille. Charlotte les entendait à peine. Entraînée par son frère, elle s'était plaquée contre une façade de bois et de torchis, gardant les yeux rivés sur Jérôme et René. Elle ne voyait plus rien d'autre que leur combat à outrance. L'un d'eux devait mourir. Quel qu'il fût, le destin de la jeune femme échappait d'ores et déjà à son contrôle. Si Jérôme triomphait, elle ne

336

pourrait revoir le meurtrier de son mari. Si, au contraire, il tombait sous les coups de René, elle n'aurait pas assez de sa vie pour pleurer sa mort.

D'ailleurs, peut-être étaient-ils condamnés à périr, l'un et l'autre ? Un regard exercé pouvait déceler leur fatigue, leur souffrance sous les cicatrices trop récentes, promptes à se rouvrir. Force et faiblesse se partageaient équitablement les rivaux.

— Nous sommes tous trois perdus, murmura Charlotte.

La paix et le bonheur n'existaient pas ici-bas. Sans doute ne pourraient-ils les trouver que loin, bien loin, là où les aspiraient si violemment les forces déchaînées.

— " Point de Princes ! Vive le roi ! "

Ce qui se passait place Baudet avait fini par attirer du monde. Les premiers marchands, venus dresser leurs étals, alertèrent quelques passants. Tous remarquèrent la cocarde blanche portée par Barradas. Ses vêtements modestes les persuadèrent qu'il était l'un des leurs, aux prises avec un partisan des Princes. Bien vite, ils surent qu'il s'agissait du duc de Boisdanil, l'ami de Condé. Sur lui, retombèrent immédiatement leur hostilité, leur soif de revanche. Voulant aider leur maître, ses domestiques intervinrent et l'affrontement devint général lorsque les compagnons de René s'en mêlèrent eux aussi.

— Ah ! Si j'avais une arme, comme je pourfendrais cette canaille ! fit Charlotte que l'impuissance rendait folle.

A côté d'elle, se tenait toujours Adrien, l'épée tirée, prêt à la protéger s'il le fallait. Mais il fut pris de vitesse. Ayant aperçu et reconnu Charlotte, deux hommes s'approchèrent d'elle et réussirent à s'en emparer. Elle hurla en se débattant comme une lionne dans le filet d'un chasseur.

Boisdanil et Barradas entendirent son cri ; ils la virent maltraitée, résister comme elle le pouvait à ses agresseurs ; ils constatèrent aussi qu'Adrien luttait contre un homme dont la carrure était le double de la sienne. Sans se concerter, mus par le même sentiment, ils volèrent au secours de Charlotte.

337

Une véritable rixe des rues avait succédé au noble tournoi de tout à l'heure. Coups de pied ou de poing, coups de gourdin ou de couteau, tout était bon. Chacun frappait un peu au hasard, souvent pour le simple plaisir, ne sachant plus très bien au juste, qui était maintenant l'adversaire. La vue des deux duellistes soudain associés pour étriper de concert la populace, sema le trouble dans bien des esprits. Quelques-uns entonnèrent la nouvelle antienne, une manière de s'accrocher à un repère solide.

— Point de Princes ! Vive le roi, notre seul souverain !

Mais pour Jérôme et René, il n'y avait plus ni roi ni Princes. Il n'y avait qu'une femme en difficulté, unique objet de leurs pensées, de leurs désirs, plus précieuse à leurs yeux que n'importe qui, n'importe quoi au monde, une femme dont la sauvegarde leur faisait tout oublier. D'un même coup d'épée ils la délivrèrent, puis côte à côte, continuèrent à se battre ensemble, contre un groupe d'enragés.

— Va t'abriter, Charlotte !

Lequel avait crié ces mots ? Elle eût été incapable de le dire. Les rafales de vent de plus en plus fortes ajoutaient au vacarme, à la confusion. En voyant Jérôme et René assaillis de droite et de gauche, ripostant avec la même condescendance ironique aux efforts désordonnés de petites gens en colère, Charlotte s'était mise à trembler pour eux deux, sans se rendre compte qu'un mouvement de foule pouvait lui être fatal.

— Ne reste pas là ! Va t'abriter ! lui répéta encore une voix familière que, cette fois-ci, elle n'entendit même plus.

Qu'avait-elle donc à rester clouée sur place, l'air étrange, le visage tendu vers l'invisible ?

Sylvain, Sylvain ! Un nom s'était mis à lui trotter dans la tête : Sylvain ! Comme c'était curieux. Cela ne cessait pas : Sylvain, la première syllabe appuyée, sifflant à son oreille. Puis elle se rappela brusquement que M. de Vilaine lui avait recommandé de s'en défier. Oui, la mémoire lui revenait enfin. Mais qui était donc cet homme ? Sans doute un de ceux qui s'agitaient, s'époumonaient autour d'elle, un ennemi qui frapperait bientôt. Dans ce cas, elle devait rester vigilante, prendre garde à chaque approche inconnue.

Charlotte ne comprenait plus ce qui lui arrivait, ce qui rendait la réalité à la fois si terrifiante et si lointaine. A celui de Vilaine était venu s'ajouter un autre souvenir, la vision cauchemardesque d'une femme, vomissant son fiel. « Le grand Faune me vengera ! » avait hurlé la Rataude. Que signifiait cette brusque réminiscence ? Le centre de Paris n'était pas, comme la forêt, un monde où régnaient encore des créatures fabuleuses, mi-hommes, mi-boucs, ces chèvres-pieds, ces... Sylvains !

Charlotte crut que son cœur cessait de battre, qu'elle perdait la raison. Ainsi, la prédiction de l'un rejoignait la malédiction de l'autre ! Mon Dieu, était-il vraiment possible qu'apparût ici le Grand Faune, le Sylvain mythique, cherchant sa vengeance ? Si cela était, alors Jérôme se trouvait tout aussi menacé qu'elle-même.

Sans penser aux risques encourus, Charlotte plongea dans la mêlée, esquiva quelques coups, se faufila avec adresse. Mais au moment où elle parvenait près de Jérôme, bien décidée à faire front avec lui, elle vit une brute lâchement le frapper par-derrière avant de prendre la fuite et de disparaître dans une venelle.

En tombant, Boisdanil se tourna vers Charlotte ; son regard chercha le sien. Elle y reconnut, reflétées intensément, la même douleur, la même tendresse, la même stupeur émerveillée qu'au premier jour. Rien n'avait changé entre eux depuis cette rencontre. Rien ne changerait jamais. Ni le temps ni l'absence ne pouvaient briser l'éternel enchantement. « Là où tu iras j'irai. Et si tu meurs, je mourrai bien vite pour te rejoindre. » Elle le lui avait dit naguère, dans l'exaltation d'une nuit d'amour. Mais Jérôme n'allait pas mourir. Un vulgaire tueur ne pouvait avoir raison de lui, qui n'était que noblesse. Il suffisait de s'agenouiller, de le prendre dans ses bras, comme ceci ; de baiser sa bouche afin d'y insuffler le souffle qui lui manquait déjà.

LE VENT SE LÈVE

Il y eut soudain au-dessus d'eux un bruit effroyable. Secouée par la tempête, l'enseigne d'un vieux cabaret rompit ses chaînes. Charlotte releva la tête, les yeux égarés, tenant farouchement Jérôme. Elle n'eut pas le temps d'esquisser un geste, juste celui de distinguer, coloré en vif, le dessin d'un faune piétinant des grappes, souligné de lettres grossières : « Au gai Sylvain ». Soulevée comme un fétu par le vent furieux, la lourde plaque de fer vint s'abattre sur leur couple enlacé.

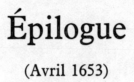

Épilogue

(Avril 1653)

La silhouette replète, habillée de drap noir du médecin, sortit de la chambre pour rejoindre l'homme posté non loin de la porte entrouverte.

— Alors ? fit celui-ci à voix basse.

— Alors, monsieur, votre femme se porte le mieux du monde. Elle a bonne mine. Son épaule s'est parfaitement remise en place. Vous m'avez affirmé qu'elle mangeait avec appétit. Cela semble effectivement lui faire profit ainsi qu'à son futur bébé. Que vous dire de plus ?

— Oui, oui. Je vois bien tout cela. Mais qu'en est-il du reste ?

— Ah, pour le reste !...

Le soupir que poussa l'homme de science valut un long discours.

— Pour le reste, monsieur, je vous le répète encore : il faut attendre en priant Dieu.

Et sur ces sages propos, le médecin prit congé.

René de Barradas ne bougea pas. Il regardait toujours la jeune femme à la taille ronde, occupée maintenant à ordonner un bouquet de lilas dans le fond de la pièce voisine.

D'une fenêtre, la lumière rose et dorée d'avril coulait sur elle comme une caresse. Qu'elle était belle ! Fragile et pourtant indestructible, si mystérieuse... Lorsqu'il la contemplait ainsi, à son insu, René ne pouvait retenir ses larmes.

Puis au bout d'un instant il fit un effort, s'essuya furtivement les yeux. Lorsqu'il pénétra dans la chambre, sa mine paraissait tout à fait détendue.

— Quel parfum divin ! fit-il après avoir humé les grappes violettes dans leur nid de feuillage. Tout va bien, Charlotte ?

— Très bien, mon ami, répondit-elle avec un sourire spontané, un peu mélancolique.

Tout était tranquille et harmonieux. René reprit espoir. Mais était-ce mieux ainsi ?

L'enseigne, en tombant, avait achevé Jérôme de Boisdanil déjà grièvement blessé. Quant à Charlotte, longtemps on avait craint pour elle. Le coup avait porté avec violence sur l'épaule, à la tête, la plongeant dans un effrayant, un interminable sommeil, une sorte de demi-mort dont elle avait émergé seulement vers la fin de l'hiver. Comme au-dehors la nature, toute une saison engourdie sous la pluie ou le gel, son être avait repris couleurs et vie, une véritable renaissance à laquelle, toutefois, ne participaient pas ses souvenirs. Alors que le cœur de Charlotte n'avait pas cessé de battre, sa mémoire s'était envolée, accompagnant cet homme, aimé si follement. De son existence antérieure, elle se rappelait très peu de chose ; du drame de la place Baudet, des circonstances qui l'avaient précédé : rien !

S'il en avait été autrement, Charlotte eût-elle supporté la disparition de Boisdanil ? Serait-elle revenue parmi les siens ? René savait bien que non ; que sans cet atroce accident, il l'aurait définitivement perdue. Au lieu de cela, il connaissait avec elle un bonheur factice, menacé à chaque moment par la complète guérison de la jeune femme. Parfois, comme aujourd'hui, grâce à son caractère facile, il pouvait en partie admettre cette situation, la goûter avec gratitude. Charlotte était près

344

de lui, telle qu'il l'avait toujours souhaitée, plus souple qu'autrefois, d'humeur plus égale, avec néanmoins, çà et là, des accès de vivacité absolument normaux, s'efforçant de se rappeler qui elle était, qui étaient tous ces gens, si chaleureux avec elle, si aimables, sa propre famille !

— Vous êtes donc mon mari ? avait-elle dit à René, au sortir de son inconscience.

Son visage grave s'était soudain éclairé. Elle lui avait souri timidement, la main tendue sans hésitation, lui murmurant :

— Je sens que vous êtes bon. Vous m'aiderez, n'est-ce pas ?

Il le lui avait juré, suffoquant de tendresse, d'émotion, en s'apercevant que sans même le reconnaître, dans son immense détresse, elle lui avait accordé confiance, s'en était remise à lui.

« Mon Dieu, avait-il alors pensé, tandis que devant eux se levait une aube nouvelle, faites que je puisse la rendre heureuse, la protéger, la garder toujours ! »

Cueillant dans le vase un petit brin de lilas, René le piqua parmi les boucles acajou de Charlotte. Subtil et frais comme un souffle de printemps, l'espoir semblait vouloir à tout prix, ce matin, forcer son cœur. Quoi qu'il advînt, désormais elle serait à lui, avec ou sans mémoire ; son enfant serait le sien ; ses joies, ses peines seraient les siennes ; il l'emmènerait vers les Îles ; accepterait tout d'elle et ferait en sorte que l'aile du malheur ne revienne jamais l'effleurer. Il l'aimerait si fort que pas un fantôme de son passé ne serait capable de l'arracher à lui une seconde fois !

« Oui, j'y parviendrai, pensa-t-il, frémissant d'espérance. Pour toi, j'accomplirai ce miracle, et bien d'autres encore. Pour toi, mon amour, pour toi, Charlotte ! »

Table

CHEZ LE MÊME ÉDITEUR

Collection « Les Dames du Lac »

Du même auteur :

LES AILES DU MATIN
L'amour et l'aventure sous Louis XIII.
Une grande fresque romanesque aux couleurs d'un prestigieux passé.

●

LES NOCES DE LYON
(LES AILES DU MATIN**)

●

LES CHEMINS D'ESPÉRANCE
(LES AILES DU MATIN***)

●

LES FEUX DU CRÉPUSCULE
(LES AILES DU MATIN****)

────────

LES DAMES DU LAC
par Marion Zimmer Bradley
Prix du grand roman d'évasion 1986
Plus qu'un roman historique, une épopée envoûtante qui relate
la lutte sans merci de deux mondes inconciliables.

●

LES BRUMES D'AVALON
(LES DAMES DU LAC**)
par Marion Zimmer Bradley
La suite des Dames du Lac.
« La plus merveilleuse évocation de la saga
du Roi Arthur qu'il m'ait été donné de lire. » Isaac Asimov.

●

LA TRAHISON DES DIEUX
par Marion Zimmer Bradley
Le récit légendaire de la Guerre de Troie
superbement ressuscité par l'auteur des « Dames du Lac ».

●

LE RIVAGE DES ADIEUX
par Catherine Hermary-Vieille
La plus grande histoire d'amour de tous les temps,
celle de Tristan et Iseult.

●

LA REINE REBELLE
par Kathleen Herbert
L'amour plus fort que la mort au temps
du Roi Arthur et des Dames du Lac.

●

LE COLLIER DE LUNE
(LA REINE REBELLE**)
par Kathleen Herbert

●

PAPRIKA
par Erich von Stroheim
A la veille de l'effondrement des Habsbourg,
l'histoire d'un grand amour assassiné.

●

LA CASTE
par Georges Bordonove
Une passion si éclatante, si fulgurante
que les séparations, la mort même ne pourront détruire.

Achevé d'imprimer en janvier 1994
sur presse CAMERON
dans les ateliers de la S.E.P.C.
à Saint-Amand-Montrond (Cher)

N° d'Édition : 436. N° d'Impression : 024.
Dépôt légal : janvier 1994.
Imprimé en France